P9-ELP-657

COURS DE FRANÇAIS ACCELERE II

简明法语教程
（修订版）

下　册

孙辉　编

商务印书馆

2008年·北京

图书在版编目(CIP)数据

简明法语教程(下册)/孙辉编.—修订版.—北京:商务印书馆,2006

ISBN 7-100-05201-7

I.简… II.孙… III.法语—教材 IV.H32

中国版本图书馆CIP数据核字(2006)第101927号

简明法语教程(修订版)

下　册

孙　辉　编

商务印书馆出版

(北京王府井大街36号　邮政编码100710)

商务印书馆发行

北京瑞古冠中印刷厂印刷

ISBN 7-100-05201-7/H·1258

1991年4月第1版　　开本787×960　1/16

2006年11月第2版　　印张28¼

2008年11月北京第26次印刷

印数20 000册

定价:33.90元

《简明法语教程》修订版说明

《简明法语教程》原是为高等院校第二外语教学而编写的一套速成教材。这套教材以简明、实用、便于自修为编写原则，尽可能地将知识性、科学性、趣味性融为一体，并根据读者大多掌握英语这一特点，采用了一些法语和英语的对比形式，以方便读者入门和学习。

承蒙全国各地法语教师、法语学习者和商务印书馆的厚爱，《简明法语教程》面世以来数十次印刷，至今仍活跃在法语教学的课堂上或自学者的书桌旁。作为该教材的编者，我既感到无比的欣慰，同时也感到有些内容需要更新，毕竟《简明法语教程》已经使用近20年了。

在商务印书馆的支持下，我利用工作之余对《简明法语教程》进行了部分修订，力求赶上时代发展的步伐，同时也听从了法语教学界朋友们的建议，仍保留了原作的风格和体例，分为以下四个教程：

1.《语音教程》共8课

2.《入门教程》共10课

3.《初级教程》共24课

4.《中级教程》共16课

《简明法语教程》(修订版)仍分为上、下册，与教材配套的练习参考答案及语音材料也同时发行。

限于编者已多年脱离教学实际，书中难免存在一些问题，敬请使用者匡正。

孙　辉

2005年，于巴黎

TABLE DES MATIERES 目录

Cours de niveau 1 初级教程

Cours de niveau 2 中级教程

COURS DE NIVEAU 1

初级教程

LEÇON TRENTE ET UN

I. Points importants

1. **J'ai fini** mon travail, quand il **arrive.**
   J'avais fini mon travail, quand **il est arrivé.**
2. Les touristes **sont** très fatigués, parce qu'ils **ont marché** pendant trois heures.
   Les touristes **étaient** très fatigués, parce qu'ils **avaient marché** pendant trois heures.
3. Il ne **sait** pas quand cela **s'est passé.**
   Il ne **savait** pas quand cela **s'était passé.**
4. Elle **demande** à Pierre s'il **a** bien **dormi.**
   Elle **a demandé** à Pierre s'il **avait** bien **dormi.**

II. Texte

Les dangers de l'auto-stop

Il y a beaucoup de jeunes qui font de l'auto-stop. Ils n'ont pas d'argent et pourtant ils ont envie de voyager;[1] alors ils sont tout heureux de trouver un automobiliste complaisant.[2] Mais l'auto-stop présente quelquefois des dangers pour les uns ou pour les autres.[3] Voilà ce qui est arrivé à Albert, l'un de ces automobilistes.

Souvent, Albert allait dans le Midi; il s'arrêtait pour prendre un ou deux auto-stoppeurs. Il bavardait avec eux et le temps lui semblait moins long.

Une fois, à la sortie de Lyon, il a remarqué deux religieuses qui lui faisaient signe.[4] Des religieuses, il ne pouvait pas les laisser seules sur la route.[5] Il les a fait monter dans sa voiture.[6] Il a essayé de leur parler. Elles ne répondaient presque rien et elles avaient une grosse voix. C'était bizarre. Albert avait lu dans un journal[7] qu'une banque avait été attaquée par deux bandits quelques jours auparavant. 《Ces bandits, pensait-il, ont pu s'habiller en religieuses[8] et c'est peut-être eux qui sont assis derrière moi. 》Alors il a eu peur et, peu après, il s'est arrêté devant un hôtel et a expliqué aux deux stoppeuses qu'il n'allait pas plus loin. Elles s'en sont allées rapidement sans le remercier.[9]

Après dîner, la radio a annoncé:《On vient d'arrêter les auteurs du hold-up de la Banque populaire. Ils avaient pris des habits de religieuses et faisaient de l'auto-stop. Malheureusement pour eux, ils ont stoppé une voiture de la police et un gendarme les a reconnus: ces deux religieuses portaient de grosses chaussures d'hommes!》

Eh bien! Albert l'avait échappé belle ...[10]

LEXIQUE

NOMS

le danger　危险

l'auto-stop *n. m.*　拦车搭乘

automobiliste　驾车人

auto-stoppeur, se　拦车搭乘者

la sortie　出口

religieux, se　修士,修女

la route　路,公路

la voix　声音

le bandit　匪徒

la peur　害怕

l'auteur *n. m.*　作案者;作家

le hold-up *n. m.*　(英)持枪抢劫

l'habit *n. m.*　服装

le gendarme　治安警察

la chaussure　鞋

VERBES

se passer *v. pr.* 发生

présenter *v. t.* 有,显出

sembler *v. i.* 似乎

remarquer *v. t.* 觉察

essayer(de) *v. t.* 试图

attaquer *v. t.* 攻击,袭击

s'habiller *v. pr.* 穿衣

expliquer *v. t.* 解释

s'en aller *v. pr.* 离去

remercier *v. t.* 致谢

annoncer *v. t.* 宣布

arrêter *v. t.* 逮捕,抓住

stopper *v. t.* 拦住

reconnaître *v. t.* 认出

échapper *v. t.* 逃脱

l'échapper belle 幸免,侥幸脱险

ADJECTIFS

complaisant, e 乐于助人的

gros, se 粗的

bizarre 奇怪的

populaire 人民的,大众的

AUTRES

presque *adv.* 几乎,差不多

auparavant *adv.* 以前

peut-être *adv.* 可能,大概

peu après *loc. adv.* 不一会儿

malheureusement *adv.* 不幸地

NOTES SUR LE TEXTE

1. Ils n'ont pas d'argent et pourtant ils ont envie de voyager. 他们没有钱,然而却想旅行。

   et pourtant 用以连接两个意思对立的句子,表示转折,例如:

   L'hiver approche et pourtant il ne fait pas froid. 冬天快到了,但天气还不冷。

2. Alors ils sont tout heureux de ... 于是,他们对找到一位乐于助人的开车人感到非常高兴。

   être heureux (se) de: 为…而高兴;tout 在此作副词,表示程度。

3. L'auto-stop présente quelquefois des dangers pour les uns ou pour les autres. 但有时候拦车搭乘对搭车人或开车人是有危险的。

   un (une) 可以与 autre 配合使用:l'un(l'une)... , l'autre ... 一个…,另一个…;les uns(les unes)... , les autres ... :一些…,另一些…

4. A la sortie de ... qui lui faisaient signe. 刚刚驶出里昂,他看到两位修女向他招手示意。

faire signe à *qn*：向某人示意，例如：

Il m'a fait signe d'entrer. 他示意我进去。

5. Des religieuses, il ne pouvait pas les laisser seules sur la route. 修女！他可不能把她们孤零零地撇在公路上。

   本句是把名词放在句首，句中再用代词 les 代替这个词。这是法语中常用的强调方式。

   laisser *qn* + *adj*.：让某人…，例如：

   Laissez-moi tranquille. 让我安静一会儿。

6. Il les a fait monter dans sa voiture. 他让修女上了他的车。

   faire + *inf*.：使…做某事。

7. Albert avait lu dans un journal ... 阿尔贝曾在报纸上看到…

   本句使用的时态是愈过去时，表示在"让两位修女搭车"之前已经完成的动作。详见本课语法。

8. s'habiller en religieuse：穿着修女的服装。

9. Elles s'en sont allées rapidement sans le remercier. 她们没有向阿尔贝道谢便匆匆离去。

   sans + *inf*.：没有做

10. Albert l'avait échappé belle. 阿尔贝侥幸脱险。

    l'échapper belle：幸免。这是一个固定词组。

MOTS ET EXPRESSIONS

1. **faire** + 带部分冠词的名词：做…，从事…

   faire de l'auto-stop 拦车搭乘

   faire du sport 从事体育活动

   faire de la musique 演奏音乐

   faire des recherches 从事研究工作

2. **être heureux de** + *inf*. 高兴做某事

   Je suis très heureux de vous servir d'interprète. 我很高兴为您当翻译。

   Elle est tout heureuse de reprendre son travail. 她重新工作，感到非常高兴。

3. **arriver** *v. i.*

1) 到达

Ils ne sont pas encore arrivés. 他们还没有到。

Le train est arrivé avec dix minutes de retard. 火车晚点10分钟到达。

2) *qch*. arrive à *qn* 发生,来临

Cela peut arriver à tout le monde. 这是每个人都可能遇到的。

3) *v. impers*. 发生,来临

Il lui est arrivé un malheur. 他遇到不幸。

4. **sembler** *v. i.*

1) 好像,似乎,看样子

Elle semble très heureuse. 她看来很幸福。

2) sembler à *qn* 在某人看来,使某人觉得

Ce film me semble très intéressant. 我觉得这个电影很有意思。

3) *v. impers*. 在某人看来,似乎

Il me semble utile de faire ces exercices. 我觉得做这些练习是有用的。

Il semble qu'il fait plus chaud aujourd'hui qu'hier. 今天似乎比昨天热。

5. **à la sortie de** *loc. prép*. 在…结束时,离开…时

Ils se sont rencontrés à la sortie du cinéma. 他们在电影散场时相遇。

Ces arbres seront taillés à la sortie de l'hiver. 冬天一过就修整这些树木。

6. **essayer** *v. t.*

1) 试,试验

essayer une voiture 试一辆汽车

essayer un vêtement 试穿一件衣服

2) essayer de 力图,尽力

J'essaie de résoudre ce problème. 我尽力解决这一问题。

Ils ont essayé plusieurs fois de nous persuader. 他们曾多次试图说服我们。

7. **expliquer** *v. t.*

1) expliquer *qch*. 解释某事

Les savants ont expliqué le phénomène des marées par l'attraction de la Lune. 科学家们用月球的引力来解释潮汐现象。

2) expliquer *qch*. à *qn* 向某人解释某事

Le ministre nous a expliqué son projet. 部长向我们解释了他的计划。

8. **reconnaître *qn* ou *qch*.** 认出，辨认出

Il y avait longtemps que je n'avais pas vu mon ami, j'ai eu de la peine à le reconnaître. 我有很长时间没有见到我的朋友了，我好不容易才认出他来。

Le chien reconnaît la voix de son maître. 狗听出它主人的声音。

Je n'ai été qu'une fois chez lui, mais je reconnaîtrais facilement sa maison. 我只去过他家一次，但我能很容易找到他家。

GRAMMAIRE

I. 愈过去时(le plus-que-parfait)

1. **构成**：愈过去时是一种复合时态，由助动词 avoir 或 être 的未完成过去时加动词的过去分词构成：

finir	venir
j'avais fini	j'étais venu(e)
tu avais fini	tu étais venu(e)
il avait fini	il(elle)était venu(e)
nous avions fini	nous étions venus(es)
vous aviez fini	vous étiez venu(e)(s)(es)
ils avaient fini	ils(elles) étaient venus(es)

se lever	
je m'étais levé(e)	nous nous étions levés(es)
tu t'étais levé(e)	vous vous étiez levé(e)(s)(es)
il s'était levé	ils s'étaient levés
elle s'était levée	elles s'étaient levées

2. **用法**：愈过去时主要表示在过去某时前已经发生或完成的动作。

愈过去时一般和复合过去时、未完成过去时或简单过去时配合使用：

Il disait qu'il avait déjà fini son travail. 他说他已经干完活了。

Quand je lui ai téléphoné hier soir, il s'était déjà couché. 昨天晚上我给他打电话时，他已经睡下了。

Il a réussi à l'examen, parce qu'il avait bien révisé ses leçons. 他通过了考试,因为他认真地复习了功课。

［提示］

愈过去时表示"过去的过去",相当于英语的过去完成时。

La pièce avait déjà commencé quand nous sommes arrivés au théâtre.

(The play had already started when we got to the theatre.)

Avec leur aide, j'ai compris que j'avais fait une erreur.

(With their help I realized that I had been wrong.)

II. 间接引语(补充)

1. 当直接引语变成间接引语时,如果主句动词用过去时,从句中动词原来是复合过去时,要改用愈过去时:

Il m'a demandé:《Quand Marie est-elle partie?》

Il m'a demandé quand Marie était partie.

Il leur a demandé:《Est-ce que vous avez fini votre travail?》

Il leur a demandé s'ils avaient fini leur travail.

Je lui ai demandé:《Qu'est-ce qui s'est passé?》

Je lui ai demandé ce qui s'était passé.

2. 直接引语变成间接引语时,除根据句子的意思,改变直接引语的人称、时态、指示代词和主有形容词外,有时还要改变时间副词,例如:

maintenant, en ce moment → alors, à ce moment-là
(现在,此时) (当时,那时候)

ce soir (今晚) → ce soir-là(当晚)

aujourd'hui (今天) →le jour même, ce jour-là(当天,那一天)

demain (明天) → le lendemain (第二天)

hier (昨天) → la veille (前一天)

il y a deux jours (两天前) → deux jours plus tôt (两天之前)

dans deux jours (过两天) → deux jours plus tard (两天之后)

例句:

Il dit:《Je suis très occupé maintenant.》

Il a dit qu'il était très occupé à ce moment-là.

他说他当时很忙。

Il me demande:《Es-tu libre ce soir?》

Il m'a demandé si j'étais libre ce soir-là.

他问我当天晚上是否有空。

Ils disent:《Nous partirons demain.》

Ils ont dit qu'ils partiraient le lendemain.

他们说第二天出发。

Il me demande:《Avez-vous vu ce film hier?》

Il m'a demandé si j'avais vu ce film la veille.

他问我前一天看这场电影了没有。

EXERCICES

I. *Questions sur le texte*

1. Comment les jeunes voyagent-ils, quand ils n'ont pas d'argent?

___

2. Est-ce que l'auto-stop est quelquefois dangereux pour les auto-stoppeurs? Et pour les automobilistes?

___

3. Albert prend-il souvent des auto-stoppeurs?

___

4. Qu'est-ce qu'il aime faire avec les auto-stoppeurs qu'il a pris?

___

5. Quand a-t-il vu deux religieuses?

___

6. Qu'est-ce qu'il a remarqué quand il voulait bavarder avec elles?

___

7. Qu'est-ce qu'il avait lu dans un journal?

___

8. Comment s'est-il débarrassé(摆脱) d'eux?

___

9. Comment les deux bandits ont-ils été arrêtés?

____

II. *Conjugaison*

1. être

A. à l'imparfait

elle ________ nous ________ ils ________

tu ________ je ________ vous ________

B. au passé composé

je ________ vous ________ ils ________

nous ________ elle ________ tu ________

2. avoir

A. au futur simple

je ________ tu ________ il ________

nous ________ vous ________ ils ________

B. au plus-que-parfait

nous ________ ils ________

je ________ elle ________

3. partir

A. au passé composé

je ________ vous ________

nous ________ elle ________

B. au plus-que-parfait

elle ________ tu ________

elles ________ nous ________

III. *Transformez d'après l'exemple*

Ex: J'arrive à la gare, mais le train est parti.

Je suis arrivé à la gare, mais le train était parti.

1. Je commence à travailler, puisque j'ai terminé mes études.

____

2. Elle est contente, parce qu'elle a reçu une lettre de son amie.

____

3. Mon petit frère pleure, parce qu'il n'a pas pu aller au cinéma.

____

4. Quand il vient, je me suis déjà couché.

____

IV. *Transformez d'après l'exemple*

Ex: J'ai déjà fini mon travail.

Il a dit qu'il avait déjà fini son travail.

1. J'ai acheté une nouvelle voiture.

Il a dit ____

2. J'ai rencontré Paul dans le métro.

Il a dit ____

3. Je n'ai pas reçu l'e-mail de mon directeur.

Il a dit ____

4. Nous avons déjà obtenu notre visa.

Ils ont dit ____

5. Nous n'avons pas encore reçu cette invitation.

Ils disaient ____

V. *Transformez d'après l'exemple*

Ex: Avez-vous réservé la chambre?

Il m'a demandé si j'avais réservé la chambre.

1. Où avez-vous mis la clé?

Il m'a demandé ____

2. Quand avez-vous appris cette nouvelle?

Il nous a demandé ____

3. Est-ce que Marie est déjà partie?

Il a demandé à Pierre ____

4. Avez-vous vu le professeur d'espagnol?

Il vous a demandé ____

5. Quels livres ont-ils achetés?

Il m'a demandé ______

VI. *Traduisez les phrases en chinois*

1. Il a dit que la veille, il avait vu un très bon film.

______

2. Il m'a demandé si j'étais libre ce soir-là.

______

3. Pierre est venu me voir le 15 septembre et il m'a dit qu'il partirait pour les Etats-Unis le lendemain.

______

4. Ce jour-là, mon enfant n'est pas allé à l'école, car il était malade.

______

5. Il a dit que le directeur pouvait me recevoir deux ou trois heures plus tard.

______

VII. *Traduisez les expressions suivantes en français*

1. 奇怪的声音 ______
2. 从事体育运动 ______
3. 穿着律师的服装 ______
4. 试一辆汽车 ______
5. 抢劫银行 ______
6. 认出某人 ______

VIII. *Thème* 中译法

1. 他没有做这些练习,因为他什么也没有懂。

______

2. 昨天她问我警察是不是已经逮住了小偷(le voleur)。

______

3. 那一天,他问我是什么时候见到杜邦先生的。

______

4. 孩子们不在家时,她觉得时间过得很慢。

______

5. (那时候)晚饭后,大学生们在校园里散步,并用法语交谈。然后,他们回到各自的教室里。一些人开始做作业，另一些人复习(réviser)以前学过的课程。大家都很忙，从来不在11点钟以前就寝。

____

____

____

____

6. 几个外国学生想和法国青年那样，搭车去旅行。他们在公路旁等了很长时间，但没有车辆停下让他们上去。原来，他们不知道怎样向司机示意。

____

____

____

IX. *Traduisez la lecture suivante en chinois*

LECTURE

Le voleur et Balzac

Je me rappelle toujours les anecdotes de grands auteurs que mon grand-père m'a racontées dans mon enfance. En voici une: [1]

Une nuit, un voleur est entré dans la maison de Balzac qui avait l'habitude de se coucher très tard et de ne pas fermer la porte.

Cette nuit-là, Balzac était déjà au lit et semblait dormir profondément. Le voleur a cherché à ouvrir le bureau. Mais tout à coup, il a été interrompu par un gros rire. Il a eu peur et s'est retourné pour voir ce qui se passait. Il a vu Balzac qui riait de tout son cœur. [2] Très effrayé, le voleur n'a pas pu s'empêcher de lui demander:

—Pourquoi donc riez-vous?

—Je ris, lui a répondu l'auteur, parce que vous venez la nuit, sans lumière, chercher de l'argent dans un bureau où, moi, je n'ai jamais pu en trouver en plein jour.

____

____

____

____

____

____

____

____

____

____

____

LEXIQUE

se rappeler　回想起
l'anecdote　*n. f.*　轶事，趣闻
le lit　床
profondément　*adv.*　深深地
le voleur　小偷
tout à coup　*loc. adv.*　突然
interrompre　*v. t.*　打断，中断
le rire　笑
rire　*v. i.*　笑
effrayé, e　*a.*　惊恐的
s'empêcher (de)　*v. pr.*　自禁，克制

NOTES

1. En voici une = Voici une de ces anecdotes.
2. qui riait de tout son cœur：他开怀大笑。

LEÇON TRENTE-DEUX

I. Points importants

1. Napoléon **est né** en 1769 et il **est mort** en 1821.
   Napoléon **naquit** en 1769 et **mourut** en 1821.
2. Notre-Dame de Paris **a été construite** au 12ᵉ siècle.
   Notre-Dame de Paris **fut construite** au 12ᵉ siècle.
3. Il **entra** dans un café où il y **avait** beaucoup de monde.
4. Il **prit** son manteau, puis il **sortit**.
5. Quand il **fut arrivé** à l'aéroport, il **téléphona** à sa femme.

II. Texte

Le déjeuner de Napoléon

Même devenu empereur des Français, Napoléon aimait visiter Paris incognito.[1] Un jour, il décida d'aller voir sur la place Vendôme où en était la construction de la colonne[2] qu'il avait fait forger avec le bronze des canons pris à l'ennemi pendant la bataille d'Austerlitz.[3]

Après la visite, Napoléon eut faim et voulut déjeuner. Accompagné du maréchal Duroc,[4] il entra dans un restaurant et commanda des côtelettes de mouton, une omelette, du vin et du café. Le repas était très bon. Mais quand le garçon apporta l'addition, Duroc se rendit compte qu'il avait oublié son portefeuille et n'avait pas d'argent sur lui.[5] Quant à Napoléon, il n'en emportait jamais. Le maréchal expliqua la situation à la patronne: 《Nous sommes des officiers de la Garde, dit-il, nous avons de l'argent, mais nous avons oublié nos portefeuilles aujourd'hui.》 Malheureusement, la patronne ne le crut pas et exigea son argent tout de suite. La situation devenait vraiment embarrassante. A ce moment-là, le garçon proposa à la patronne de payer pour les deux officiers.[6] Il n'était pas riche, mais il croyait aux explications de Duroc.[7] Ce dernier remercia le garçon et rentra au Palais avec l'Empereur.[8]

Deux heures plus tard, un officier se présenta au restaurant et déclara à la patronne:《Sa Majesté l'Empereur et le maréchal Duroc veulent remercier le garçon qui a payé leur addition.》Il fit appeler le garçon et[9] devant la patronne, rouge de confusion,[10] il lui remit cinquante pièces d'or et lui déclara que l'Empereur le prenait à son service comme valet de chambre.[11]

LEXIQUE

NOMS

un empereur 皇帝
la colonne 圆柱
le bronze 青铜
le canon 炮
ennemi, e 敌人
la bataille 战斗
Austerlitz 奥斯特利茨
la visite 参观
le maréchal 元帅
le mouton 羊肉
la côtelette de mouton 羊排
l'omelette *n. f.* 炒鸡蛋
l'addition *n. f.* 账单
le portefeuille 皮夹
la situation 情况,处境
la Garde 禁卫军
l'explication *n. f.* 解释
dernier, ère 后者
Sa Majesté 陛下
la confusion 羞愧
la pièce d'or 金币
le service 服务
le valet 侍从
le valet de chambre 贴身侍从

VERBES

mourir *v. i.* 死亡
en être 到…程度
forger *v. t.* 铸造
accompagner *v. t.* 陪同
commander *v. t.* 订(菜)
apporter *v. t.* 拿来,带来
se rendre compte 意识到
emporter *v. t.* 带出,带走
exiger *v. t.* 要求,苛求
proposer *v. t.* 建议
payer *v. i.* ou *v. t.* 付款,支付

se présenter *v. pr.* 来临，到来

remettre *v. t.* 交，给

ADJECTIFS

embarrassant, e 令人尴尬的

riche 富的，富裕的

AUTRES

même *adv.* 甚至，即使

incognito *adv.* 隐姓埋名

quant à *loc. prép.* 至于

à ce moment-là 此时

NOTES SUR LE TEXTE

1. Même devenu empereur ... visiter Paris incognito. 拿破仑当上法国皇帝后，仍喜欢在巴黎微服私访。

   Même devenu ... 相当于状语从句 Même quand il était devenu ... 过去分词 devenu 修饰 Napoléon，须与之性、数一致。

2. Il décida d'aller voir sur la place Vendôme où en était la construction de la colonne. 他决定去旺多姆广场看看圆柱建造工程的进展情况。

   1）en être 是一个固定词组，表示一件事情进展的程度。例如：

   Où en est votre travail? 您的工作进行得怎么样了？

   2）la place Vendôme：旺多姆广场。巴黎著名广场之一，得名于广场前的旅馆。1806—1810 年，拿破仑在广场上建起圆柱，以纪念他的军队的战绩。

3. ... qu'il avait fait forger avec le bronze des canons pris à l'ennemi pendant la bataille d'Austerlitz. 他让人用奥斯特利茨战役中缴获的大炮的青铜铸成（旺多姆）圆柱。

   1）pris à ... 表示“从某处获得”，pris 是起形容词作用的过去分词，修饰 les canons；即 les canons qu'on avait pris à l'ennemi.

   2）la bataille d'Austerlitz：奥斯特利茨战役。1805 年，拿破仑在奥斯特利茨以少胜多，重创俄奥联军。

4. Accompagné du maréchal Duroc：在迪罗克元帅的陪同下。

5. Duroc se rendit compte qu'il avait oublié son portefeuille et n'avait pas d'argent sur lui. 迪罗克发现他忘记带皮夹了，身上没有钱。

6. A ce moment-là, le garçon proposa à la patronne de payer pour les deux officiers. 这时候，侍者向老板娘提出，由他代两位军官付款。

7. Mais il croyait aux explications de Duroc. 但他认为迪罗克的话可信。
8. Ce dernier remercia le garçon et rentra au Palais avec l'Empereur. 后者(指迪罗克)谢过侍者,与皇帝一起回宫。
9. Il fit appeler le garçon. 他叫人找来那位侍者。

   fit 是 faire 的简单过去时第三人称单数形式。
10. rouge de confusion:羞愧得满脸通红。作 la patronne 的同位语。

    de 表示原因,即:由于羞愧而…
11. ... le prenait à son service comme valet de chambre:让他作随身侍从。

    à son service=au service de l'empereur.

    prendre *qn* comme ... :把某人作为…,例如:

    Il m'a pris comme secrétaire. 他让我作他的秘书。

MOTS ET EXPRESSIONS

1. **avoir + nom**(省略冠词)

avoir faim	饿	avoir soif	渴
avoir froid	冷	avoir chaud	热
avoir peur	害怕	avoir honte	羞愧
avoir raison	有道理,对了	avoir tort	错了

2. **se rendre compte de *qch*. (que)**体会到,意识到

   Il s'est rendu compte de l'importance de son travail. 他认识到自己工作的重要性。

   Je me rends compte que ces étudiants connaissent beaucoup de choses. 我感到这些大学生懂得许多东西。

3. **quant à** *loc. prép*. 至于,关于

   Pars si tu veux; quant à moi, je reste. 你想走就走吧;至于我,我要留下。

   Il ne m'a rien dit quant à ses projets. 关于他的计划,他什么也没有和我说。

4. **emporter**(带出)≠apporter(带来)

   N'oubliez pas d'emporter du linge de rechange. 不要忘记带换洗的衣服。

   Je vous apporte les documents que vous m'avez demandés. 我把您要的材料带来了。

5. **proposer** *v. t.*

1) proposer *qch.* (à *qn*)建议某事，提出

Pendant la réunion, on a proposé un nouveau projet. 会议期间，有人提出一项新计划。

Après le déjeuner, il proposa une promenade à ses invités. 吃过午饭，他建议客人们去散步。

2) propser (à *qn*) de faire *qch.* 建议某人做某事。

Je vous propose de vous conduire à la gare. 我建议用车把您送到火车站。

Comme il faisait beau, le guide a proposé aux touristes de faire une visite aux Tombeaux des Ming. 天气很好，导游建议旅游者去参观明陵（十三陵）。

［说明］直接宾语 de faire *qch.* 动作的施动者，可以是句子的主语，也可以是句子的间接宾语；具体含义视上下文而定。

6. **remettre**

1)放回

remettre un portefeuille dans sa poche 把皮夹子放回口袋

remettre un livre dans la bibliothèque 把一本书放回书架

2) remettre *qch.* à *qn* 交给某人某物

Remettez cette lettre à M. Dupont, s'il vous plaît. 请把这封信交给杜邦先生。

Lee élèves ont remis leurs devoirs au professeur. 学生们把作业交给了老师。

GRAMMAIRE

I. 简单过去时(le passé simple)

1. **构成**：简单过去时有三种不同的词尾：

1	2	3
-ai	-is	-us
-as	-is	-us

-a	-it	-ut
-âmes	-îmes	-ûmes
-âtes	-îtes	-ûtes
-èrent	-irent	-urent

[说明]

1)第一组动词(包括 aller)的词根加第一种词尾：

donner	**aller**
je donnai	j'allai
tu donnas	tu allas
il donna	il alla
nous donnâmes	nous allâmes
vous donnâtes	vous allâtes
ils donnèrent	ils allèrent

2)第二组动词及部分第三组动词的词根加第二种词尾：

finir	**sortir**
il finit	il sortit
ils finirent	il sortirent

[注意]使用第二种词尾的某些第三组动词词根有变化，例如：

conduire :	il conduisit	dire :	il dit
écrire :	il écrivit	faire :	il fit
mettre :	il mit	prendre :	il prit
voir :	il vit	s'asseoir :	il s'assit

3)其他的第三组动词使用第三种词尾，并可参考过去分词的形式：

boire:	il but	croire:	il crut
courir:	il courut	lire:	il lut
pouvoir:	il put	recevoir:	il reçut
savoir:	il sut	vouloir:	il voulut

[注意] mourir 不能参照过去分词形式：

il mourut, ils moururent

4)特殊的不规则动词的简单过去时形式：

être	**avoir**	**venir**
il fut	il eut[ily]	il vint
ils furent	ils eurent[ilzy:r]	ils vinrent

2. **用法**

简单过去时表示过去某一确定时间内已经完成的动作。它一般只用于书面语言，用来叙述历史事件、故事、传记等，通常只使用第三人称单数和复数。

La Longue Marche **commença** en 1934 et **se termina** en 1936. 长征始于1934年，结束于1936年。

La République populaire de Chine **fut proclamée** en 1949. 中华人民共和国成立于1949年。

II. 简单过去时与其他几种过去时态的比较：

1. **简单过去时与复合过去时**

1)简单过去时与复合过去时的用法基本相同，但简单过去时一般只用于书面语言，复合过去时在口、笔语中均能使用。

Lénine naquit en 1870 et mourut en 1924.

Lénine est né en 1870 et mort en 1924.

列宁生于1870年，死于1924年。

2)简单过去时表示纯粹过去的事情或动作，与现在没有联系；复合过去时表示的动作有时还和现在有联系。

Il alla en France.

Il est allé en France.

(后一句表示：他去法国了，因此现在不在此地。)

Les enfants mangèrent beaucoup.

Les enfants ont beaucoup mangé.

(后一句表示：孩子们已吃了许多，因此现在不饿，不能再给他们吃了。)

2. **简单过去时与未完成过去时**

1)两种时态常常配合使用，简单过去时叙述主要动作的进行，未完成过去时则描写故事背景，介绍情况等。

Le ciel était gris, il pleuvait. Tout à coup le vent se leva et chassa les nuages. Le soleil apparut. 天空灰蒙蒙,下着雨。突然起风了,风驱散了乌云,太阳出来了。

Napoléon lisait les journaux quand le maréchal Duroc entra. 迪罗克元帅进来时,拿破仑正在看报纸。

2)简单过去时表示短暂的、一次完成的动作;未完成过去时则表示习惯性的、重复的动作。

Il entra dans un restaurant et commanda des côtelettes de mouton. 他走进一家饭馆,要了几块羊排。(一次完成)

Napoléon n'emportait jamais d'argent sur lui. 拿破仑身上从来不带钱。(习惯)

3. **简单过去时与愈过去时**

两种时态配合使用,愈过去时表示在简单过去时之前完成的动作。

Duroc se rendit compte qu'il avait oublié son portefeuille. 迪罗克发觉他忘记带皮夹子了。

Il rencontra M. Dupont qu'il avait connu à Lyon. 他遇见了以前在里昂结识的杜邦先生。

[注意] 简单过去时与愈过去时表示的时间先后概念,一般连接不太紧密;如表示过去紧密相连的两个动作,则要使用先过去时(le passé antérieur)。先过去时由助动词 avoir 和 être 的简单过去时加动词的过去分词构成。通常用在以 dès que, aussitôt que, à peine que (一…就)等短语引导的时间状语从句中:

Dès qu'il **eut fini** son travail, il aida les autres. 他刚干完自己的活儿就去帮助别人了。

Aussitôt qu'il **fut parti**, le directeur lui téléphona. 他刚一走,经理就打来了电话。

III. 时态配合

法语时态有现在、过去、将来三种;在时态配合使用时,又会出现"同时"、"先"、"后"三种情况。时态配合是一个复杂的问题。我们仅介绍几种常见的情况。

1. 主句动词是现在时

主 句	从 句	说 明
Je crois	qu'il est malade.	从句与主句"同时"
	qu'il partira demain.	从句"后"于主句
	qu'il est déjà parti.	从句"先"于主句

2. 主句动词是将来时

主 句	从 句	说 明
Je travaillerai	quand j'aurai 18 ans.	从句与主句"同时"
	quand j'aurai obtenu mon diplôme.	从句"先"于主句

3. 主句动词是过去时

主 句	从 句	说 明
Je croyais ou J'ai cru	qu'il était malade.	从句与主句"同时"
	qu'il partirait le lendemain.	从句"后"于主句
	qu'il était déjà parti.	从句"先"于主句

EXERCICES

I. *Questions sur le texte*

1. Qu'est-ce que Napoléon aimait faire?

2. Qu'est-ce qu'il a décidé de faire un jour?

3. Avec quoi est forgée la colonne Vendôme?

4. Qu'est-ce que Napoléon a commandé pour son déjeuner?

____

5. Est-ce que Napoléon et Duroc avaient de l'argent sur eux?

____

6. Alors, qu'est-ce que Duroc a expliqué à la patronne?

____

7. Est-ce que la patronne a cru aux explications de Duroc?

____

8. Finalement, qui a payé pour eux?

____

9. Comment Napoléon a-t-il remercié le garçon?

____

10. Pourquoi la patronne était-elle rouge de confusion?

____

II. *Donnez les infinitifs des verbes soulignés*

1. Il **fut** très content de revoir son ami. (   )
2. Les pêcheurs **s'installèrent** sur l'île de la Cité. (   )
3. Beaucoup de gens **moururent** de cette maladie. (   )
4. Napoléon **prit** son manteau et **sortit.** (   )(   )
5. Les enfants **se mirent** à courir. (   )
6. La patronne ne **crut** pas à ses explications. (   )
7. Molière **naquit** en 1622. (   )
8. Ils **vinrent** en France en 1934. (   )
9. Il **fit** construire une grande maison. (   )
10. Ils **eurent** un accident de voiture à la sortie de Paris. (   )
11. Il ne **sut** jamais comprendre son frère. (   )
12. Ce roman **fut** écrit en 1900. (   )

III. *Mettez au passé*

1. Il pense que son fils est paresseux.

   Il pensait que ______________________________

2. Elle croit qu'elle obtiendra un poste intéressant.

Elle croyait que ____________________

3. Nous savons qu'elle n'aime pas aller au cinéma.

   Nous savions qu' ____________________

4. Je suis sûr que vous avez reçu cette invitation.

   J'étais sûr que ____________________

5. Il ne sait pas que vous partirez demain.

   Il ne savait pas que ____________________

6. Je pense qu'il n'y a pas de cours aujourd'hui.

   Je pensais qu' ____________________

7. Il espère que son ami pourra venir l'aider ce soir.

   Il espérait que ____________________

8. Je ne sais pas que ses parents viendront dans 3 jours.

   Je ne savais pas que ____________________

IV. *Mettez au discours indirect*

1. Partirez-vous le 17 décembre?

   Il m'a demandé ____________________.

2. Serez-vous à Paris au mois de juin?

   Il a demandé à Marie ____________________.

3. Prendrez-vous l'avion?

   Il vous a demandé ____________________.

4. Aurez-vous un peu de temps libre demain?

   Il a demandé à Pascal ____________________.

5. Pourrez-vous réserver une place pour moi?

   Il nous a demandé ____________________.

V. *Mettez au discours indirect*

1. Où avez-vous mis la clé de notre appartement?

   Le père a demandé à ses fils ____________________.

2. Qu'est-ce que vous avez fait aujourd'hui?

   La mère a demandé à ses enfants ____________________.

3. Pourquoi Marie a-t-elle refusé ces cadeaux?

J'ai demandé à Pierre ______________________.

4. Quel film avez-vous vu hier?

Le professeur a demandé aux élèves ______________________.

5. Quand avez-vous appris cette nouvelle?

Le directeur m'a demandé ______________________.

VI. *Traduisez les expressions suivantes en français*

1. 把账单拿来 ______________

2. 有钱 ______________

3. 把某人当作… ______________

4. 羞愧得满面通红 ______________

5. 意识到某事 ______________

6. 相信某人的话 ______________

VII. *Voici un texte au passé composé. Maintenant mettez les verbes au passé simple*

Jacques **est sorti** (　　) de la maison à 7 heures. Il **s'est dirigé** (　　) vers la gare, car son oncle devait arriver par le train de 8 h 10. Tout à coup, il **a glissé** (　　) et **est tombé** (　　) par terre. Des passants **ont couru** (　　) vers lui et **essayé** (　　) de l'aider. Un agent de police qui faisait sa ronde **s'est approché** (　　), et il **a appelé** (　　) une ambulance et l'**a accompagné** (　　) à l'hôpital. On lui **a mis** (　　) un pansement et on lui **a donné** (　　) des médicaments. Au bout d'une heure, il **a pu** (　　) quitter l'hôpital et **est arrivé** (　　) à la gare en retard. Il n'**a** pas **vu** (　　) son oncle et **a cru** (　　) qu'il était déjà parti. Heureusement, son oncle était encore là. Ils **ont appelé** (　　) un taxi qui les **a conduits** (　　) rapidement à la maison.

VIII. *Thème* 中译法

1. 拿破仑 1769 年出生在科西嘉岛(La Corse),1804 年他当上了法国皇帝,但 10 年后被迫退位(se retirer)。

2. 他对我说这些菜都是他女儿做的,他什么也没有干。

3. 有人和我说,您正在写一本小说。进展得怎么样了?

4. 在课堂上老师建议我们用法语提问;但对我们来说,这是相当困难的。

5. 一天,阿尔贝和妻子一同去商店。他妻子看见一条漂亮的裙子,于是决定买这条裙子。但她的皮夹里只有 30 欧元,而裙子的价格是 35 欧元。至于阿尔贝,他同妻子出门时,身上从来不带钱。

IX. *Version* 法译中

Traduisez le passage de la lecture suivante:《Quand on invitait ... Mais que pensera-t-on de notre temps?》

LECTURE

Maupassant et la tour Eiffel

L'ingénieur Eiffel a terminé la tour Eiffel en 1889; au premier étage de ce monument il y avait et il y a encore un restaurant; aux yeux de Maupassant et de beaucoup de personnes de son temps,[1] la tour Eiffel était quelque chose de très laid.[2] Voilà ce que disait Maupassant:

《J'ai quitté Paris et même la France parce que la tour Eiffel m'ennuyait trop; non seulement on la voyait de partout[3] mais on la trouvait partout, faite de toutes les matières, placée dans toutes les vitrines.

Quand on invitait un ami à dîner, il acceptait, à condition de manger sur la tour Eiffel; c'était plus gai. Tout le monde vous invitait là tous les jours de la semaine pour déjeuner ou pour dîner!

Comment tous les journaux ont-ils osé nous parler d'architecture nouvelle à propos de cette échelle de fer géante? Elle est haute et maigre comme une cheminée d'usine; l'architecture est aujourd'hui l'art le moins compris et le plus oublié.

Quelques églises, quelques palais du temps passé expriment à nos yeux toute la grâce et toute la grandeur des époques d'autrefois. Mais que pensera-t-on de notre temps?»[4]

LEXIQUE

Maupassant 莫泊桑

laid, e *a.* 丑陋的

ennuyer *v.t.* 使厌烦

l'architecture *n.f.* 建筑学，建筑术

l'échelle *n.f.* 梯子

géant, e *a.* 巨大的，庞大的

maigre *a.* 瘦的

l'art *n.m.* 艺术

la grâce 优美，雅致

la grandeur 伟大，强盛

NOTES

1. aux yeux de Maupassant et de beaucoup de personnes de son temps: 在莫泊桑和当时许多人的眼里
   1) aux yeux de *qn*: 在…眼里；依…看来
   2) de son temps: 与(莫泊桑)同时代的

2. la tour Eiffel était quelque chose de très laid：艾菲尔铁塔是个丑陋无比的东西。

   quelquel chose 是泛指代词，由形容词修饰时要加介词 de，形容词无性数变化。

3. non seulement on la voyait de partout：它不仅到处可见。

   1）non seulement：不仅；non seulement ... mais ... 不仅…而且…

   2）la = la tour Eiffel

   3）de partout：从四面八方；在各处

4. Mais que pensera-t-on de notre temps？人们对我们这个时代会怎么想呢？

   que penser de *qch*. 对…怎么看。例如：

   Que pensez-vous de ce film？您觉得这部电影怎么样？

LEÇON TRENTE-TROIS

I. Points importants

1. Voilà le tableau de Picasso; je vous ai parlé de ce tableau.
   Voilà le tableau de Picasso **dont** je vous ai parlé.
2. J'ai rencontré Marie; son père travaille à notre faculté.
   J'ai rencontré Marie **dont** le père travaille à notre faculté.
3. Les élèves ont fait de grands progrès; ils en sont satisfaits.
   Les élèves ont fait de grands progrès, **dont** ils sont satisfaits.
4. Vous êtes fatigués? Oui, nous **le** sommes.
5. M. et Mme Vincent sont professeurs? Oui, ils **le** sont.
6. Savez-vous que Pierre va partir bientôt?
   Oui, je **le** sais.

II. Texte

Les enfants à la clé

Trois jours que Jean-Jacques, 11 ans, est absent, sans explication.[1] Inquiète, l'institutrice a décidé, cette fois, de se rendre à son domicile, après les cours.[2] C'est Jean-Jacques qui lui ouvre la porte. Il est seul, en pyjama.[3] Dans un coin de la salle à manger, le poste de télévision ronronne. L'enfant a l'air en bonne santé. Il l'est.[4] Depuis trois jours, simplement, il 《sèche》 l'école. Ses parents? Ils partent tôt le matin et rentrent tard le soir.[5] Comme ils sont fatigués, ils parlent très peu à leur enfant et ils ne se sont aperçus de rien.[6]

L'histoire est banale. Le phénomène l'est moins. Combien sont-ils comme Jean-Jacques, en France? Des dizaines, des centaines de milliers, peut-être.[7] Un tiers des enfants dont le père et la mère travaillent sont ainsi livrés à eux-mêmes.[8]

Ils ne font pas tous l'école buissonnière, bien sûr. Mais tous ont appris à vivre seuls, à se débrouiller, du matin au soir.

Aux Etats-Unis, on les appelle les《key children》[9] parce qu'ils ont, dans leurs poches ou autour du cou une clé dont ils ne se séparent jamais, celle de leur appartement.《Nous les appelons les enfants de l'ouverture, expliquent les institutrices françaises. Ils arrivent dès l'ouverture de l'école.[10] Et ils restent le soir jusqu'à 6 heures, après l'étude. Puis ils rentrent dans une maison vide.》

Ces enfants《abandonnés》reportent leur amour, presque toujours, sur la《maîtresse》.[11]《Nous autres, institutrices, nous〈vendions〉naguère du français, de l'arithmétique, dit madame Rigal. Aujourd'hui, nous〈vendons〉de l'affection, cette affection dont nos élèves ont tellement besoin.》[12]

LEXIQUE

NOMS

Picasso 毕加索

la faculté 学院

le pyjama 睡衣

le coin 角落

la salle à manger 餐厅

le poste de télévision 电视机

l'air *n. m.* 神情

le phénomène 现象

la centaine 上百个

le millier 上千个

le tiers 三分之一

le cou 脖子

l'ouverture *n. f.* 开门

l'amour *n. m.* 爱,爱情

la maîtresse 女教师

l'arithmétique *n. f.* 算术

l'affection *n. f.* 感情,友爱

VERBES

se rendre *v. pr.* 到…去

ronronner *v. i.* 发出轰鸣声
sécher *v. t.* 使干燥
sécher l'école 旷课,逃学
s'apercevoir *v. pr.* 发觉
livrer *v. t.* 交给,交付
faire l'école buissonnière 逃学
vivre *v. i.* 生活
se débrouiller *v. pr.* 设法应付
abandonner *v. t.* 抛弃
se séparer *v. pr.* 脱离,分开
reporter *v. t.* 转移到
vendre *v. t.* 出售

ADJECTIFS

absent, e 缺席
inquiet, ète 担心的
banal, e(banaux) 平常的,平庸的
vide 空的

AUTRES

avoir l'air 好像,似乎
ainsi *adv.* 这样,如此
autour de *loc. prép.* 在…周围
naguère *adv.* 不久以前
tellement *adv.* 如此地

NOTES SUR LE TEXTE

1. Trois jours que … sans explication. 不知是什么原因,11岁的让-雅克已经三天没来上学了。

   trois jours que = ça fait trois jours que …

2. Inquiète, l'institutrice … se rendre à son domicile, après les cours. 教师很担心,于是这次决定下课后去他家看看。

   inquiète 相当于 comme elle était inquiète.

3. en pyjama:身穿睡衣。

4. L'enfant a l'air en bonne santé. Il l'est. 孩子看上去身体健康,事实也是如此。

   il l'est 中的中性代词 le 代替 en bonne santé. 详见本课语法。

   avoir l'air:看样子,显得。

5. Ils partent tôt le matin et rentrent tard le soir. 他们早晨很早就走,晚上很晚才回来。

6. Ils ne se sont aperçus de rien. 他们什么也没有察觉。

7. Des dizaines, des centaines de milliers, peut-être. 也许有成千上万这样的学

生。

des dizaines de milliers：数万。

des centaines de milliers：数十万。

8. Un tiers des enfants dont le père et la mère travaillent sont ainsi livrés à eux-mêmes. 就这样，在父母工作的孩子中有三分之一要自己照顾自己。

dont ＝（le père et la mère）des enfants，详见本课语法。

ainsi *adv.* 这样，如此

9. Aux Etats-Unis，on les appelle les《key children》. 在美国，他们被称为："挂钥匙的孩子"。

10. Ils arrivent dès l'ouverture de l'école. 学校刚一开门，他们就到校了。

11. Ces enfants《abandonnés》... sur la《maîtresse》. 这些被"遗弃"的孩子几乎总是把他们的感情转移到女教师身上。

maîtresse 有这两种意思：1. 女主人　2. 小学女教师

12. Nous《vendons》de l'affection，cette affection dont nos élèves ont tellement besoin.（现在）我们"出售"感情，我们的学生们非常需要这种感情。

MOTS ET EXPRESSIONS

1. **sans**＋*nom*，＋*inf.*，＋*pron.* 没有…

Elle sort sans fermer la porte. 她没关门就出去了。

C'est un livre sans illustrations. 这是一本没有插图的书。

Ils bavardent sans regarder la télévision. 他们只顾聊天，不看电视。

Vous pouvez manger sans moi. 你们不必等我吃饭。

2. **rendre**

1）还，归还

Je vous rends votre argent. 我把借您的钱还您。

Les ravisseurs ont rendu l'enfant à ses parents. 绑架者把孩子归还给他父母。

2）使变得…

Cette nouvelle l'a rendue heureuse. 这个消息使她高兴。

3）se rendre 投降；到…去

Les ennemis se sont rendus sans conditions. 敌人无条件投降。

Elle se rend à son travail à 7 h du matin. 她早晨七点钟去上班。

Ils se sont rendus à Beijing pendant les vacances. 他们假期到北京去了。

3. **avoir l'air** 好像,似乎,看起来(后面的形容词通常与主语的性、数相配合)

Ils ont l'air stupides. 他们一副愚蠢的样子。

Ces pommes ont l'air fraîches. 这些苹果似乎很新鲜。

Ce problème n'a pas l'air d'être bien difficile. 这个问题看起来并不难。

4. **s'apercevoir de *qch*.** (ou: **que**)发觉,意识到

Ils se sont aperçus de leur erreur. 他们意识到他们的错误。

Ne s'aperçoit-il jamais que ses auditeurs sont lassés de ses discours? 他就没有发觉听众对他的讲演不感兴趣吗?

5. **livrer**

1)交付,送交,献出

Avant de mourir, il livra son secret. 临死前,他吐露了秘密。

Le coupable a été livré à la justice. 罪犯被送交司法机关。

Le voleur arrêté a livré ses complices à la police. 被抓获的小偷向警察供出了他的同伙。

2) se livrer (à)沉湎于,放任自己

Cet homme se livre à la boisson. 这个人酗酒成性。

Les envahisseurs se sont livrés au pillage. 侵略者到处抢劫。

6. **apprendre**

1) apprendre *qch*. 学,学习

Ils ont appris le français à l'école secondaire. 他们在中学里学过法语。

Elle a beaucoup appris au cours de son voyage. 她在旅行中学到不少东西。

2) apprendre *qch*. (ou: que)得知,听说

J'ai appris la nouvelle de sa mort. 我得知了他去世的消息。

Avez-vous appris que son mariage a été retardé? 你们听说他的婚期推迟了吗?

3) apprendre à + *inf*. 学习做…

Les enfants apprennent à écrire et à compter au jardin d'enfants. 孩子们在幼儿园里学习写字和计算。

4) apprendre *qch.* à *qn*（ou：apprendre à *qn* à faire *qch.*）教某人…

Pierre nous a appris cette chanson française. 皮埃尔教给我们唱这首法国歌曲。

La mère apprend à son enfant à faire la lessive. 母亲教孩子洗衣服。

7. **séparer**

1) séparer *qch.* de *qch.* 隔开，使分离

Les Pyrénées séparent l'Espagne de la France. 比利牛斯山脉将西班牙和法国隔开。

Les ouvriers séparent l'écorce du bois avec une machine. 工人们用机器从木材上剥下树皮。

2) séparer *qn* ou *qch.* 分开，分类

La mort seule pourra nous séparer. 只有死亡才能把我们分开。

On sépare les problèmes pour mieux les résoudre. 把问题分类以便更好地解决。

3) se séparer（de）脱离，离开

Il est tard, il faut nous séparer. 时候不早了，咱们该分手了。

Une œuvre ne peut se séparer de son époque. 一部作品不能脱离开它那个时代。

8. **reporter**

1) reporter *qch.* 送回；推迟

N'oubliez pas de reporter ces livres à la bibliothèque. 别忘了把这些书送回图书馆。

Le match de football sera reporté au mardi prochain. 足球比赛推迟到下星期二举行。

2) reporter *qch.* sur *qn* 把…转到

J'ai reporté sur lui l'affection que j'avais pour vous. 我已把过去对你的感情转到他身上。

Plusieurs électeurs ont reporté leur voix sur un autre candidat. 若干选民

将选票转投另一候选人。

GRAMMAIRE

I. 关系代词 dont

dont 代替一个带有介词 de 的名词,这个名词作它的先行词,可以是人也可以是物。dont 主要用作:

1. 动词的间接宾语

Voilà le docteur dont je vous ai parlé. 这就是我和您讲过的那位医生。

(dont = de ce docteur)

Passez-moi le dictionnaire dont j'ai besoin. 请把我要用的那本词典递过来。

(dont = de ce dictionnaire)

2. 名词补语

C'est un homme dont la vie est consacrée à la science. 这是一位献身于科学的人。

(dont = de cet homme, 即 la vie de cet homme)

J'ai vu un film dont l'histoire est très intéressante. 我看了一部故事情节很有趣的电影。

(dont = de ce film, 即 l'histoire de ce film)

3. 形容词补语

Il nous a parlé de son travail dont il est très satisfait. 他和我们谈了他的工作,他对自己的工作很满意。

(dont = de son travail, 即 satisfait de son travail)

常用的形容词还有:(être) content de: 为…高兴

(être) fier de: 为…自豪

[提示]

dont 的用法与英语的关系代词 whose, of whom, of which 相似。

例如:

Connaissez-vous quelqu'un dont la famille est à Shanghai?

(Do you know anyone whose family is in Shanghai?)

L'usine compte maintenant 800 ouvriers, dont 350 sont femmes.

(The factory now has 800 workers, of whom 350 are women.)

La Chine a des centaines d'îles, dont la plus grande est Taiwan.

(China has hundreds of islands, the largest of which is Taiwan.)

II. 中性代词 le (le pronom neutre *le*)

中性代词 le 没有性数变化,它的主要功能如下:

1. 作直接宾语,代替一个不定式动词(所表示的行为)

Partez, puisque vous le voulez. (= puisque vous voulez partir) 既然您要走,您就走吧。

2. 作表语,代替一个表示身份或职业的名词

Est-ce que vous êtes journaliste?

Oui, je le suis. (le = journaliste)

Etes-vous avocat, Monsieur?

Oui, je l'ai été, mais je ne le suis plus. 是的,我过去是(律师)但现在不是了。

3. 代替一个形容词

Etes-vous fatigués?

Oui, nous le sommes. (le = fatigués)

4. 代替一个句子(所包含的内容)

Vous êtes satisfait, je le vois. 您是满意的,我看出来了。

La situation est plus complexe que vous l'imaginiez. 形势比您所想象的要复杂得多。

III. 介词 pour 的几种用法

1. 表示"目的地、去向"

Il part pour la France. 他赴法国。

Le train pour Wuhan va entrer en gare. 开往武汉的列车就要进站了。

2. 表示"时间"

Nous sommes à Beijing pour trois jours seulement. 我们仅在北京待三天。

Il quitte ce pays pour toujours. 他永远离开了这个国家。

3. 表示"目的"

Il faut manger pour vivre et non pas vivre pour manger. 吃饭是为了活着,

但活着不是为了吃饭。

4. 表示"对象、用途"

Ce sont des livres pour enfants. 这是几本儿童读物。

5. 表示:依…看,对…来说

Pour les gens du Sud, le riz est la nourriture principale. 对南方人来说,大米是主要食物。

Pour moi, cette question est très importante. 依我看,这个问题至关重要。

6. 表示"价格"

Il a acheté ce vélo pour deux cents yuans. 他买这辆自行车花了 200 元。

7. 表示:作为,当作

J'ai un professeur pour voisin. 一位教师作我的邻居。

EXERCICES

I. *Question sur le texte*

1. Pourquoi l'institutrice a-t-elle décidé d'aller voir Jean-Jacques chez lui?

____

2. Comment Jean-Jacques s'habillait-il?

____

3. Etait-il malade?

____

4. Est-ce que les parents de Jean-Jacques parlent beaucoup avec lui? Pourquoi?

____

____

5. Aux Etats-Unis, comment appelle-t-on les enfants dont les parents ne sont pas à la maison du matin au soir?

____

6. Et en France, pourquoi les appelle-t-on les enfants de l'ouverture?

____

7. Est-ce qu'ils rentrent tout de suite à la maison après les cours?

8. Pourquoi l'institutrice dit-elle qu'elle《vend》de l'affection?

9. Est-ce qu'il y a aussi des《key children》en Chine?

II. *Répondez d'après l'exemple*

Ex: Avez-vous besoin de ce dictionnaire?

Oui, c'est le dictionnaire dont j'ai besoin.

1. Ont-ils besoin de cette salle?

2. Avez-vous peur de cette personne?

3. A-t-elle envie de ces fleurs?

4. Parlez-vous de cette visite?

5. Avez-vous besoin de ces disques?

III. *Transformez les phrases avec* dont

Ex: C'est une journaliste très connue. On parle beaucoup d'elle.

C'est une journaliste dont on parle beaucoup.

1. C'est un livre intéressant. On en parle beaucoup.

2. C'est une Française. Ses parents vivent en Italie.

3. J'ai reçu des nouvelles. Je suis content de ces nouvelles.

4. C'est un grand chanteur. Sa voix est excellente.

5. Le peintre a montré un tableau. Il était fier de ce tableau.

6. C'est Notre-Dame de Paris; vous avez déjà vu des photos de ce monument.
____
7. Pierre et Jacques connaissent bien la Chine; ils ont visité beaucoup de villes de Chine.
____
8. Nous avons passé des vacances en montagnes. Je garderai longtemps le souvenir de ces vacances.
____

IV. *Complétez avec des pronoms relatifs convenables*

1. C'est une étudiante ________ travaille avec moi.
2. Il n'aime pas la voiture ________ tu as choisie.
3. C'est un quartier ________ il y a beaucoup de magasins.
4. Ils n'ont pas les livres ________ j'ai besoin.
5. La maison ________ Paul a fait construire l'an dernier est très belle.
6. C'est un musicien ________ j'oublie toujours le nom.
7. C'est une région ________ ils ont beaucoup d'amis.
8. C'est la personne ________ je vous ai parlé hier.
9. L'automne est une saison ________ il pleut beaucoup.
10. Ne prenez pas le sac ________ est sur la table.
11. La robe ________ Nicole a achetée coûte cher.
12. C'est un endroit ________ il arrive souvent des accidents.

V. *Répondez avec le pronom neutre* le

1. Mademoiselle, êtes-vous Chinoise?
   Oui, ______________________________.
2. Ce professeur, est-il gentil?
   Oui, ______________________________.
3. Savez-vous que l'examen aura lieu bientôt?
   Oui, nous ______________________________.
4. Pensez-vous que Charles réussira à son examen?

Non, je ______________________________.

5. Etes-vous Japonaises?

Non, nous ______________________________.

6. Votre ami désire devenir journaliste, n'est-ce pas?

Oui, il ______________________________.

7. Savez-vous qu'il est difficile de conduire à Paris?

Non, nous ______________________________.

8. Vous pensiez qu'il s'était trompé, n'est-ce pas?

Oui, je ______________________________.

VI. *Corrigez les fautes des phrases suivantes* 改正下列句子中的错误(每句包含一个错误)

1. C'est un travail que je suis satisfait.

____

2. Voilà la salle de lecture qu'il y a beaucoup de revues étrangères.

____

3. Les enfants dont leurs parents travaillent sont obligés de porter une clé au cou.

____

4. Jean-Jacques a l'air en bonne santé. Il le est.

____

5. Ne lui racontez pas ce qui vous avez fait.

____

6. La ville qu'il a parlé se trouve au Sud de la France.

____

VII. *Traduisez les phrases suivantes en français*

1. 那时她看上去身体健康,其实却不然。

____

2. 我下午可以把电脑还你。

____

3. 会议推迟到下星期举行。

4. 不知什么原因,他常常迟到。

5. 这是目前大家经常谈论的一种怪现象。

6. 能告诉我您需要什么吗?

VIII. *Traduisez les phrases suivantes en chinois*

1. Il a réservé une chambre pour deux semaines.

2. Nous voyageons pour mieux connaître les différentes régions de notre pays.

3. C'est un film pour enfants.

4. Il va partir pour le Canada.

5. Pour les Chinois, le français est difficile à apprendre.

6. Nous avons Wang Lin pour chef de classe.

7. Nous avons acheté ces disques pour 20 euros.

8. Pour le moment je n'ai rien à dire.

LECTURE

L'art en France

Même si les Français ne s'intéressent pas tous à l'art, d'une façon générale, on accorde une assez grande importance à l'art en France. [1] Ce respect de l'art est évident dans les institutions mêmes du pays: [2] il existe un Ministère de la Culture dont le rôle est de protéger et de développer le patrimoine culturel national et d'intéresser le public à l'art. Le gouvernement accorde aussi d'assez généreuses subventions aux différentes manifestations culturelles：théâtre，concerts，expositions，etc. Chaque année，des festivals attirent des artistes et des spectateurs du monde entier：le festival d'art dramatique d'Avignon，le festival de Cannes (cinéma)，le festival d'Aix (musique)，par exemple.

Pour les Français l'art est aussi dans la rue. A Paris on découvre partout de magnifiques exemples d'architecture ancienne，des jardins et des places ornés de statues，[3] des galeries d'art et même des artistes qui travaillent dans la rue sous les yeux des curieux. Le soir，l'illumination des monuments et des fontaines offre au regard un spectacle de choix，[4] et tout cela，gratuitement.

LEXIQUE

le respect 尊重，重视
l'institution *n. f.* 机构，团体
le patrimoine 遗产
la subvention 补助金
le concert 音乐会
dramatique *a.* 戏剧的
Cannes 戛纳
Aix 埃克斯(法国南方城市)
orner *v. t.* 装饰
la statue 雕像
la galerie 画廊，陈列廊
l'illumination *n. f.* 照亮，灯饰
la fontaine 喷泉，喷水池

NOTES

1. On accorde une assez grande importance à l'art en France. 在法国，人们对艺术是比较重视的。

   accorder de l'importance à：对…给予重视。

2. Ce respect de l'art est évident dans les institutions mêmes du pays. 在国家机构本身，对艺术的尊重是很明显的。

   1) le respect de l'art：对艺术的尊重。

   2) même 作泛指形容词，放在名词或代词后，表示：自己；本身。

3. des jardins et des places ornés de statues：装饰有雕像的公园和广场。

(être) orné de：装饰着…；点缀着…

4. L'illumination des monuments et des fontaines offre au regard un spectacle de choix. 建筑物和喷水池的灯饰如同绚丽的画面呈现在人们眼前。

de choix. *loc. adj*. 精选的；上乘的。

LEÇON TRENTE-QUATRE

I. Points importants

1. Je connais la jeune fille **qui porte** une robe blanche.
   Je connais la jeune fille **portant** une robe blanche.
2. **Comme nous habitons** dans un même immeuble, nous nous croisons souvent.
   Habitant dans un même immeuble, nous nous croisons souvent.
3. **Quand il traversait** la rue, il a rencontré Marie.
   Traversant la rue, il a rencontré Marie.
4. Les élèves étaient debout, **et ils écoutaient** leur professeur avec une grande attention.
   Les élèves étaient debout, **écoutant** leur professeur avec une grande attention.

II. Texte

Le Concorde

Il était 11 heures 58. Dans la grande avenue des Champs-Elysées, les voitures et les autobus roulaient lentement. Les gens allaient bientôt sortir des bureaux des banques, des magasins,[1] et les cafés, les restaurants se rempliraient.

12 heures. Que faisaient tous ces gens le nez en l'air? Pourquoi avaient-ils abandonné leur steak-frites ou leur sandwich pour regarder ainsi le ciel? Dans la grande avenue, toutes les voitures étaient immobilisées. Même les agents de police oubliaient leur travail. Que se passait-il donc? Un grondement nous renseignait: là-haut, le prototype 001 du Concorde survolait Paris pour la première fois.[2]

Le Concorde, gros avion commercial supersonique, mesure 62, 10 m de long et 25, 56 m de large.[3] Sa hauteur atteint 11, 58 m. Le Concorde est capable de couvrir 6 500 km sans escale, et avec ses moteurs à réaction de 23 000 chevaux chacun,[4] il pourrait emporter ses passagers à la vitesse de 2,2 Mach, c'est-à-dire deux fois la vitesse du son.[5] Ainsi, New York ne se trouve plus qu'à 3 h 15 de Paris.[6]

Le Concorde est également connu pour son nez articulé, situé à l'avant du poste de pilotage.[7] Au décollage,[8] le nez et la visière se relèvent. Lorsque l'avion atterrit, la visière s'abaisse et le nez bascule vers le bas, donnant au pilote une meilleure vue de la piste.[9]

En France et en Angleterre, mille ingénieurs et plus de dix mille ouvriers et techniciens ont travaillé pendant plus de dix ans à sa réalisation.[10] Il devait peser 90 tonnes: il en pèse 170.[11] Il ne devait emporter que 118 passagers: il en emporte 135, ou même plus.[12]

Mais il a aussi coûté beaucoup plus cher qu'on ne l'avait prévu. Beaucoup trop cher disaient certains: financièrement c'était sans doute une erreur.[13] Peut-être, répondaient les autres, mais techniquement, c'était sûrement une réussite.

LEXIQUE

NOMS

le Concorde 协和飞机

les Champs-Elysées 香榭丽舍大街，爱丽舍田园大街

une avenue 大街

le nez 鼻子；机头

l'air *n. m.* 空气
le steak-frites 牛排炸土豆条
le ciel 天空
l'agent de police *n. m.* 交通警察
le grondement 隆隆声
le prototype 样机
le mètre 米
le long 长度
le large 宽度
la hauteur 高度
l'escale *n. f.* 中途着陆
le moteur 马达
la réaction 反作用,反应
le moteur à réaction 喷气式发动机
le cheval (chevaux) 马,马力
la vitesse 速度
Mach [mak] 马赫数
le son 声音
le pilotage 驾驶
le poste de pilotage 驾驶舱
le décollage 起飞
la visière 遮阳板
le bas 下方,下部
la vue 视觉,视野
la réalisation 成就,实现
la tonne 吨
l'erreur *n. f.* 错误
la réussite 成功

VERBES

se croiser *v. pr.* 相遇
se remplir *v. pr.* 充满
abandonner *v. t.* 舍弃,丢掉
renseigner *v. t.* 告诉
survoler *v. t.* 飞越,飞过
mesurer *v. t.* 尺寸为…
atteindre *v. t.* 达到
couvrir *v. t.* 完成(路程)
se relever *v. pr.* 抬起,升高
s'abaisser *v. pr.* 下降,放低
basculer *v. i.* 翻倒
peser *v. i.* 重量为…
coûter *v. i.* 值…

ADJECTIFS

immobilisé, e 静止不动的
commercial, e, aux 商业的
supersonique 超音速的
capable 有能力的
articulé, e 用关节连接的

AUTRES

debout *adv.* 站着
lentement *adv.* 缓慢地
en l'air 朝天
là-haut 在天上
à l'avant de 在…前部
lorsque *conj.* 当…时
certains *pron.* 某些人
financièrement *adv.* 从财政角度看
sans doute *loc. adv.* 可能

techniquement *adv.* 从技术角度看

NOTES SUR LE TEXTE

1. Les gens allaient bientôt sortir des bureaux, des banques, des magasins. 人们正准备走出办公室、银行、商店。

   allaient sortir 是过去最近将来时,表示从过去角度看,即将发生的动作。

2. Là-haut, le prototype 001 du Concorde survolait Paris pour la première fois. 空中,协和飞机的 001 号样机首次飞过巴黎。

   1) survoler *qch.*:飞越;飞过。

   2) pour la première fois:第一次。

注:协和飞机于 1969 年 6 月 6 日第一次飞越巴黎上空;1976 年投入商业飞行。2000 年 7 月 25 日协和飞机在巴黎戴高乐机场的空难使之一蹶不振,2003 年后停飞。

3. Le Concorde, gros avion commercial supersonique, mesure 62,10 m de long et 25, 56 m de large. 协和飞机是大型超音速商用飞机(客机),它长 62.10 米,宽 25.56 米。

   mesurer ... de long:长度为…; mesurer ... de large:宽度为…

4. avec ses moteurs à réaction de 23 000 chevaux chacun:由于它的喷气式发动机每个为 23 000 马力…

   avec 在此表示原因。

5. à la vitesse de 2,2 Mach, c'est-à-dire deux fois la vitesse du son:速度是 2.2 马赫,即音速的两倍。

6. Ainsi, New York ne se trouve plus qu'à 3 h 15 de Paris. 这样,纽约距巴黎只有 3 小时 15 分钟的路程。

   ne ... plus que:只剩下,只有。

7. Le Concorde est également connu pour son nez articulé, situé à l'avant du poste de pilotage. 协和飞机同时还以位于驾驶舱前部的活动机头而著称。

   1) être connu(e) pour:因…而知名,以…著称。

   2) situé ...:位于…

8. au décollage:起飞时。

9. donnant au pilote une meilleure vue de la piste:使驾驶员更清楚地看到跑道。

10. ... ont travaillé pendant plus de dix ans à sa réalisation：为协和飞机的制造整整努力了十多年。

travailler à：积极从事，竭力。

11. Il devait peser 90 tonnes：il en pèse 170. 它的重量按最初设计是 90 吨，实际上达 170 吨。

12. il en emporte 135，ou même plus：它运载 135 名乘客，甚至还要多。

13. Financièrement c'était sans doute une erreur. 从造价上看这可能是一个失误。

MOTS ET EXPRESSIONS

1. **rouler**

1）rouler *qch*. 使转动，使滚动

rouler un véhicule：推动一辆车。

rouler un meuble muni de roulettes：推动装有滚轮的家具。

2）rouler *v. i.* 滚，转动，行驶

Il a roulé de haut en bas de l'escalier. 他从楼梯上滚下来。

Le train roulait à 80 km à l'heure. 火车每小时运行 80 公里。

2. **remplir**

1）remplir *qch*. 再装满；充满；填写

La bouteille est vide，allez la remplir. 瓶子空了，去把它装满。

Les faits divers remplissent les journaux. 报纸上登满了杂闻。

Les candidats doivent remplir d'abord ce formulaire. 候选人首先要填写这张表格。

2）remplir ... de *qch*. 装满…

Il a rempli ses greniers de blé. 他把自己的粮仓装满了小麦。

Cette nouvelle l'a rempli de joie. 这个消息使他喜出望外。

3）se remplir 充满

Le réservoir s'est rempli d'eau. 蓄水池里装满了水。

A Paris，les églises se remplissent le dimanche matin. 在巴黎，每个星期日上午教堂里的人都是满满的。

3. **reseigner**

1) renseigner *qn* 告诉

Le vendeur peut vous renseigner sur le prix de cette marchandise. 售货员可以把这个商品的价格告诉您。

2) se renseigner 打听情况

Pour les horaires de trains et d'avions, vous pouvez vous renseigner à la réception de l'hôtel. 关于火车和飞机的时刻表,您可以去旅馆服务台打听。

4. **mesurer**

1) 测量,测定

mesurer la distance de la Terre à la Lune 测量地球到月亮的距离

mesurer la pression dans une chaudière 测定锅炉内的压力

2) 尺寸为,身高

Cette pièce mesure trois mètres sur cinq. 这个房间长五米宽三米。

Il mesure un mètre soixante-dix. 他身高一米七十。

5. **couvrir**

1) 覆盖,布满

La neige couvre le chemin. 雪覆盖在道路上。

Des constructions neuves couvrent ce quartier. 这个区的新建筑星罗棋布。

2) 盖过,淹没

Le grondement du train couvre ses paroles. 火车隆隆的响声淹没了他的说话声。

3) 完成(路程)

Ce cycliste a couvert 220 kilomètres en cinq heures. 这位自行车运动员在五小时内跑完 220 公里。

6. **relever**

1) 扶起

relever un enfant qui est tombé. 扶起一个跌倒的孩子。

2) 抬起,升起

relever la tête：抬起头。

relever la vitre d'une portière：把车门的玻璃摇上去。

3）se relever 重新站起，升高

Blessé dans sa chute，il ne pouvait plus se relever. 他跌伤后，再也站不起来了。

A partir de ce point，le terrain se relève brusquement. 从这儿开始，地面突然升高。

7. **peser**

1）*v. t.* 称；考虑

peser un objet avec une bascule. 用磅秤称一件东西。

peser le pour et le contre. 权衡利弊。

2）*v. i.* 重…，体重

Ce pain pèse 400 grammes. 这个面包重 400 克。

Elle pèse 50 kilos. 她体重 50 公斤。

3）peser sur 使有重负之感；影响

Cela pèse sur sa conscience. 这件事使他良心不安。

La mort subite de son père va peser sur sa décision. 他父亲的突然去世将影响他的决定。

GRAMMAIRE

I. 现在分词(le participe présent)

1. **构成**：现在分词由动词直陈式现在时第一人称复数去掉词尾 -ons，另加 -ant构成。例如：

parler → nous parlons → parlant

finir → nous finissons → finissant

venir → nous venons → venant

特殊词形：

avoir → ayant　　être → étant

savoir → sachant

代词式动词作现在分词使用时，仍保留自反代词；自反代词的人称随主语

变化。例如：

Se promenant dans la rue, **il** a vu Jacques.

Nous promenant dans la rue, **nous** avons vu Jacques.

Me promenant dans la rue, **j'**ai vu Jacques.

在大街上散步时,…遇到了雅克。

2. 用法

1) 相当于关系代词 qui + 变位动词:

On recrute des interprètes connaissant à la fois le français et l'anglais.

(connaissant = qui connaissent) 招聘既懂法语又懂英语的翻译。

2) 相当于一个表示时间或原因的状语从句:

Traversant la rue, j'ai rencontré Paul. 穿过大街时,我遇见了保尔。(时间)

(= Quand je traversais la rue, ...)

Ne sachant comment faire, elle téléphona à la police. 由于不知道该怎么办,她给警察局打了电话。(原因)

(= Comme elle ne savait pas comment faire, ...)

[提示]

1) 学习法语现在分词可参照英语现在分词的用法,例如:

Les camarades travaillant à la campagne vont rentrer demain.

(travaillant = qui travaillent)

The comrades working in the countryside will be back tomorrow.

(working = who are working)

2) 法语的现在分词和英语的现在分词一样,也可以作形容词使用。但有性、数变化。例如:

La situation est encourageante.

(The situation is encouraging.)

Je suis en train de lire des livres intéressants.

(I'm reading some very interesting books.)

II. tout 的用法

tout 在法语中使用很广泛,可以作形容词、代词或副词。

1. 作泛指形容词，表示：所有的，整个的。tout 有性数变化：

tout，toute [tut]，tous [tu]，toutes，例如：

tout le pays：全国

toute sa vie：他（她）的一生

tous mes amis：我所有的朋友

toutes les ouvrières：全体女工

2. 作泛指代词，表示：全部，整个，大家。tout 有性数变化：

tout，tous [tus]，toutes，例如：

Tout a changé. 一切都变了。

Tous le savent bien. 大家都清楚。

Elles sont toutes contentes. 她们都很高兴。

3. 作副词，表示：完全地、很、非常。tout 一般没有性数变化：

Ils sont tout heureux. 他们很幸福。

Elles sont tout heureuses. 她们很幸福。

Le magasin est tout près de la gare. 商店离火车站非常近。

[注意]作副词用的 tout 在以辅音字母或嘘音 h 开头的阴性形容词前有性数变化：

Elle est toute seule. 她孤身一人。

des voitures toutes neuves：崭新的汽车。

Elle est toute honteuse. 她很难为情。

III. 介词 avec 的几种用法

1. 和…一起

Thomas voyage avec sa femme. 托马和他妻子一起旅行。

2. 同，与

Je suis d'accord avec vous. 我与您意见一致。

Il a fait connaissance avec Marie lors d'une soirée. 他在一次晚会上与玛丽相识。

3. 随着，与…同时

Avec le progrès de la science, on vaincra le cancer. 随着科学的发展，人们必将战胜癌症。

4. 表示“方式”

J'accepte votre invitation avec plaisir. 我十分高兴接受您的邀请。

Il faut agir avec prudence. 要谨慎从事。

5. 带有,具有

Je voudrais une chambre avec salle de bains et téléphone. 我想要一间带洗澡间和电话的房间。

Qui est ce vieillard avec des lunettes noires? 这位戴着墨镜的老人是谁?

EXERCICES

I. *Questions sur le texte*

1. Pourquoi tous le monde regarde le ciel ce jour-là?

____

2. Combien de mètres le Concorde mesure-t-il?

____

3. Combien de kilomètres peut-il couvrir sans escale?

____

4. Quelle vitesse peut-il atteindre?

____

5. A quoi son《nez articulé》sert-il?

____

6. Est-ce que le Concorde est un avion militaire (军用的)?

____

7. Combien de passagers peut-il emporter?

____

8. Combien pèse-t-il?

____

9. Pendant combien de temps a-t-on travaillé à sa réalisation?

____

10. Combien de personnes ont-elles participé(参加) à sa fabrication?

____

11. Est-ce que ce sont uniquement des Français?

____

12. Pourquoi a-t-on dit que financièrement c'était une erreur?

____

II. *Transformez d'après l'exemple*

Ex: Michel Mercier est très connu: il réalise des émissions de télévision.
Michel Mercier est connu pour ses émissions de télévision.

1. Danielle Fabre est très connue: elle fait des émissions de radio.

____

2. Alain Gautier est très connu: il réalise des films policiers (侦探片).

____

3. Cette journaliste est très connue: elle a publié un livre sur la Chine.

____

4. Ces scientifiques sont très connus: ils ont accompli un voyage au Pôle Sud (南极).

____

III. *Donnez les participes présents des verbes suivants*

mettre ________	faire ________
partir ________	savoir ________
parler ________	venir ________
être ________	choisir ________
avoir ________	se lever ________

IV. *Refaites les phrases avec le participe présent*

Ex: J'ai rencontré Mme Dupont qui faisait ses courses.
J'ai rencontré Mme Dupont faisant ses courses.

1. On forme (培养) dans cet institut des étudiants qui connaissent à la fois le français et l'anglais.

____

2. Les élèves qui ont beaucoup de devoirs à faire ne peuvent pas se coucher avant 11 heures du soir.

____

3. Les personnes qui travaillent dans ce laboratoire sont toutes très jeunes.

____

4. Les amis étrangers qui chantent la Marseillaise (马赛曲) travaillent dans notre entreprise.

____

5. J'ai lu un article qui expose de grands problèmes internationaux.

____

V. *Transformez les phrases avec le participe présent*

1. Comme ma fille était malade, elle n'est pas allée à l'école la semaine denière.

____

2. Comme il a des lettres à écrire, il ne va pas au cinéma.

____

3. Quand je vais faire mes courses, je rencontre toujours Mme Dupont.

____

4. Il a peur d'être en retard et il se met à courir.

____

5. Comme elle ne pouvait pas venir à notre soirée, Monique nous a téléphoné pour s'excuser.

____

VI. *Tranformez d'après l'exemple*

Ex: Cet hôtel a 80 chambres, chaque chambre a une salle de bains.
Chaune de ces chambres a une salle de bains.

1. Dans ce cinéma, il y a trois salles; chaque salle a 150 places.

____

2. Voilà trois usines; chaque usine emploie environ 200 ouvriers.

____

3. Le Concorde a quatre moteurs; chaque moteur est de 23 000 C.V.

____

4. Nous avons trois valises; chaque valise pèse 25 kilos.

____

VII. *Thème*

空中客车(l'Airbus)是一种大型客机,由法国、德国、英国和西班牙的几家公司制造。它长 53.62 米,宽 44.84 米,重量为 142 吨,它的时速度是每小时 950 公里,可运载 345 名乘客。空中客车首次试飞是 1972 年 10 月 28 日。现在它与美国制造的波音飞机展开激烈的竞争。

____

____

____

____

____

____

VIII. *Dites les parties du discours des mots en caractères gras* 说出黑体词的词性

1. On trouve **tout** dans les supermarchés. (   )
2. Ils possèdent **tous** une voiture. (   )
3. C'est **tout**. (   )
4. Elle est **tout** heureuse. (   )
5. Il a passé **toute** la semaine à écrire son article. (   )
6. **Tout** va bien. (   )

IX. *Ajoutez* tout, toute, tous *ou* toutes *aux mots en caractères gras* 在黑体词前加 tout, toute, tous 或 toutes

Ex: **Les leçons** sont difficiles.

Toutes les leçons sont difficiles.

1. J'aime **les langues.**

____

2. **Les étudiants** travaillent sérieusement.

____

3. Est-ce que vous avez compris **le discours**?

____

4. Est-ce que les **professeurs partent** à 6 heures?

____

5. Je lis des journaux **le matin.**

____

6. Nous avons dansé pendant **la soirée.**

____

X. *Traduisez les phrases suivantes en chinois*

1. Il travaille toujours avec Charles.

____

2. Avec ce passeport vous pouvez voyager en Angleterre.

____

3. Avec de la patience vous finirez par résoudre ce problème.

____

4. C'est un manuel avec cassettes et corrigés des exercices.

____

5. Avec qui fera-t-il ces recherches? Avec vous?

____

6. J'ai rencontré votre père. J'ai parlé avec lui.

____

LECTURE

Les chemins de fer en France

1983 a ouvert une nouvelle page[1] pour le rail. Cette année-là, après Lyon et Marseille, Lille a été la troisième métropole de province à s'enorgueillir d'un métro. Et surtout la SNCF[2] a inauguré au mois d'octobre la ligne du TGV[3] (Train à grande vitesse) Paris-Lyon, dont un premier tronçon avait été ouvert au public deux ans auparavant. Un événement: pour 23 millions de passagers par an, Lyon est alors à deux heures de Paris, Marseille à quatre heures trente.

Cependant les projets de la SNCF ne se limitent pas au TGV. La priorité ira à l'électrification: bientôt, 85% du trafic sera électrifié. Rien de spectaculaire, à première vue.[4] En fait, cela signifie une meilleure qualité de service pour l'Ouest et sur des liaisons telles que Nantes-Lyon ou Bordeaux-Marseille.

Pas de révolution, donc, mais une amélioration importante:[5] Paris-Bordeaux à 160 km/h de moyenne; achat de nouveaux wagons; rénovation de plus de deux cents gares.

Mais la modernisation va s'accompagner d'une restructuration: les lignes《non rentables》seront mortes d'ici quelques années.[6]

LEXIQUE

le chemin de fer 铁路
le rail 铁轨,铁路运输
la métropole 大城市
s'enorgueillir (de) 为…而自豪
la SNCF 法国国营铁路公司
inaugurer *v. t.* 为…举行落成仪成
le TGV 高速列车
le tronçon 段,部分
l'événement *n. m.* 事件
se limiter(à) *v. pr.* 局限于…
la priorité 优先,首先
l'électrification *n. f.* 电气化
le trafic 运输,交通
électrifier *v. t.* 使电气化
spectaculaire *a.* 惊人的,轰动的
signifier *v. t.* 意味着
la qualité 质量
l'amélioration *n. f.* 改善
la moyenne 平均数
la rénovation 翻新
s'accompagner (de) *v. pr.* 伴随着
la restructuration 调整
rentable *a.* 赢利的

NOTES

1. ouvrir une nouvelle page: 打开新的一页。
2. la SNCF: la Société nationale des chemins de fer français
3. TGV: 法国高速列车。目前已有东南线、北线、大西洋线和地中海线共 1 500km 投入运营,速度为每小时 300km.
4. Rien de spectaculaire, à première vue. 初看起来,没有什么了不起。
   rien 是泛指代词,由形容词修饰时要加介词 de,形容词无性数变化。
5. Pas de révolution, donc, mais une amélioration importante. 因此,谈不上是一

场革命,但却是重要的改善。

6. d'ici quelques années：此后几年间。

LEÇON TRENTE-CINQ

I. Points importants

1. Je **voudrais** vous demander un petit service.
2. Il **serait** très content de vous voir.
3. Si j'**avais** de l'argent, j'**achèterais** une moto Honda.
4. S'il n'y **avait** pas beaucoup de clients, le magasin **serait** fermé.
5. Fermez la porte quand vous sortez.
   Fermez la porte **en sortant.**
6. Il mangeait et en même temps, il regardait la télévision.
   Il mangeait **tout en regardant** la télévision.
7. Nous avons couru et nous sommes arrivés.
   Nous sommes arrivés **en courant.**

II. Texte

Plume et le chirurgien

Plume avait un peu mal au doigt. [1]

— Il vaudrait peut-être mieux consulter un médecin, [2] lui dit sa femme. Il suffit souvent d'une pommade ...

Et Plume y alla.

—Un doigt à couper, [3] dit le chirurgien en souriant, c'est parfait. Avec l'anesthésie, vous en aurez pour six minutes tout au plus. [4] Comme vous êtes riche, vous n'avez pas besoin de tant de doigts. Je serais ravi de vous faire cette opération. Je vous montrerai ensuite quelques modèles de doigts artificiels. Il y en a d'extrêmement gracieux. [5] Un peu cher sans doute. Mais il n'est pas question naturellement de regarder à la dépense. [6]

Plume leva mélancoliquement son doigt en s'excusant:

—Docteur, c'est l'index, vous savez, un doigt bien utile. Justement, je devais écrire encore à ma mère. Je me sers toujours de l'index pour écrire.[7] Ma mère serait inquiète si je tardais davantage à lui écrire.[8] Je reviendrai dans quelques jours. C'est une femme très sensible, elle s'émeut si facilement.[9]

—Qu'à cela ne tienne,[10] lui dit le chirurgien, voici du papier, du papier blanc, sans en-tête naturellement. Quelques mots bien sensés de votre part lui rendront la joie.[11] Je vais téléphoner pendant ce temps à la clinique pour qu'on prépare tout.[12] Je reviens dans un instant ...

Et le voilà déjà revenu.[13]

—Tout est bien préparé. On nous attend.

—Excusez, Docteur, fit Plume,[14] vous voyez, ma main tremble, c'est plus fort que moi ...[15] et ...

—Eh bien, lui dit le chirurgien, vous avez raison, il vaut mieux ne pas écrire. Les femmes sont terriblement fines, les mères surtout. Elles voient partout des réticences quand il s'agit de leur fils ...[16] Pour elles, nous ne sommes que des petits enfants.[17] Voici votre manteau et votre chapeau. L'auto nous attend.

Et ils arrivèrent dans la salle d'opération.

—Docteur, écoutez, vraiment ...

—Oh! fit le chirurgien, ne vous inquiétez pas, vous avez trop de scrupules. Nous écrirons cette lettre ensemble. Je vais y réfléchir tout en vous opérant.[18]

D'après H. Michaux *Plume*[19]

LEXIQUE

NOMS

le chirurgien 外科医生

le doigt 手指

la pommade 药膏

l'anesthésie *n. f.* 麻醉

l'opération *n. f.* 手术

le modèle 样品

la dépense 费用,花销

l'index [ɛ̃dɛks] *n. m.* 食指

l'en-tête *n. m.* 笺头

la part 方面

la joie 快乐

la clinique 诊所
un instant 一会儿
la main 手
la raison 道理,理由
la réticence 隐瞒
le chapeau 礼帽
l'auto *n. f.* 小轿车
la salle d'opération 手术室
le scrupule 顾虑

VERBES
valoir *v. i.* 有益处;价值
il vaut mieux ... 最好是…
consulter *v. t.* 求医,诊病
suffire *v. impers.* 只需
couper *v. t.* 割,截断
sourire *v. i.* 微笑
s'excuser *v. pr.* 辩解
lever *v. t.* 举起
se servir (de) *v. pr.* 使用,利用
tarder *v. i.* 迟缓,推迟
s'émouvoir *v. pr.* 激动
préparer *v. t.* 准备
revenir *v. i.* 返回
trembler *v. i.* 颤抖
s'agir *v. impers.* 关于,关系到
réfléchir *v. i.* 思考,考虑
opérer *v. t.* 动手术

ADJECTIFS
artificiel, le 人工的,人造的
gracieux, se 优美的
utile 有用的
sensible 敏感的
blanc, blanche 白色的
sensé, e 明智的
fin, e 精细的

AUTRES
(tout) au plus *loc. adv.* 至多
tant de 如此多的…
ensuite *adv.* 然后
extrêmement *adv.* 极其
naturellement *adv.* 自然地
mélancoliquement *adv.* 忧郁地
justement *adv.* 正好
davantage *adv.* 更多地
terriblement *adv.* 非常地,可怕地

NOTES SUR LE TEXTE

1. Plume avait un peu mal au doigt. 普鲁姆的手指有点儿痛。
2. Il vaudrait peut-être mieux consulter un médecin. 恐怕最好是去看看医生。
   vaudrait 是 valoir 的条件式现在时,详见本课语法。
3. Un doigt à couper. 要截掉一个手指头。

4. Avec l'anesthésie, vous en avez pour six minutes tout au plus. 打上麻醉剂,最多只需六分钟(就能做完手术)。

   en avoir pour(固定词组)为此需要…,例如:

   Attendez-moi un instant, j'en ai pour deux minutes. 等我一会儿,我只需要两分钟。

5. Il y en a d'extrêmement gracieux. 有一些制作得非常精美的人工手指。

   en 代替 des doigts artificiels; 当 en 在句中代替一个名词时,修饰这个名词的形容词前要加 de,例如:

   Sur deux cents députés, il y en avait seulement cent vingt de présents. 在 200 名议员中,只有 120 名议员出席。

6. Il n'est pas question de regarder à la dépense. 这件事是不能计较花多少钱的。

   il est question de: 问题在于,事关

   regarder à *qch.*: 考虑,注意; regarder à la dépense: 计较费用。

7. Je me sers toujours de l'index pour écrire. 我总是使用食指写字。

   se servir de: 使用,利用

8. Ma mère serait inquiète si je tardais davantage à lui écrire. 如果我迟迟不给母亲写信,她会挂念我的。

   这是一个条件式句,详见本课语法。

   tarder à + *inf.* 延迟,延缓

9. Elle s'émeut si facilement. 她非常容易激动。

   si 在此是副词,起加强作用。

10. Qu'à cela ne tienne. (固定短语)这没什么关系;这不要紧。

11. Quelques mots bien sensés de votre part lui rendront la joie. 只要有你几句通情达理的话,就会让她欢喜的。

    rendre la joie à *qn*: 使某人高兴;给某人带来快乐。

12. Je vais téléphoner pendant ce temps à la clinique pour qu'on prépare tout. 在此期间,我给诊所打电话,让人们把一切都准备好。

    pour que: 以便…,为了… pour que 引导的从句中动词要使用虚拟式,详见第 38 课语法。

13. Et le voilà déjà revenu. 外科医生很快就返回来。

le 代替 le chirurgien。

14. fit plume：普鲁姆说。

    fit 是 faire 的简单过去时，常在插入语中代替 dire 使用。

15. Ma main tremble, c'est plus fort que moi. 我的手在颤抖，这是不由自主的。

16. Elles voient partout des réticences quand il s'agit de leurs fils. 只要是关系到他们的儿子，她们就觉得处处有事瞒着她们。

    quand = à chaque fois que，每当，每次。

    il s'agit de：有关于，涉及。

17. Pour elles, nous ne sommes que des petits enfants. 在母亲的眼里，我们只不过是些小孩子。

    形容词 petits 和 enfants 构成一个词，因此 des 不改用 de 的形式。

18. Je vais y réfléchir tout en vous opérant. 我一边给您动手术，一边考虑这封信该怎么写。

    1）y = à cette lettre

    2）tout en vous opérant 是副动词，详见本课语法。

19. D'après H. Michaux *Plume*：选自米绍著《普鲁姆》

    1）d'après：选自…

    2）H. Michaux：亨利·米绍(1899—1984)，法国作家、画家，原籍比利时。

MOTS ET EXPRESSIONS

1. **avoir mal à**：身体某部位不适，疼痛

    avoir mal à la tête：头痛　　avoir mal aux yeux：眼痛

    avoir mal aux dents：牙痛　　avoir mal à la gorge：喉咙痛

    avoir mal au bras：胳膊痛　　avoir mal aux pieds：脚痛

    avoir mal au ventre：肚子痛　　avoir mal au cœur：恶心

2. **il vaut mieux** + *inf*. 最好是…

    Il vaut mieux prendre le parapluie quand vous sortez. 您出门时最好带上雨伞。

    Il vaudrait mieux nous téléphoner avant 9 heures du soir. 最好在晚上九点钟以前给我们打电话。

3. **consulter**

1) consulter *qn* 求医,请教

Vous paraissez fatigué：vous devriez consulter un médecin. 您显得有些疲倦,应该去看医生。

J'ai consulté un avocat pour connaître mes droits en cette affaire. 我请教了一位律师,了解我在这件事中应享有的权利。

2) consulter *qch*. 查阅,查看

Pour connaître le sens exact de ce mot, il a consulté plusieurs dictionnaires. 为了弄清楚这个词的确切含义,他查阅了几本词典。

C'est un livre à consulter. 这是一本值得参考的书。

3) consulter *v. i.* 诊病

Ce médecin consulte l'après-midi. 这位医生下午看病。

4. **il est question de** 问题在于,关于

Il est question du chômage dans les journaux. 报纸上谈论的是失业问题。

Il est question, dans cet ouvrage, de l'ascension de l'Himalaya. 这本书中讲的是关于攀登喜玛拉雅山的问题。

5. **tarder à** + *inf*. 推迟,迟缓

Il tarde à donner sa réponse. 他迟迟不做答复。

Le jeune couple ne tarde pas à être criblé de dettes. 这对年轻夫妇不久就负债累累。

6. **revenir** *v. i.*

1) 再来,回来

Le docteur est venu me voir hier, il a dit qu'il reviendrait aujourd'hui. 医生昨天来看过我,他说今天还要来的。

Le propriétaire de la villa nous a demandé si nous reviendrions l'année prochaine pour les vacances. 别墅的主人问我们明年是否还来度假。

2) revenir à *qch*. 回到

Revenons à notre conversation de l'autre jour. 再回到那天我们谈话的内容上来吧。

3) revenir de *qch*. 恢复,摆脱

Le malade est revenu de son évanouissement. 病人从昏迷中苏醒过来。

Il a été grièvement blessé, on se demande s'il en reviendra. 他受了重伤，人们不知他的伤是否能治好。

GRAMMAIRE

I. 法语的语式(le mode du français)

为了表示各种不同的语气，法语动词有语式的变化，共六种：

1. **直陈式**：客观地说明一件事实。
2. **命令式**：表示命令、请求。
3. **条件式**：表示在一定条件下才有可能发生的动作。
4. **虚拟式**：从主观的角度来谈一件事情。
5. **不定式**：即原形动词。
6. **分词式**：有现在分词和过去分词。

后两种语式没有人称变化，在句子中不能作为主要动词(谓语)使用。实际表达语气的是前面四种。截至现在为止，我们已经学过命令式以及直陈式的各种时态。本课学习一种新的语式：条件式现在时。

II. 条件式现在时(le conditionnel présent)

1. 条件式现在时由简单将来时的词根加下列词尾构成，没有例外：

je	-ais	nous	-ions
tu	-ais	vous	-iez
il	-ait	ils	-aient

pouvoir

人称	简单将来时	未完成过去时	条件式现在时
je	pourrai	pouvais	pourrais
tu	pourras	pouvais	pourrais
il	pourra	pouvait	pourrait
nous	pourrons	pouvions	pourrions
vous	pourrez	pouviez	pourriez
ils	pourront	pouvaient	pourraient

[**说明**]条件式现在时的构成与过去将来时完全相同。参见上册第 29 课。

2. 用法

1) 在独立句中使用,表示婉转的请求、建议或推测:

Je voudrais une tasse de thé. 我想要一杯茶。

Pourriez-vous venir plus tôt? 你们能早一点儿来吗?

Les ouvriers auraient beaucoup à dire sur cet accident. 工人们可能对这一事故有许多话要说。(表示推测,即对某一事实不能完全肯定。)

2) 在主从复合句中使用,表示假设或可能。主句和从句的动词时态配合如下:

从句:si + 直陈式未完成过去时

主句:条件式现在时

A. 表示与现在事实相反的假设:

Je vous aiderais, si je le pouvais. 假如我能够的话,一定帮助您。(事实上无能为力)

S'il avait le temps, il apprendrait aussi l'italien. 如果他有时间,他也会学意大利语的。(事实上没有时间)

B. 表示将来可能发生的动作(但一般可能性较小)

Si elle venait ici demain, elle pourrait répondre à ces questions. 如果明天她来这儿,她可以回答这些问题。

Si vous travailliez davantage, vous réussiriez à ces examens. 如果你们学习再努力一些,你们也许会通过这些考试。

[提示]

1. 条件式只表示某一假设条件下,可能出现的结果,并不表示条件本身,因此条件式不能在以 si 引导的从句中使用。

2. 法语的条件式在一定程度上相当于英语中的虚拟语气:

Si j'étais vous, j'irais voir le dentiste tout de suite.

(If I were you, I should go and see the dentist at once.)

Si je n'étais pas si occupé, j'irais avec vous.

(If I were not so busy, I would go with you.)

3. 表示动作实现的可能性较大时,用直陈式表示条件和结果。

主句和从句的动词配合如下：

主句：直陈式简单将来时

从句：si ＋ 直陈式现在时（不能使用简单将来时）

S'il pleut demain，nous ne sortirons pas.

（If it rains tomorrow，we shall not go out.）

如果明天下雨，我们就不出去了。

Si le train part à huit heures trente，il n'y aura plus de temps à perdre.

（If the train leves at eight thirty，there will be no time for us to lose.）

火车如果八点半开，我们得抓紧时间了。

III. 副动词（le gérondif）

1. 构成：

副动词由介词 en ＋ 现在分词构成，无词形变化：

parlant — en parlant，　voyant — en voyant

sortant — en sortant，　se levant — en se levant

2. 用法：

1）作时间状语，表示"在…的同时"；如强调同时性，可以在 en 前加副词 tout：

En allant à la poste，j'ai vu Pierre. 我去邮局时，看见了皮埃尔。

Elles bavardaient tout en tricotant. 她们一边聊天，一边织毛线。

2）作方式状语

C'est en nageant qu'on apprend à nager. 在游泳中学会游泳。

3）条件状语

En faisant beaucoup d'exercices en français，vous ferez des progrès.（＝ Si vous faites ...）你们多做法语练习，一定会进步。

Vous perdrez votre place en agissant ainsi. 您这样做会丢掉职位的。

3. 副动词与现在分词的比较

1）从形式上看，副动词带有介词 en，现在分词则不带：

en travaillant（副动词），travaillant（现在分词）

2）副动词的主语只能是句子的主语，而现在分词可以有自己的主语：

J'ai vu Jacques sortant du cinéma. 我看见雅克从电影院走出。

(sortant 的主语是 Jacques)

J'ai vu Jacques en sortant du cinéma. 我从电影院出来时看见雅克。

(en sortant 的主语是 je)

3）现在分词可用作原因状语，副动词一般用作时间方式或条件状语：

Vivant à la campagne, nous avons très peu de distractions. 由于生活在乡下，我们的娱乐活动很少。

(vivant ... 作原因状语)

Ne lisez pas en mangeant. 不要边吃饭，边看书。

(en mangeant 是时间状语)

4）现在分词副动分词作时间状语时，都表示“与…同时”，意义上无差别：

En sortant du cinéma, Pierre a vu Jacques.

Sortant du cinéma, Pierre a vu Jacques.

从电影院出来时，皮埃尔看见雅克。

(但从语法上分析，第一句中的副动词修饰动词 voir，即：Quand Pierre est sorti ..., il a vu ... 第二句中的现在分词修饰主语 Pierre，即：Pierre, qui sortait du cinéma, a vu Jacques.)

5）être 和 avoir 一般只用现在分词形式：

Etant malade, je ne vais pas à l'école aujourd'hui. 由于生病，我今天不去上学了。

Qui est cet homme ayant un fusil à la main? 手里握着步枪的那个人是谁？

EXERCICES

I. *Questions sur le texte*

1. Pourquoi la femme de Plume lui conseille-t-elle d'aller voir le médecin?

____

2. Qu'est-ce que le chirurgien dit à Plume?

____

3. Est-ce que Plume accepte cette opération?

____

4. Comment s'excuse-t-il alors?

____

5. Qu'est-ce que le chirurgien lui propose?

____

6. Quand le chirurgien est revenu, qu'est-ce que Plume a dit?

____

7. Pourquoi le chirurgien dit-il qu'il vaut mieux ne pas écrire?

____

8. Quand va-t-il aider Plume à écrire cette lettre?

____

II. *Mettez les infinitifs au conditionnel présent*

1. Je (vouloir) __________ deux kilos de pommes.
2. Nous (vouloir) __________ parler au directeur.
3. Il (revenir) __________ dans trois jours, s'il le pouvait.
4. Vous (réussir) __________ à ces examens, si vous travailliez plus.
5. (pouvoir) __________ -vous m'aider?
6. Nous (faire) __________ de l'auto-stop, si nous voyagions en Europe.

III. *Mettez les infinitifs à l'imparfait de l'indicatif et au conditionnel présent*

1. Si tout le monde (être) __________ là, on (partir) __________ tout de suite.
2. Si nous (être) __________ à Paris, nous (visiter) __________ le palais du Louvre.
3. Si vos amis (venir) __________ vous voir, vous (être) __________ heureuse?
4. S'il y (avoir) __________ de la neige, nous (faire) __________ du ski.
5. Si vous (répéter) __________ ces mots, nous les (savoir) __________.
6. S'ils (écouter) __________ la radio française, ils (comprendre) __________

mieux les actualités (时事) en France.

7. Si nous (être) ______ pressés, nous (prendre) ______ l'avion.

8. S'il (avoir) ______ beaucoup d'argent, il (voyager) ______ au Pôle Sud.

9. Si nous (proposer) ______ cette solution, les autres (ne pas être) ______ d'accord.

10. Si on les (faire) ______ travailler plus, ils (demander) ______ une augmentation de salaire(工资).

IV. *Imaginez des réponses possibles aux questions suivantes*: Que feriez-vous

1. si vous aviez plus de temps libre?

______

2. si vous étiez malade?

______

3. si vous aviez beaucoup d'argent?

______

4. si vous étiez en France?

______

5. si vous ne vouliez pas accepter une invitation?

______

V. *Terminez les phrases et faites attention au temps et au mode employés*

1. S'il pleuvait, ______
2. Si le professeur ne vient pas, ______
3. Si un Martien (火星人) arrivait, ______
4. Elle arrêtera de travailler, si ______
5. Paul partirait à l'étranger, si ______
6. Nous irions au cinéma, si ______

VI. *Corrigez les fautes des phrases suivantes*

1. Si je verrais Pierre, je lui dirais cela.

______

2. S'il pleut demain, nous sommes restés à la maison.

3. Si Marie était malade, elle n'ira pas au cinéma.

4. Si vous avez besoin quelque chose, vous me téléphonerez.

5. Je réfléchirais davantage ce problème, si j'avais beaucoup de temps.

VII. *Transformez les phrases en employant le gérondif*

Ex: Vous lisez le texte et vous réfléchissez.

Vous lisez le texte en réfléchissant.

1. Nous travaillons et nous chantons.

2. La mère répondait et elle souriait.

3. Ils racontent leur histoire et ils mangent.

4. Le chef explique le problème et il fait des gestes.

5. J'ai dit au revoir et je suis sorti.

6. L'enfant est entré et il pleurait.

VIII. *Répondez aux questions d'après l'exemple*

Ex: Comment as-tu perdu ton portefeuille?

(aller à la gare)

J'ai perdu mon portefeuille en allant à la gare.

1. Comment les étudiants apprennent-ils cette chanson?

(écouter un enregistrement)

2. Comment êtes-vous sorti de la classe?

(fermer la porte et les fenêtres)

___

3. Comment a-t-elle appris ces nouvelles?
(regarder la télévision)

___

4. Comment a-t-il pris froid?
(marcher sous la pluie)

___

5. Comment rentrent-ils à la maison?
(prendre l'autobus)

___

6. Comment s'est-il coupé le doigt?
(faire la cuisine)

___

IX. *Mettez les verbes entre parenthèses au gérondif ou au participe présent*

1. Ils déjeunent (attendre) ______ leurs amis.
2. (ne pas avoir) ______ assez d'argent, ils n'ont pas pu acheter ce poste de télévision.
3. (discuter) ______, nous avons pu prendre rapidement une décision.
4. Quand je suis arrivé, j'ai vu le directeur (entrer) ______ dans son bureau.
5. On n'arrivera à l'heure que (prendre) ______ un taxi.
6. (habiter) ______ loin de son usine, il arrive quelquefois en retard.
7. (lire) ______ plusieurs romans de cet auteur, on le connaîtra mieux.
8. Vous obtiendrez de meilleurs résultats, (faire) ______ plus d'effort.

X. *Thème*

1. 皮埃尔有点儿头痛,他母亲建议他去找莫兰医生看看。

___

2. 他是个敏感的孩子,非常容易激动。

___

3. 您再看一遍这篇文章，最多只需 10 分钟。

____

4. 假如我不给她发个短信(message *n. m.*)，她会担心的。

____

5. 如果你们明天不能去看这场足球赛，我们就把这几张票给别的同学。

____

____

6. 如果您迟迟不做答复，我们就只好去咨询其他律师。

____

7. 不要一边看书，一边听广播。

____

8. 教师解释语法，并给了几个例句。

____

XI. *Traduisez la lecture suivante en chinois*

LECTURE

La pollution sonore

Tout le monde circule en voiture, prend le métro, travaille dans un atelier ou dans un bureau plus ou moins[1] bruyant. Et le bruit d'un carrefour animé, du métro ou de plusieurs machines à écrire atteint parfois des limites à peine supportables.

Mais le pire, c'est peut-être de vivre en bordure d'une autoroute ou à proximité d'un aéroport.

Les habitants de Savigny auraient beaucoup à dire sur ce sujet. Savigny était autrefois un endroit très agréable. Jusqu'au jour où le ministre de l'Equipement, pour satisfaire les besoins des automobilistes, a décidé de faire passer par là l'autoroute A6.[2]

《Il y a de quoi devenir fou!》[3] disent les habitants. 《A longueur de journée, il faut élever la voix pour s'entendre. Quand on allume la télévision ou la radio, il faut mettre le son au maximum.》Les enfants ont du mal à s'endormir, et ils sursautent dans leur sommeil chaque fois qu'un camion passe.[4] Les pharmaciens du pays font fortune avec les sirops calmants et les tranquillisants ...

Les conséquences du bruit sont souvent dramatiques: il ne risque pas seulement de rendre sourd; il perfurbe aussi le système nerveux. D'après certains médecins, il serait à l'origine de 52% des maladies nerveuses.[5]

LEXIQUE

la pollution 污染
sonore *a.* 发声的,噪音的
circuler *v.i.* 往来,通行
bruyant, e *a.* 喧闹的
le carrefour 交叉路口
animé, e *a.* 热闹的
la limite 限度
supportable *a.* 可忍受的
le pire 最坏的情况
la bordure 边缘
à proximité de 靠近…
l'équipement *n.m.* 装备
satisfaire *v.t.* 满足
fou, fol, folle *a.* 发疯的
à longueur de journée 从早到晚
allumer *v.t.* 开(电视,收音机)
le son 声音
au maximum *loc. adv.* 最大限度地
s'endormir *v.pr.* 入睡
sursauter *v.i.* 惊动
le sommeil 睡眠
faire fortune 发财

le sirop 药水

calmant，e *a.* 镇静的

le tranquillisant 安定药

la conséquence 后果

dramatique *a.* 严重的

sourd，e *a.* 聋的

perturber *v.t.* 使紊乱

le système nerveux 神经系统

à l'origine de 根源，起因

nerveux，se *a.* 神经的

NOTES

1. plus ou moins：或多或少地。
2. faire passer par là l'autoroute A6：让六号高速公路从那儿经过。
3. Il y a de quoi devenir fou！这些足能让人发疯。

   de quoi：足够的东西。
4. ils sursautent dans leur sommeil chaque fois qu'un camion passe：每次有卡车经过，孩子都会从睡梦中惊醒。

   chaque fois que：*loc. conj.* 每次；每当。
5. D'après certains médecins，il serait à l'origine de 52％ des maladies nerveuses. 据一些医生说，52％的神经性疾病是由噪音引起的。

   être à l'origine de：是…的起因。

LEÇON TRENTE-SIX

I. Points importants

1. Ce livre est à moi; c'est mon livre; c'est **le mien.**
2. Cette robe est à moi; c'est ma robe; c'est **la mienne.**
3. Ce stylo est à Marie; c'est son stylo; c'est **le sien.**
4. Cette chaise est à Pierre; c'est sa chaise; c'est **la sienne.**
5. Mon frère a 16 ans, et **le tien**? (le tien = ton frère)
6. Ma sœur a 18 ans, et **la tienne**? (la tienne = ta sœur)
7. Notre classe est au 3e étage et **la leur** est au 4e. (la leur = leur classe.)
8. Ils sont très heureux de retrouver **les leurs.**
   (les leurs = leurs parents, leurs amis)

II. Texte

Le commerce des livres

Le père de M. Roux était libraire, M. Roux est libraire, son fils le sera-t-il?

Lorsqu'il y a trois ans, on a construit près de chez eux un supermarché, l'Idéal, M. Roux était assez content. 《Je ne suis pas ennemi des grands magasins, au contraire, je trouve que c'est une bonne chose.[1] Ils vendent beaucoup et, grâce aux ventes considérables qu'ils réalisent,[2] ils peuvent baisser leurs prix.》

Les épiciers, les boulangers, les crémiers du quartier, eux, ne s'en réjouirent pas:[3] les prix de l'Idéal étaient de 10 à 20% inférieurs aux leurs.[4] Et très vite, le《Super》[5] connut une grande vogue. Comme le succès lui amenait sans cesse de nouveaux clients, il faisait une terrible concurrence aux petits commerçants. Par suite de la mévente, deux épiciers et un boulanger durent fermer leurs magasins;[6] vaincu, même le marchand de vin finit par fermer le sien[7]...

Puis, il y a trois mois, l'Idéal s'est mis à vendre des livres de poche. M. Roux était très inquiet. 《Qui achètera nos coûteuses éditions de Camus, de Sartre, de Zola alors qu'on pourra trouver ces auteurs en 〈poche〉 dix fois moins chers presqu'en face de chez nous?[8] Bien sûr, leurs livres ne sont pas aussi beaux que les nôtres, il n'y a même aucune comparaison possible, mais enfin le prix c'est le prix. 》[9]

Cependant, Mme Roux qui achetait toujours son épicerie au supermarché et qui jetait chaque fois un coup d'œil aux acheteurs de livres,[10] dit un jour à son mari:

《La situation est plus complexe que tu l'imagines.[11] Oui, oui, crois-moi, c'est beaucoup moins simple.[12] La concurrence entre le supermarché et les épiciers n'est pas la même qu'entre l'Idéal et nous. Leurs clients ne viendraient de toute façon pas chez nous. Ce sont des jeunes, des ouvriers, on voit bien qu'ils n'ont pas l'habitude d'acheter des livres. C'est frappant: ils ne savent pas à l'avance ce qu'ils veulent[13] mais ils n'oseraient pas demander des renseignements. 》

A la fin de l'année, M. Roux fit une constatation: sa vente n'avait pas baissé, elle avait même augmenté. Après tout,[14] ces livres de poche qu'on trouve partout et qui poussent certains Français à la lecture, exercent finalement, peut-être, une influence positive.[15]

LEXIQUE

NOMS

libraire 书商

la vente 销售

boulanger, ère 面包商

crémier, ère 乳品商

la vogue 风行,受欢迎

la concurrence 竞争

commerçant, e 商人

la mévente 生意萧条

marchand, e 商人,买卖人

le marchand de vin 酒商

le livre de poche (简装)袖珍书

l'édition *n. f.* 版本,出版

Camus 加缪

Sartre 萨特
Zola 左拉
la comparaison 比较
l'épicerie *n. f.* 食品杂货
le coup 一下,一击
l'œil (des yeux) *n. m.* 眼睛
un coup d'œil 一眼,一瞥
acheteur, teuse 买主
l'habitude *n. f.* 习惯
le renseignement 情况,消息
la constatation 发现;观察
la lecture 阅读

VERBES

réaliser *v. t.* 实现,出售
baisser *v. t.* 降低
se réjouir (de) *v. pr.* 为…而高兴
amener *v. t.* 引来,带来
vaincre *v. t.* 战胜
fermer *v. t.* 关闭
jeter *v. t.* 投,扔
imaginer *v. t.* 想象
oser *v. t.* 敢于
pousser *v. t.* 推动
exercer *v. t.* 发挥,施加

ADJECTIFS

considérable 大量的
inférieur, e 低于…的
terrible 可怕的,强烈的
coûteux, se 昂贵的
aucun, e 任何的,某种的
complexe 复杂的
simple 简单的
frappant, e 惊人的
positif, ve 积极的

AUTRES

au contraire *loc. adv.* 相反
grâce à *loc. prép.* 多亏,幸亏
sans cesse *loc. adv.* 不断地
par suite de *loc. prép.* 由于
alors que *loc. conj.* 而,却
en face de *loc. prép.* 在…对面
cependant *conj.* 然而
chaque fois 每次
de toute façon *loc. adv.* 无论如何
à l'avance *loc. adv.* 预先,事先
à la fin de *loc. prép.* 在…之末
après tout *loc. adv.* 总之
finalement *adv.* 最终

NOTES SUR LE TEXTE

1. ... au contraire, je trouve que c'est une bonne chose: 相反,我觉得这是一件好事。

trouver que：认为…

2. grâce aux ventes considérables qu'ils réalisent：靠着他们大量销售的货物。

3. Les épiciers，les boulangers，les crémiers du quartier，eux，ne s'en réjouirent pas. 附近的食品杂货商、面包商、乳品商对此却怏怏不乐。

   1）le quartier 指城市里的"区"，但也可表示"附近、周围"的意思。

   2）重读人称代词 eux 起强调作用，表示"至于这些人"

   3）se réjouir de *qch.*：为…而喜悦。

4. Les prix de l'Idéal étaient de 10 à 20% inférieurs aux leurs. "理想"超级市场的商品价格比他们的商品价格要低 10%到 20%。

   1）être inférieur à（低于）≠ être supérieur à（高于，优于），例如：

   Le grade de colonel est inférieur à celui de général. 校官衔低于将官衔。

   Ce nouveau produit est supérieur à l'ancien. 这个新产品优于旧产品。

   2）... aux leurs = à leurs prix，详见本课语法。

5. le "Super" 是 le supermarché 的省略，因特指 Idéal，所以 S 用大写。

6. Par suite de la mévente，deux épiciers et un boulanger durent fermer leurs magasins. 由于生意萧条，两家食品杂货商和一家面包商不得不关门停业。

7. Vaincu，même le marchand de vin finit par fermer le sien. 甚至连酒店老板也顶不住了，最后关了门。

   1）vaincu 修饰 le marchand，并表示原因，即：comme il était vaincu.

   2）le sien = son magasin

8. Qui achètera nos coûteuses éditions de Camus，de Sartre，de Zola alors qu'on pourra trouver ces auteurs en《poche》dix fois moins cher presqu'en face de chez nous? 谁还会买我们这些昂贵的加缪、萨特、左拉的书籍？因为几乎在我们书店的对面，人们花十分之一的钱就能买到这些作家的袖珍本。

   1）Camus 加缪（1913—1960）法国著名作家。

   2）Sartre 萨特（1905—1980）法国著名作家、哲学家，存在主义的代表人物。

   3）Zola 左拉（1840—1902）法国著名作家。

   4）alors que 表示转折，例如：

   J'étais au travail，alors que vous dormiez encore. 我已经干活了，而你还在睡觉呢。

5) ces auteurs en《poche》= les livres de ces auteurs en format de poche.

9. Mais enfin le prix c'est le prix. 但价格终归是价格啊。

10. ... qui jetait chaque fois un coup d'œil aux acheteurs de livres. 她每次都打量一下那些买书的顾客。

jeter un coup d'œil：打量…，对…瞟一眼。

11. La situation est plus complexe que tu l'imagines. 情况比你所想象的要复杂得多。

12. C'est beaucoup moins simple. 事情远非这么简单。

13. Ils ne savent pas à l'avance ce qu'ils veulent. 他们事先并不清楚他们想买什么(书)。

à l'avance：事先，预先。

14. après tout：(副词短语)总之，毕竟。

15. Ces livres de poche qu'on trouve partout et qui poussent certains Français à la lecture, exercent finalement, peut-être, une influence positive. 这些到处可以买到，并提高了某些法国人阅读兴趣的袖珍书籍，最终可能是(对罗斯先生售书)起了积极作用。

1) qui poussent ... 中 qui 的先行词是 ces livres de poche.

2) exercer une influence (sur)：影响…，对…起作用。

MOTS ET EXPRESSIONS

1. **grâce à** *loc. prép.* 多亏，幸亏；由于

C'est grâce à votre aide que nous avons réussi. 多亏您的帮助，我们获得了成功。

Grâce à la télévision on peut voir des spectacles sans sortir de la maison. 由于有了电视，人们不出家门便可观赏文艺节目。

2. **se réjouir de** ***qch.*** 喜悦，高兴

Il se réjouit de pouvoir suivre ce cours. 能上这个课，他感到高兴。

Nous nous réjouissons de la normalisation des relations entre ces deux pays. 我们对这两个国家的关系正常化感到欢欣。

3. **voir** *v. t.*

1）看见，看到

Les aveugles ne voient rien. 盲人什么也看不见。

J'ai vu cela dans un journal. 我是在报纸上看到这事的。

2）观看，参观

voir une pièce de théâtre 看戏

voir un film 看电影

3）看(医生)，咨询

aller voir le médecin 去看病

voir un avocat 咨询一位律师

4）voir bien que 看出，发现

Je vois bien que vous êtes malade. 我看出您生病了。

On voit bien qu'il n'a pas l'intention de démissionner. 人们发现他没有辞职的打算。

4. **oser** + *inf.* 敢于

Il n'ose pas dire la vérité. 他不敢讲出事实真相。

Il l'aime, mais il n'ose pas lui en parler. 他喜欢她，但却不敢对他明说。

5. **exercer** *v. t.*

1）训练

Le professeur exerce ses élèves à la conversation en français. 教师对学生进行法语会话训练。

Les parents exercent le jugement de leur enfant par des jeux appropriés. 父母用一些适当的游戏训练孩子的判断能力。

2）行使；从事

La police exerce un contrôle discret sur ses activités. 警方对他的活动进行秘密监督。

Il exerce depuis peu des fonctions importantes dans cette entreprise. 近来他在这家企业中担任了重要职务。

3）exercer une influence，une action 起作用

Les professeurs exercent une forte influence sur les élèves. 教师对学生有重要的影响。

Le climat exerce une action déterminante sur la végétation. 气候对植物的生长起决定性作用。

GRAMMAIRE

I. 主有代词 (le pronom possessif)

1. 主有代词有性、数变化,详见下表:

人称 \ 性、数	单数		复数	
	阳性	阴性	阳性	阴性
我的	le mien	la mienne	les miens	les miennes
你的	le tien	la tienne	les tiens	les tiennes
他(她)的	le sien	la sienne	les siens	les siennes
我们的	le nôtre	la nôtre	les nôtres	
您的,你们的	le vôtre	la vôtre	les vôtres	
他(她)们的	le leur	la leur	les leurs	

2. 用法

1) 主有代词一般用来代替主有形容词(mon, ton, son 等)加名词,以避免名词的重复。例如:

Ma chambre est plus grande que la vôtre. 我的房间比您的房间大。

(la vôtre = votre chambre)

Voilà notre classe, la leur est au premier étage. 这儿是我们的教室,他们的教室在二层。

(la leur = leur classe)

2) 主有代词的阳性复数形式可以不代替任何名词,表示:家里人、亲友、团体成员等。例如:

Ils sont très heureux de retrouver les leurs. 他们与亲友团聚,非常高兴。

Ne dites pas cela à eux, ils ne sont pas des nôtres. 别把这事告诉他们,他们和我们不是一伙的。

［提示］

1. 主有代词本身带有定冠词，定冠词前如果有介词 à 或 de，应采用缩合冠词形式，变成 au mien, du tien, des leurs 等：

   Ils pensent toujours aux leurs. 他们常常思念亲人。

   Je m'occupe de mes affaires, tu vas t'occuper des tiennes. 我管我的事，你去管你的事吧。

2. 主有代词与英语的物主代词绝对形式在用法上相似，但法语主有代词与主有形容词一样，性、数变化与占有者无关，而是随被占有者的性、数变化。例如：

   le frère de Pierre → son frère → le sien

   (Pierre's brother → his brother → his)

   le frère de Marie → son frère → le sien

   (Mary's brother → her brother → her)

   la sœur de Pierre → sa sœur → la sienne

   (Pierre's sister → his sister → his)

   la sœur de Marie → sa sœur → la sienne

   (Mary's sister → her sister → her)

II. 表示时间先后的词

1. avant 在…之前

   Ne me téléphonez pas avant 9 heures du matin. 早晨九点钟以前不要给我打电话。

2. après 在…之后

   Après trois heures de travail, nous sommes tous très fatigués. 工作了三小时之后，我们大家都很累了。

3. il y a ... …以前

   J'ai appris le français il y a deux ans. 我两年前学过法语。

4. depuis ... …以来

   J'apprends le français depuis deux ans. 两年以来我一直在学习法语。

5. ça fait ... que 已经…

   Ça fait deux ans que j'apprends le français. 我学法语已经两年了。

6. dans ... …之后

J'apprendrai le français dans deux ans. 我两年以后学习法语。

III. 连词 comme 的几种用法

1. 作为,当作

Il travaille comme journaliste. 他做记者工作。

Comme citoyen, j'ai le droit de voter. 作为公民,我有选举的权利。

2. 像,如同

Il fait noir comme la nuit. 天色像夜晚一样漆黑。

3. 当…时

Le téléphone a sonné comme je sortais. 我正要出门电话铃响了。

4. 像,例如:

Les animaux comme le tigre, le lion et le loup sont très féroces. 像老虎、狮子和狼这些野兽都非常凶猛。

5. 由于,既然

Comme il neigeait, nous avons décidé de rester encore une journée. 由于下雪,我们决定再多待一天。

6. 多么,怎样(作感叹词)

Comme je suis content de te voir! 见到你真高兴!

EXERCICES

I. *Questions sur le texte*

1. Pourquoi M. Roux était-il assez content, quand on a construit un supermarché près de chez eux?

____

2. Et les autres commerçants, étaient-ils aussi contents?

____

3. Pourquoi certains petits commerçants ont-ils fermé leur magasin?

____

4. Pourquoi M. Roux était-il inquiet, quand l'Idéal s'est mis à vendre des livres de poche?

5. Que veut dire《le prix c'est le prix》?

6. Qu'est-ce que Mme Roux a remarqué dans le supermarché?

7. Quelle constatation M. Roux a-t-il faite à la fin de l'année?

8. Pourquoi sa vente n'a-t-elle pas baissé?

II. *Refaites les phrases avec le pronom possessif*

Ex: Mon sac est plus grand que votre sac.
Mon sac est plus grand que le vôtre.

1. Votre fille est devenue plus intelligente que ma fille.

2. Ma maison paraît plus ancienne que votre maison.

3. Leur appartement semble plus propre que votre appartement.

4. Notre travail n'est pas plus important que le travail de Pierre et de Charles.

5. Ma place est meilleure que ta place.

6. Mon chien a l'air plus calme que le chien de Pascal.

7. Votre voiture paraît plus petite que la voiture de Pascal.

8. Ta mère est-elle plus âgée que ma mère?

III. *Posez des questions avec le pronom possessif*

Ex：J'ai fait mes devoirs.（tu）

As-tu fait les tiens?

1. J'ai trouvé ma place.（tu）

____

2. Paul a pris son parapluie.（Marie）

____

3. Le marchand de vin a fermé son magasin.（le boulanger）

____

4. Il parle souvent de son travail.（sa femme）

____

5. M. Morin a besoin de sa voiture.（vous）

____

6. Je suis content de mes élèves.（M. Dupont et M. Renou）

____

IV. *Complétez avec des adjectifs possessifs et des pronoms possessifs*

1. Je fais ________ exercices，tu fais ________?
2. Je parle de ________ travail，tu parles de ________?
3. Pierre lit ________ journal，Marie lit ________?
4. Nous lisons ________ journaux，vous lisez ________?
5. Je te donne ________ adresse，peux-tu me donner ________?
6. Elle pense souvent à ________ parents；et vous，est-ce que vous pensez souvent à ________?

V. *Refaites les phrases avec des pronoms possessifs et des pronoms démonstratifs*

Ex：Il y a un livre sur le bureau，il est à toi.

a. Il y a un livre sur le bureau，c'est le tien.

b. Celui qui est sur le bureau，c'est le tien.

1. Il y a deux livres sur la table，ils sont à moi.

a. ______________________________

b. ______________________________

2. Il y a une voiture devant la maison, elle est à eux.
   a. ______________________________
   b. ______________________________
3. Il y a des lettres sur le bureau, elles sont à vous.
   a. ______________________________
   b. ______________________________
4. Il y a un vélo dans la cour, il est à elle.
   a. ______________________________
   b. ______________________________

VI. *Complétez les phrases avec des pronoms convenables* (pronoms personnels, pronoms possessifs, pronoms démonstratifs, pronoms relatifs)

1. Nous faisons nos exercies, ________ faites ________.
2. Voilà deux billets, ________ est à moi, ________ est à toi.
3. Les livres de poche ________ on trouve partout et ________ ne sont pas chers poussent les Français à la lecture.
4. Ce livre est très intéressant, pouvez-________ me ________ prêter?
5. Cette jolie robe est à Marie. Sa mère vient de ________ offrir pour son anniversaire(生日).

VII. *Traduisez les phrases suivantes en français*

1. 你弟弟学习真努力,可我弟弟光知道贪玩儿。
   ____
2. 玛丽把我的录音机拿走了,她的录音机坏了。
   ____
3. 过去,夏尔的父亲是农民,现在夏尔也是农民,夏尔的儿子将来还会当农民吗?
   ____
   ____
4. 这些蔬菜太贵,别在这儿买,因为在我们家对面花一半的钱就能买到。
   ____
5. 敌人被打败后,最终投降。

VIII. *Traduisez les phrases suivantes en chinois*

1. L'examen aura lieu dans deux semaines.

2. J'ai vu Marie il y a une semaine.

3. Ça fait deux mois que je n'ai pas de nouvelles de lui.

4. Depuis combien de temps êtes-vous ici?

5. Elle a repris le travail après trois jours de congé.

6. Il est toujours en retard. Il n'arrive jamais avant 9 heures.

7. Je n'ai pas vu Pierre depuis huit jours.

8. Dans combien de temps partirez-vous pour la France?

IX. *Traduisez les phrases suivantes en chinois*

1. Comme la voiture est en panne, il faut prendre un taxi.

2. Comme il a changé!

3. Comme elle a de la fièvre, elle est obligée de rester à la maison.

4. Comme journaliste, il doit écrire des articles qui reflètent la réalité.

5. La campagne comme la ville et la mer a ses plaisirs.

6. Comme vous, je ne crois pas qu'il puisse réussir à ce concours.

X. *Traduisez le texte suivant en chinois*

Tout étudiant, c'est un fait (事实), dispose chaque jour de plusieurs heures de liberté. En effet, personne n'est capable de rester toute une journée devant ses livres, et les professeurs le savent.

Il y a ceux qui vont régulièrement au cinéma ou au théâtre; ceux qui préfèrent s'installer dans un café pour discuter de tous les problèmes qui les intéressent, et ceux qui pratiquent un sport, organisent des matchs ... Il y a enfin ceux que nous appellerons les jeunes gens tranquilles, ceux qui aiment la lecture.

Pourquoi ces derniers sont-ils encore aussi nombreux? Parce qu'ils savent qu'ouvrir un livre, c'est accueillir (迎接) un ami, c'est oublier qui on est ou apprendre à connaître d'autres hommes.

Grâce au livre, nous fuyons (避开), en pensée, la grande ville grise où nous passons des jours tristes entre quatre murs (墙壁) gris.

LECTURE

Une famille d'agriculteurs

Quand ses fils sont arrivés avec le tracteur, Robert Soulié s'est senti mal à l'aise.[1] Pendant plusieurs dizaines d'années, ce cultivateur français, qui a maintenant 72 ans, s'était contenté d'un bœuf et d'une charrue. Il avait appris à ses fils à en faire autant. [2] Le maniement des nouvelles machines lui est complètement étranger. Certes, il se rendait compte qu'elles accroîtraient la production de l'exploitation familiale. D'ailleurs, l'achat ne s'était fait qu'avec son assentiment. [3] Mais, petit à petit, l'influence du vieillard avait cédé le pas à celle de ses fils, qu'il s'agisse de questions agricoles ou d'autre. [4] Ses fils connaissaient les machines modernes. Soulié s'est rendu bientôt compte qu'il avait abandonné non seulement sa charrue mais aussi son rôle de chef incontesté de la famille, qui dirige les travaux et prend les grandes décisions au nom des trois générations qui habitent sous le même toit. [5] Aussi les rapports se sont-ils tendus entre père et fils. [6] Le monde de Soulié avait brusquement changé.

LEXIQUE

agriculteur *n. m.* 从事农业的人
le tracteur 拖拉机
(être) mal à l'aise 不自在,不舒服
le cultivateur 耕作者
le bœuf 牛
la charrue 犁
le maniement 操纵,使用
accroître *v. t.* 提高,扩大
exploitation *n. f.* 经营,开垦
assentiment *n. m.* 赞同
le vieillard 老头
céder le pas à 让步于…
incontesté, e *a.* 无争议的
au nom de *loc. prép.* 以…名义
le toit 屋顶
les rapports *n. m.* 关系
se tendre *v. pr.* 紧张
brusquement *adv.* 突然的,猛地

NOTES

1. Robert Soulié s'est senti mal à l'aise. 罗贝尔·苏里耶感到很不自在。
2. Il avait appris à ses fils à en faire autant. 他曾教他的儿子们也这样做。
   en faire autant 是一个固定短语,表示:同样做;这样做。
3. D'ailleurs, l'achat ne s'était fait qu'avec son assentiment. 而且,只是在他的同意下才买的拖拉机。
   se faire 在此表示被动意义。
4. Qu'il s'agisse de questions agricoles ou d'autres. 无论是农业问题还是其他问

题。

que … ou … 无论…还是…；句中动词用虚拟式。

5. Au nom des trois générations qui habitent sous le même toit. 以生活在一起的三代人（以三代同堂）的名义。

   sous le même toit：（住、生活）在一起。

6. Aussi les rapports se sont-ils tendus entre père et fils. 因此，父子关系变得紧张了。

   以 aussi 引导陈述句时，主谓语一般要倒装。

EXERCICES DE REVISION

(Leçon 31—Leçon 36)

I. *Conjugaison*

infinitif	futur simple	conditionnel	plus-que-parfait
parler	je	je	il
dire	il	nous	vous
partir	elle	tu	ils
finir	je	il	nous
prendre	il	nous	vous
venir	tu	tu	elle
aller	il	il	elle
oser	tu	je	il
se lever	il	elle	nous

II. *Remplissez le tableau*

infinitif	participe passé	participe présent
faire		
venir		
	su	
		voyant
		partant
	eu	
	dû	
pouvoir		

III. *Mettez les infinitifs au temps et au mode convenables*

1. Qu'est-ce qu'il (faire) ________ hier?
2. Si nous étions en France, il nous (être) ________ plus facile d'apprendre le français.
3. Il m'a demandé si je (aller) ________ le voir le lendemain.
4. Il m'a demandé si je (voir) ________ son fils la veille.
5. Il m'a dit qu'il (être) ________ à la campagne ce jour-là.
6. Si nous (prendre) ________ le Concorde, nous arriverions plus tôt à New York.
7. Il pensait à la soirée qu'il (passer) ________ la veille.
8. Elle était inquiète, parce qu'elle (ne pas recevoir) ________ de nouvelles de son père.

IV. *Complétez avec un pronom relatif convenable*

1. C'est un garage ________ se trouve près de chez moi.
2. Je ne connais pas le livre ________ vous avez parlé.
3. Je n'ai pas lu les articles ________ vous avez écrits.
4. Je connais bien le médecin ________ il a consulté l'autre jour.
5. Dans la région ________ j'habite on cultive du blé.
6. Dans la région ________ je viens la culture principale est le riz.
7. On cherche la personne ________ la voiture s'est arrêtée devant la porte du magasin.
8. Les plats ________ votre femme a préparés sont excellents.
9. La robe ________ elle a essayée est trop longue.
10. Un livre est un cadeau ________ fait toujours plaisir.

V. *Transformez les phrases suivantes*

Ex: Quand on est seul, on travaille mieux.
Etant seul, on travaille mieux.

1. Quand on est nombreux, on s'amuse mieux.

____

2. Quand on est gentil, on se fait des amis.

____

3. Quand on est imprudent, on cause des accidents.

____

4. Quand on est sportif, on reste jeune.

____

5. Quand on est bavard, on gêne les autres.

____

VI. *Transformez les phrases d'après l'exemple*

Ex: Si j'avais de l'argent, je pourrais sortir.

N'ayant pas d'argent, je ne peux pas sortir.

1. Si j'avais faim, je mangerais.

____

2. Si j'avais soif, je boirais.

____

3. Si j'avais des lunettes, je pourrais lire.

____

4. Si j'avais le temps, je pourrais attendre.

____

5. Si j'avais un billet, je pourrais entrer.

____

VII. *Refaites les phrases d'après l'exemple*

Ex: Nous ne sommes pas riches, nous ne pouvons pas nous offrir ce voyage.

Si nous étions riches, nous pourrions nous offrir ce voyage.

1. Il ne connaît pas l'espagnol, il ne peut donc pas vous traduire cet article.

____

2. Je n'ai pas son numéro de téléphone, je ne peux donc pas lui passer un coup de fil.

____

3. Il n'y a pas de neige dans les montagnes, nous ne pouvons donc pas faire

du ski.

____

4. Vous n'êtes pas sportif, vous ne pouvez donc pas faire une si longue course.

____

5. Je n'ai pas de temps, je ne peux donc pas vous accompagner à l'aéroport.

____

6. Nous n'avons pas un grand appartement, nous ne pouvons donc pas vous recevoir tous.

____

VIII. *Reliez les deux propositions par le pronom relatif* dont

1. C'est un beau jardin: M. Legrand en est le propriétaire.

____

2. La concierge s'appelle Duroc; les locataires sont mécontents d'elle.

____

3. Nous avons vu une pièce de théâtre; je connais l'auteur de cette pièce de théâtre.

____

4. Nous avons traversé une forêt; nous ne connaissons pas le nom de cette forêt.

____

5. Ce sont des plantes médicinales; on a parfois besoin de ces plantes médicinales.

____

6. Il sortit de l'appartement; il ferma à clé la porte de l'appartement.

____

IX. *Choisissez la bonne solution d'après les mots proposés*

1. Je n'y étais pas, parce qu'on ne ______.

A. m'avait pas invité B. m'a pas invité

C. m'invitait pas

2. Le ministre de l'Education a publié un décret ______ les dates des vacances scolaires.
   A. qui modifiant　　B. en modifiant
   C. modifiant
3. J'ai déjà remis mes devoirs au chef de classe. As-tu remis ______?
   A. les vôtres　　B. les tiens
   C. les tiennes
4. Mon frère ______ malade, il n'est pas allé à l'école ce jour-là.
   A. étant　　B. en étant
   C. ayant
5. Il m'a dit qu'il ______ cette nouvelle la veille.
   A. savait déjà　　B. sut déjà
   C. avait déjà su
6. Si j'étais riche, je vous ______ de l'argent.
   A. prêterai　　B. prête
   C. prêterais
7. Nathalie, ______ que ses parents rentrent tard, reste dans la classe et y fait ses devoirs.
   A. en sachant　　B. sachant
   C. sait
8. Mon ordinateur ne marche plus. Pouvez-vous me prêter ______?
   A. la vôtre　　B. le mien
   C. le vôtre

X. *Traduisez les phrases suivantes en chinois*

1. Quand je fais de la traduction, je me sers toujours de ce dictionnaire.

   ____

2. Si Pascal n'arrivait pas avant 7 heures, je ne lui réserverais plus cette place.

   ____

3. Pour ce genre de problèmes, il vaut mieux consulter un avocat.

LEÇON TRENTE-SEPT

I. Points importants

1. Racontez votre voyage, s'il vous plaît.
   Je voudrais que vous **racontiez** votre voyage.
2. Nous prenons l'avion.
   Il vaut mieux que nous **prenions** l'avion.
3. Tu ne peux pas m'accompagner. C'est dommage.
   Je regrette que tu ne **puisses** pas m'accompagner.
4. Ils ont de longues vacances. Nous en sommes heureux.
   Nous sommes heureux qu'ils **aient** de longues vacances.
5. Vous devez lire des romans français.
   Il faut que vous **lisiez** des romans français.
6. Pierre est chez lui. C'est possible.
   Il est possible que Pierre **soit** chez lui.

II. Texte

Décision des Curie

Un dimanche matin, le facteur apporta une lettre venant des Etats-Unis.[1] Pierre Curie la lut attentivement et la posa sur son bureau.

—Il faut que nous parlions un peu de notre radium, dit-il d'un ton paisible[2] à sa femme. Voici justement une lettre des ingénieurs américains: ils veulent qu'on leur dise le secret de la préparation du radium pur.

—Alors? dit Marie, qui ne prenait pas un vif intérêt à la conversation.

—Alors nous avons le choix entre deux solutions.[3] Décrire sans en cacher le moindre secret les résultats de nos recherches,[4] y compris les procédés de purification ...[5]

4. Qu'à cela ne tienne, il suffit de lui téléphoner.

5. —Ne me coupez pas le doigt, fit Plume, ma mère serait triste.

6. Elle avait l'air heureuse. Elle ne l'était pas en réalité.

7. Il n'était pas riche, mais il achetait tout sans regarder à la dépense.

8. Si je savais conduire, je m'achèterais une voiture et deviendrais chauffeur de taxi.

Marie eut un geste d'approbation, et elle murmura:

—Oui, naturellement.

—Ou bien, continua Pierre, nous pouvons nous considérer comme les propriétaires, les《inventeurs》du radium.[6] Dans ce cas, il faudrait breveter la technique et nous assurer des droits sur la fabrication du radium dans le monde.

Marie réfléchit pendant quelques secondes. Puis elle dit:

—C'est impossible. Ce serait contraire à l'esprit scientifique.[7]

Pierre insista:

—Je le pense ... mais il ne faut pas prendre cette décision à la légère.[8] Notre vie est dure, et elle menace de l'être toujours.[9] Ce brevet représenterait beaucoup d'argent, la richesse.

Marie considéra posément l'idée du gain, de la récompense matérielle. Presqu'aussitôt elle la rejeta:[10]

—Les physiciens publient toujours intégralement leurs recherches. Si notre découverte a un avenir commercial, c'est là un hasard dont nous ne saurions profiter.[11] Et le radium va servir à soigner des malades ...[12] Il me paraît impossible d'en tirer un avantage.[13]

Dans un silence, Pierre répéta, comme un écho, la phrase de Marie:

—Non ... ce serait contraire à l'esprit scientifique.

Soulagé, il ajouta:

—J'écrirai donc ce soir aux ingénieurs américains en leur donnant les renseignements qu'ils demandent.

LEXIQUE

NOMS

la décision 决定

le radium 镭

le ton 口气,语调

le secret 秘密

la préparation 配制,提炼

l'intérêt *n. m.* 利益

la conversation 对话,交谈

le choix 选择

la solution 解决办法

les recherches *n. f. pl.* 科学研究

le procédé 方法,工艺

la purification 净化

le geste 手势,动作

l'approbation *n. f.* 赞同

propriétaire 主人

inventeur, trice 发明者
le cas 情况,场合
la technique 技术
le droit 权利
la fabrication 制造
la seconde 秒
l'esprit *n. m.* 精神,意愿
le brevet 专利
la richesse 财富
le gain 收入,好处
la récompense 奖赏,报酬
physicien, ne 物理学家
le hasard 偶然,巧合
l'avantage *n. m.* 利益,好处
le silence 沉默,安静
l'écho [eko] *n. m.* 反响,回声
la phrase 句子

VERBES

décrire *v. t.* 讲述,描述
cacher *v. t.* 隐瞒
murmurer *v. i.*, *v. t.* 低语
se considérer *v. pr.* 把自己看成
breveter *v. t.* 以专利证保护
s'assurer (de) *v. pr.* 取得,谋得
insister *v. i.* 强调,坚持
menacer *v. t.* 威胁,预示危险
représenter *v. t.* 表示,代表
considérer *v. t.* 考虑,细看
rejeter *v. t.* 抛掉,丢弃
publier *v. t.* 发表
servir *v. t. ind.* 用于
paraître *v. impers.* 似乎,看来
répéter *v. t.* 重复
ajouter *v. t.* 补充(说);增加

ADJECTIFS

paisible 温和的
pur, e 纯的
vif, ve 强烈的
moindre 较小的,较少的
impossible 不可能的
contraire 相反的
matériel, le 物质的
soulagé, e 如释重负的

AUTRES

attentivement *adv.* 认真地
y compris 包括
à la légère *loc. adv.* 轻率地
posément *adv.* 庄重地,稳重地
aussitôt *adv.* 很快地
intégralement *adv.* 全部地,完整地

NOTES SUR LE TEXTE

1. une lettre venant des Etats-Unis = une lettre qui venait des Etats-Unis, 一封来自美国的信。

2. dit-il d'un ton paisible：他用温和的口气说。

de = avec，表示方式。例如：

d'un ton calme：以平静的口气；d'un ton ferme：以坚定的口气。

3. Nous avons le choix entre deux solutions. 我们可以在两种方案中进行选择。

4. Décrire sans en cacher le moindre secret les résultats de nos recherches. 毫无保留地讲述我们的研究成果。

1）décrire 的直接宾语是 les résultats de ...

2）en 代替 des résultats de nos recherches

3）le moindre secret：最小的秘密。moindre 与定冠词连用，构成 petit 的最高级。

5. y compris les procédés de purification：包括净化方法。

6. Nous pouvons nous considérer comme les propriétaires，les《inventeurs》du radium. 我们可以把自己看成是镭的主人，镭的发明者。

se considérer comme：把自己看成是…，自认为是…

7. Ce serait contraire à l'esprit scientifique. 这样做是违背科学精神的。

本句使用条件式，实际上是省略了表示条件的从句 si nous faisions ...

8. Il ne faut pas prendre cette décision à la lêgère. 不应该草率地做出这个决定。

à la légère：*loc. adv.* 草率地，轻率地

9. Notre vie est dure，et elle menace de l'être toujours. 我们的生活很艰苦，而且可能永远是艰苦的。

menacer：预示着，有可能。例如：Son discours menace d'être long.

他的讲话可能会很长。句中中性代词 le 代替形容词 dure。

10. Presqu'aussitôt elle la rejeta. 她很快就否定了这种想法。

la 代替 l'idée du gain，de la récompense matérielle.

11. Si notre découverte a un avenir commercial，c'est là un hasard dont nous ne saurions profiter. 即使我们的发明有商业前景，这不过是一种偶然性，我们不该加以利用。

1）là 在句中起强调语气的作用，例如：

C'est là votre erreur. 这就是您的错误。

2）saurions 是 savoir 的条件式，在否定句中使用，表示"不能够"，"不应该"的意思。

3）dont ＝ de ce hasard

12. Le radium va servir à soigner des malades. 镭将用于治病救人。

servir à：用于…

13. Il me paraît impossible d'en tirer un avantage. 我觉得不应该从中牟利。

1）il me paraît impossible de 是无人称句，表示“依我看，不应该…”

2）tirer un avantage de *qch*. 从…得到好处。

MOTS ET EXPRESSIONS

1. **poser** *v. t.*

1）放，置

Posez votre valise à terre，s'il vous plaît. 请把您的手提箱放在地上。

Je vais poser ces livres sur ton bureau. 我把这几本书放到你的办公桌上。

2）构成动词短语

poser une question à *qn* 向某人提问

poser sa candidature 参加竞选

poser les armes 放下武器，投降

poser son regard sur ... 把目光投向…

2. **y compris**（包括）≠ non compris（不包括）

Il a tout vendu，y compris la voiture. 他把包括汽车在内的一切都卖了。

Un terrain de 800 mètres carrés，maison non comprise. 一块 800 平方米的地皮，不包括房舍。

（如果 y compris 或 non compris 放在所修饰的名词后面，则有性、数变化。例如：les voitures non comprises）

3. **considérer** *v. t.*

1）察看，端详；考虑

Quand le mannequin est entré，tous les assistants le considèrent de la tête aux pieds. 时装模特儿进来后，所有在场的人都从头到脚打量她。

Si je ne considérais que mon intérêt，je ne me mêlerais pas de cette affaire. 假如我只考虑个人的利益，我就不会参与这件事了。

2）considérer que 认为

Je considère qu'il faut prendre cette question au sérieux. 我认为应该认真对待这个问题。

Je ne considère pas qu'il soit trop tard. 我不认为已经为时太晚了。

3）considérer *qch.*（*qn*）comme 视为，看作

Je considère cette réponse comme un refus. 我把这个答复看成是回绝。

Je vous considère comme mon frère. 我把您看成自己的兄弟。

4．**s'assurer**

1）保险

Il s'est assuré contre l'incendie. 他保了火灾险。

2）获取

Je voudrais m'assurer d'une bonne place. 我希望得到一个好职位。

3）查实，确证

Assurez-vous de l'exactitude de cette nouvelle. 请您核实一下这个消息的准确性。

5．**contraire à** 与…相反，对…不利

Le tabac est contraire à la santé. 烟草对健康不利

Ce procédé est contraire à tous les usages établis. 这种做法违反所有的惯例。

6．**paraître** *v. i.*

1）露出，出现

Le soleil commence à paraître. 太阳开始出来了。

Un avion parut dans le ciel. 一架飞机在空中出现。

2）似乎，好像

Le voyage paraît très long. 旅途显得太长了。

Il paraît approuver cette idée. 他好像赞成这种想法。

3）*v. impers.* 似乎，仿佛

Il paraît qu'on va doubler les impôts. 看来要加倍征税了。

Il me paraît préférable que vous sortiez. 我觉得您最好还是出去。

GRAMMAIRE

I. 虚拟式现在时(le subjonctif présent)(1)

1. **构成**：

1）去掉动词直陈式现在时第三人称复数的词尾 -ent，另加下列词尾：-e，-es，-e，-ions，-iez，-ent.

donner	**finir**	**lire**
ils donnent	ils finissent	ils lisent
que je donne que tu donnes qu'il donne que nous donnions que vous donniez qu'ils donnent	que je finisse que tu finisses qu'il finisse que nous finissions que vous finissiez qu'ils finissent	que je lise que tu lises qu'il lise que nous lisions que vous lisiez qu'ils lisent

2）少数第三组动词变位特殊：

avoir	**être**	**aller**
que j'aie que tu aies qu'il ait que n. ayons que v. ayez qu'ils aient	que je sois que tu sois qu'il soit que n. soyons que v. soyez qu'ils soient	que j'aille que tu ailles qu'il aille que n. allions que v. alliez qu'ils aillent

faire	**pouvoir**	**savoir**
que je fasse que tu fasses qu'il fasse que n. fassions que v. fassiez qu'ils fassent	que je puisse que tu puisses qu'il puisse que n. puissions que v. puissiez qu'ils puissent	que je sache que tu saches qu'il sache que n. sachions que v. sachiez qu'ils sachent

vouloir	falloir	pleuvoir
que je veuille que tu veuilles qu'il veuille que n. voulions que v. vouliez qu'ils veuillent	qu'il faille	qu'il pleuve

［说明］动词变位成虚拟式时，要在人称代词前加 que，其原因是虚拟式通常在以连词 que 引导的从句中使用。

2. **用法：**

法语虚拟式是带有主观色彩的语式，强调主观方面的态度，常常用于以连词 que 引导的补语从句中。从句是否用虚拟式，取决于直接支配从句的主句动词或词组。在下列情况下，补语从句要用虚拟式：

1）表示意愿（la volonté），如：

aimer (que) 喜欢　　demander (que) 要求
désirer (que) 希望　　exiger (que) 强求
souhaiter (que) 祝愿　　permettre (que) 允许
vouloir (que) 愿意，想　　refuser (que) 拒绝

例句：

Je désire qu'il vienne.

Nous souhaitons qu'il réussisse à l'examen.

Le professeur veut qu'on fasse ces exercices tout de suite.

2）表示感情（le sentiment），如：

être content (que) 高兴　　avoir peur (que) 害怕
être satisfait (que) 满意　　regretter (que) 遗憾
être heureux (que) 喜悦　　craindre (que) 惧怕

例句：

Je suis content que tu puisses venir.

Il regrette que ses parents ne le comprennent pas.

3）表示判断（le jugement），如：

il faut (que)	应该	il est naturel (que)	自然
il est important (que)	重要	il est nécessaire (que)	必要
il vaut mieux (que)	最好	il est temps (que)	适时
il est possible (que)	可能	il semble (que)	似乎
il est facile (que)	容易	il suffit (que)	只需

例句:

Il faut que vous finissiez ce travail à temps.

Il semble que vous ne compreniez pas cette phrase.

[**说明**]当主从句的主语相同时,一般不采用补语从句,而用动词不定式。

试比较:

1. 主语不同:

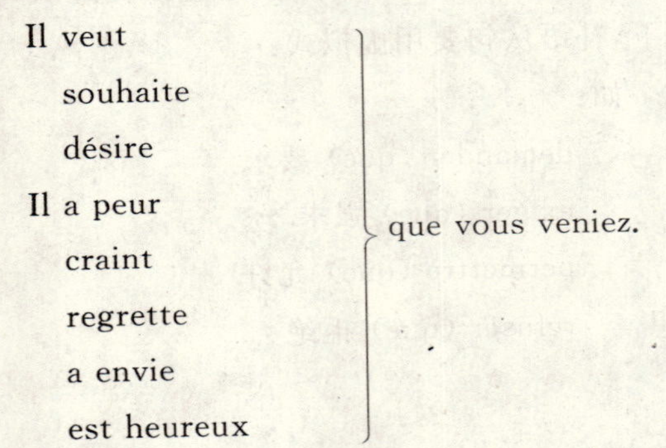

Il veut / souhaite / désire / Il a peur / craint / regrette / a envie / est heureux } que vous veniez.

2. 主语相同:

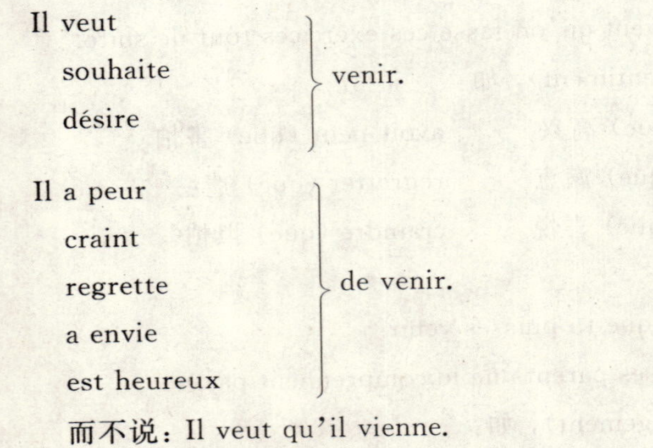

Il veut / souhaite / désire } venir.

Il a peur / craint / regrette / a envie / est heureux } de venir.

而不说:Il veut qu'il vienne.

Il est heureux qu'il vienne.

...

II. 表示位置的介词和短语

1. sur 在…上面

Il y a deux cartes sur le mur. 墙上有两张地图。

2. sous 在…下面

Le chat se cache sous la table. 猫儿躲在桌子下面。

3. devant 在…前面

Il y a un petit jardin devant la maison. 房子前有一个小花园。

4. derrière 在…后面

Mettez le balai derrière la porte. 请把扫帚放在门后。

5. dans 在…里

Les étudiants doivent entrer dans la salle de conférence avant 8 heures. 学生们应该在八点之前进入会议厅。

6. entre 在…之间

Le magasin est entre la banque et le cinéma. 商店位于银行和电影院之间。

7. en face de 在…对面

La poste est située en face de la gare. 邮局在火车站对面。

8. au milieu de 在…中间

Elle roule au milieu de la route. 她在马路中间开车。

9. au centre de 在…中央

Ce monument se trouve au centre de la place. 这座建筑建在广场中央。

10. en dehors de 在…外面

Les supermarchés sont situés en général en dehors des villes. 超级市场一般设在市区外。

11. à côté de 在…旁边

Asseyez-vous à côté de moi. 坐在我旁边吧。

12. près de 在…附近

La consigne est près du bureau de renseignements. 小件行李寄存处在问

讯处附近。

EXERCICES

I. *Questions sur le texte*

1. Qu'est-ce que les Curie ont reçu un dimanche matin?

____

2. Qui leur a envoyé cette lettre?

____

3. Qu'est-ce que les ingénieurs américains veulent savoir?

____

4. Qu'est-ce que Pierre Curie a dit à sa femme à propos de cette lettre?

____

5. Quelle est la réponse de Mme Curie?

____

6. Pourquoi Pierre dit-il qu'il ne faut pas prendre cette décision à la légère?

____

7. Et Mme Curie, quel est son point de vue?

____

8. Quelle est la décision qu'ils ont prise finalement?

____

II. *Mettez les verbes entre parenthèses au subjonctif*

1. Il faut que vous (faire) ________ ces exercices.
2. Il est utile qu'ils (apporter) ________ cette carte.
3. Il est temps que tu (aller) ________ à l'école.
4. Il est nécessaire que vous (prendre) ________ ces médicaments.
5. Il est important que nous (connaître) ________ ces nouveaux mots.
6. Je doute qu'il (revenir) ________.
7. Je veux que vous (réfléchir) ________ avant de répondre à ces questions.
8. Ils regrettent que nous (ne pas pouvoir) ________ y aller avec eux.
9. Je suis désolé qu'ils (ne pas avoir) ________ assez de temps.

10. Je suis heureux que vous (être) ________ en bonne santé.

III. *Transformez d'après l'exemple*

Ex: Les étudiants vont voir des films français.

Le professeur voudrait que ...

Le professeur voudrait que les étudiants aillent voir des films français.

1. Vous dites bonjour à tous ceux que vous rencontrerez dans ce bâtiment.
   Je désire que ________________.
2. Nous sommes à l'heure.
   Le chef exige que ________________.
3. Les étudiants savent employer le subjonctif.
   Le professeur voudrait que ________________.
4. Elle obtiendra ce diplôme.
   Ses parents souhaitent que ________________.
5. Marie fera un voyage en Chine.
   Nous aimerions que ________________.

IV. *Même exercice*

Ex: Je peux m'inscrire à l'université.

Mon père est heureux que ...

Mon père est heureux que je puisse m'inscrire à l'université.

1. Il pleut.
   Pierre a peur que ________________.
2. Ils ne finissent pas ce travail avant 6 heures.
   Le directeur craint que ________________.
3. Ils ont de longues vacances.
   Nous sommes contents que ________________.
4. Les exercices sont trop difficiles.
   Nous regrettons que ________________.
5. Les magasins sont fermés à 18 heures.
   Les touristes étrangers sont surpris que ________________.

V. *Même exercice*

Ex：Nous prenons l'avion.

Il vaut mieux que ...

Il vaut mieux que nous prenions l'avion.

1. Nous viendrons demain.

Il est possible que ______.

2. Vous apportez vos diplômes.

Il est indispensable que ______.

3. Vous ne parlez pas anglais.

Il est regrettable que ______.

4. Vous allez le voir tout de suite.

Il vaudrait mieux que ______.

5. Les touristes posent des questions au guide.

Il est normal que ______.

VI. *Reliez les deux phrases par* de *ou* que

1. Je suis content：je prendrai des vacances.

______

2. Il est content：vous viendrez demain.

______

3. Je suis contente：elle est d'accord avec vous.

______

4. Elle a peur：elle sort seule.

______

5. Nous sommes heureux：vous pouvez nous aider.

______

VII. *Traduisez les phrases suivantes en français*

1. 她收到一封寄自法国的信。

______

2. 你们最好保守这一秘密。

______

3. 不要轻率地接受他的邀请。

4. “我要在旅馆前面停车了”，他以平静的口气对两个搭车人说。

5. 你应该自己去和老师讲这件事。

6. 玛丽·居里是世界上伟大的物理学家之一。1867 年她出生在波兰。后来她到巴黎求学，并结识了皮埃尔·居里。由于镭的发现，玛丽在 1903 年获得诺贝尔物理学奖(Le Prix Nobel de physique)。1906 年皮埃尔在一次车祸中丧生，玛丽继续进行他们关于放射性(la radioactivité)的研究，并成为巴黎大学(La Sorbonne)的第一位女教师。

VIII. *Traduisez les phrases suivantes en français*

1. 王小姐没有在教室里，她在图书馆。

2. 钥匙放在门下。

3. 钢笔在桌子上，你拿吧！

4. 在超级市场和停车场中间是什么？

5. 超级市场不在市中心，在市区外。

6. 玛丽没有在汽车后面,她在汽车前面。

7. 面包店在邮局对面。

8. 工业化(l'industrialisation)始于19世纪中叶。

IX. *Traduisez le texte suivant en chinois*

Dans le monde entier, tous les soirs, des centaines de millions de personnes sont assises, silencieuses, devant un poste de télévision. Pourtant, la télévision est un phénomène relativement jeune. Elle est née en Angleterre en 1926. La première transmission télévisée fut réalisée à Londres le 27 janvier 1926 par John Baird. Des savants de toutes nations avaient fait de nombreuses expériences et tentatives, mais c'est cette date qui a été retenue comme celle de la naissance officielle de la télévision.

La télévision est un moyen d'information et de distraction qui pénètre dans la maison et qui a profondément changé notre façon de vivre.

LECTURE

La science et la vie

Parmi les sciences qui se sont développées depuis le début du vingtième siècle, certaines jouent un rôle essentiel dans toutes les activités de notre vie quotidienne. Il est difficile d'imaginer ce qui se produirait sur la terre si on supprimait tout d'un coup la moitié des machines qui ont été inventées depuis cinquante ans. Grâce aux applications de la recherche scientifique, elles sont devenues capables de réaliser presque tout ce que font les hommes, beaucoup plus rapidement et souvent mieux qu'eux, et parfois de les remplacer.[1]

Les découvertes de la physique et de la chimie[2] ont transformé notre civilisation. L'électricité a complètement changé notre vie. Quant à l'électronique, elle apporte des solutions à la plupart des problèmes que nous rencontrons dans tous les domaines. Que ce soit dans l'industrie ou la médecine, les télécommunications ou l'enseignement, les transports ou le commerce, et même dans la musique, l'électronique a apporté au cerveau humain une aide précieuse pour organiser son travail et ses loisirs.

LEXIQUE

parmi *prép.* 在…中
se développer *v. pr.* 发展
le début 开端
essentiel, le *a.* 必要的,主要的
se produire *v. pr.* 发生,出现
supprimer *v. t.* 取消
tout d'un coup 一下子,突然
la moitié 一半
inventer *v. t.* 发明
l'application *n. f.* 应用
transformer *v. t.* 改变
la civilisation 文明,文化
l'électricité *n. f.* 电
l'électronique *n. f.* 电子技术
la télécommunication 电信
le cerveau 大脑
humain, e *a.* 人类的
précieux, se *a.* 珍贵的
les loisirs *n. m. pl.* 娱乐

NOTES

1. et parfois de les remplacer:而且有时候能够代替人(的劳动)。
   1) de ... 作 capable 的形容词补语。
   2) les = les hommes
2. les découvertes de la physique et de la chimie:物理和化学方面的发现。

LEÇON TRENTE-HUIT

I. Points importants

1. Montez tout de suite dans le train; il va partir.
   Montez tout de suite dans le train **avant qu'**il ne **parte.**
2. Parle plus fort; tout le monde veut t'entendre.
   Parle plus fort **pour que** tout le monde **puisse** t'entendre.
3. Elle a mis son manteau, pourtant il ne fait pas très froid.
   Elle a mis son manteau **bien qu'**il ne **fasse** pas très froid.
4. Je te prête mon vélo si tu me le rends demain.
   Je te prête mon vélo **à condition que** tu me le **rendes** demain.
5. Je ne crois pas ce que vous dites.
   Quoi que vous **disiez**, je ne vous crois pas.
6. Connaît-il d'autres personnes que celle-ci?
   Non, c'est **la seule** personne qu'il **connaisse.**

II. Texte

Les stages de formation

On regrette souvent que le monde étudiant soit coupé du milieu professionnel.[1] Pour remédier à cette situation, les pouvoirs publics insistent actuellement sur la nécessité d'une formation alternée, où les études et les stages dans les entreprises seraient étroitement liés.[2]

Quoiqu'on se méfie toujours un peu, en France, d'un patronat soupçonné de vouloir contrôler l'Université,[3] on se rend compte actuellement à quel point il est important que les étudiants s'adaptent au monde du travail.[4] Quelle que soit leur forme,[5] les stages sont incontestablement une source d'enrichissement sur le plan pédagogique, professionnel et matériel pour les jeunes.

Pourtant, c'est encore un usage peu répandu[6] en France. Ce sont les grandes écoles qui ont d'abord adopté la formule des stages, puis les I. U. T. (instituts universitaires de technologie). Les universités ne font que commencer à suivre leur exemple.[7]

Les stages peuvent être obligatoires: dans de nombreuses écoles, ils font partie de la scolarité, et se déroulent en dehors des périodes de vacances.[8] Ils se terminent par un rapport de stage, que l'étudiant doit soutenir devant un jury[9] composé d'un membre de l'établissement et d'une personne de l'entreprise qui a accueilli le stagiaire.[10]

Le diplôme de fin d'année est accordé en fonction de la note obtenue.[11] Dans ces écoles, les responsables des stages recherchent eux-mêmes des entreprises qui puissent accueillir les étudiants.[12]

Dans les universités, au contraire, les étudiants doivent le plus souvent se débrouiller seuls,[13] bien qu'en principe, certaines personnes soient, là aussi, chargées des contacts avec le monde de l'industrie.[14]

LEXIQUE

NOMS

le stage 实习

la formation 培训,培养

le monde 阶层,界

le milieu 生活环境,界

les pouvoirs publics *n. f.* (国家)权力机构,当局

l'entreprise *n. f.* 企业

le patronat 雇主(总称)

le point 程度

la forme 形式

la source 源泉

l'enrichissement *n. m.* 充实,丰富

l'usage *n. m.* 做法

la grande école *n. f.* 重点大学

la formule 方式

la technologie 技术

l'exemple *n. m.* 典范

la scolarité 就学,修业期限

la période 时期,期间

le rapport 报告,汇报

le jury 评判委员会

le membre 成员
l'établissement *n. m.* 机构;学校
stagiaire *n.* 实习人员
le diplôme 文凭,证书
la fonction 职责,职能
responsable 负责人
le contact 接触,联系

VERBES

remédier à *v. t. ind.* 补救,纠正
lier *v. t.* 结合,连接
se méfier (de) *v. pr.* 不信任
soupçonner *v. t.* 怀疑
contrôler *v. t.* 控制
adopter *v. t.* 采用
faire partie de 属于,是…一部分
se dérouler *v. pr.* 展开,进行
se terminer (par) *v. pr.* 以…结束
soutenir *v. t.* (论文)答辩
composer *v. t.* 组成
accueillir *v. t.* 接待,接收
accorder *v. t.* 给予,授予
obtenir *v. t.* 获得
rechercher *v. t.* 寻找

ADJECTIFS

professionnel, le 职业的
alterné, e 交错的,轮流的
pédagogique 教学的
répandu, e 普遍的
universitaire 大学的
chargé, e 负责…的

AUTRES

avant que *loc. conj.* 在…之前
pour que *loc. conj.* 为了,以便
bien que *loc. conj.* 尽管,虽然
à condition que *loc. conj.* 只要
quoi que 不论是什么
étroitement *adv.* 密切地
quoique *conj.* 尽管
à quel point 多么
quel que 无论什么样的
incontestablement *adv.* 无可争辩地
d'abord *loc. adv.* 首先
en dehors de *loc. prép.* 在…之外
devant *prép.* 当…面
en fonction de *loc. prép.* 根据,依照
en principe *loc. adv.* 基本上,原则上

NOTES SUR LE TEXTE

1. On regrette souvent que le monde étudiant soit coupé du milieu professionnel.
   人们常常对大学生团体与职业界隔绝的现象表示遗憾。
   être coupé de: 与…隔绝。本句 soit coupé 是虚拟式现在时的被动态。
2. les études et les stages dans les entreprises seraient étroitement liés: 学习和在

企业内的实习将密切结合。

3. Quoiqu'on se méfie ... contrôler l'Université. 尽管在法国人们总是对雇主多少有些不信任，怀疑他们想控制大学。

le patronat 是雇主的总称，由于在句中带有修饰成分 soupçonné de，所以前面使用不定冠词 un.

soupçonner *qn* de faire *qch*. ：怀疑某人做某事。

4. On se rend compte ... au monde du travail. 目前人们意识到大学生适应劳工世界（的需要）是多么重要。

à quel point = combien，表示"多么"，例如：

On voit bien à quel point il est attaché à sa patrie. 人们清楚地看到他是多么热爱自己的祖国。

5. quelle que soit leur forme：不管实习采用什么形式。

quel que 引导的从句要用虚拟式，详见本课语法。

6. un usage peu répandu：一种没有普及的做法。

7. Les universités ne font que commencer à suivre leur exemple. 大学刚刚开始效仿它们的做法。

   1）ne faire que（＋*inf*.）只是，刚刚，例如：

   Je n'ai fait qu'entrer et sortir. 我只是进去了一下就出来了。

   2）suivre l'exemple de：向…学习，以…为榜样

8. Ils font partie de la scolarité et se déroulent en dehors des périodes de vacances. 实习属于教学的一部分，在假期以外时间内进行。

   faire partie de：属于…

9. Ils se terminent par un rapport de stage, que l'étudiant doit soutenir devant un jury ... 大学生在实习结束时要写出一份实习报告，并就此在评审委员会进行答辩。

   se terminer par：以…为结束。

10. ... composé d'un membre de l'établissement et d'une personne de l'entreprise qui a accueilli le stagiaire.（评审委员会）由校方的一名代表和实习生所在企业的一名代表组成。

11. Le diplôme de fin d'année est accordé en fonction de la note obtenue. 学年末的文凭根据学生(实习)成绩颁发。

en fonction de：根据…，依照…，例如：

On paie les impôts en fonction de ses revenus. 人们根据各自收入的多少纳税。

12. des entreprises qui puissent accueillir les étudiants：能够接待大学生的企业。

puissent 是虚拟式现在时。虚拟式在关系从句中的使用详见本课语法。

13. Les étudiants doivent le plus souvent se débrouiller seuls. 大学生们往往要自己去想办法。

le plus souvent：往往。

14. Bien qu'en principe, certaines personnes ... avec le monde de l'industrie. 尽管从原则上讲在这方面有专人负责与工业界联系。

1) en principe：*loc. adv.* 原则上，基本上。

2) être chargé de：负责…，担负…

注：法国现行高等教育制度大致可分成以下四个系统：

大学(université)：一般分为三个阶段，采取分阶段毕业，淘汰制。所有获得高中统考合格证书(le baccalauréat)的中学毕业生都可以直接注册，进入此类大学学习，但淘汰率颇高。

重点大学(grande école)：创立于拿破仑时代，现已成为法国高等教育的支柱。入学条件极其严格，采用选拔考试，择优录取，限额招生的办法。招生对象是高中毕业后又经过二至三年备考班(classes préparatoires)学习的高材生，大学三、四年级的毕业生及具有相当实践经验的在职人员。此类学校毕业生的工作一般均有保障。

高等技术学院(institut universitaire de technologie)：招生对象是高中毕业生，学制一般为两年，培养目标是中级技术人员。这类学校是1965年创立的，学生毕业后可直接寻找工作或进入大学第二阶段相应的专业继续深造。

私立大学(école privée)：私立大学在法国已有较长的历史，但目前数量越来越少。这类学校一般由教会或社会上的团体主办，例如法国的高等商学院。该类大学的学生要交纳高昂的学费，所发文凭一般得到社会承认。

MOTS ET EXPRESSIONS

1. **le monde**

1）世界，天下

faire le tour du monde：周游世界

les quatre coins du monde：世界各地；天南地北

2）人世

Il n'est plus de ce monde. 他已不在人世了。

3）人，众人

Il y a du monde? 有人吗？

Tout le monde est d'accord? 大家都同意吗？

4）（社会上的）阶层，界

Nous sommes du même monde. 我们属于同一阶层。

Il a beaucoup d'amis dans le monde des lettres.

他在文学界有许多朋友。

2. **regretter** *v. t.*

1）惋惜；怀念

Comme il regrettait le temps perdu! 他是多么惋惜失去的时间！

On regrettera longtemps sa mort. 人们将长久地怀念他。

2）遗憾；抱歉

Nous regrettons qu'il ne soit pas avec nous. 他不和我们在一起，我们感到遗憾。

Je regrette de vous avoir fait attendre. 我真抱歉，让您久等了。

3. **insister** *v. i.*

1）insister sur *qch*. 强调某事

Il a insisté sur la nécessité de fermer ces usines. 他强调了关闭这些工厂的必要性。

2）坚持

S'il refuse, n'insiste pas. 他要是拒绝，你就不必坚持了。

Il insiste pour que j'aille le voir. 他坚持让我去看望他。

4. **se méfier**

1) 不信任,怀疑

Méfiez-vous de cet homme. 不要信任这个人。

Je me méfie des intuitions. 我是不相信直觉的。

2) 当心,小心

La route est dangereuse, méfiez-vous. 这条路难走,要小心。

5. **s'adapter à** 适应…

Il faut apprendre à s'adapter aux circonstances. 要学会适应环境。

Elle s'est adaptée très vite à son nouvel emploi.

她很快就适应了自己的新工作。

6. **faire partie de** 属于,是…一部分

La France fait partie de l'Europe. 法国是欧洲的一部分。

Il ne fait pas partie de ce syndicat. 他没有参加这个工会。

7. **soutenir** *v. t.*

1) 撑住,挟住

Aidez-moi à soutenir ce tableau pour l'accrocher au mur. 帮我托住这幅画,把它挂到墙上。

2) 支持

Deux partis ont décidé de soutenir ce candidat. 两个政党决定支持这个候选人。

3) 坚持,主张

soutenir une thèse 进行论文答辩。

Malgré les objections, il soutient toujours son opinion. 尽管有反对意见,他仍坚持自己的观点。

GRAMMAIRE

I. 虚拟式现在时(2)

1. **虚拟式用于状语从句**

1) 状语从句是否使用虚拟式,取决于引导从句的连词。例如下列连词引导的状语从句要用虚拟式:

avant que	在…之前	bien que	虽然…
quoique	尽管…	sans que	无需…
pour que	为了…	afin que	以便…
à condition que	只要…	à moins que	除非…

例句：

Partez tout de suite avant qu'il ne soit trop tard. 赶快走，否则就太晚了。
（avant que 引导的从句中，动词前往往加赘词 ne）

Je vais sortir bien qu'il pleuve. 尽管下雨，我还是要出去。

Il faut limiter la vitesse des voitures afin qu'il y ait moins d'accidents. 应该限制车速，以便减少车祸。

但由下列连词引导的从句不使用虚拟式：

après que	在…之后	parce que	因为…
depuis que	自从…	pendant que	在…期间

2）下列词引导的从句要用虚拟式：

qui que	不论是谁	quoi que	不论是什么
où que	不论哪儿	quel que	无论什么样的

例句：

Qui que vous soyez, vous devez observer les lois. 不论您是谁，您都应遵纪守法。

Où que vous alliez, vous trouverez des amis. 无论您走到哪儿，您都能找到朋友。

［注意］quel 要与所修饰的名词性、数一致。例如：**quels** que soient **les problèmes**（不管是什么样的问题），**quelle** que soit **la situation**（不管是什么样的局面）

2. 虚拟式用于关系从句

关系从句是否用虚拟式，取决于先行词；如先行词所指的内容是出于主观愿望或判断，从句要用虚拟式。例如：

Il cherche un traducteur qui puisse traduire cet article. 他寻找一位能翻译这篇文章的译者。

Je voudrais des livres qui soient moins chers. 我想买几本便宜一些的书。

Voilà la seule personne qui puisse vous aider. 这是唯一能够帮助您的人。

3. **虚拟式的其他用法**

1) 虚拟式可在独立句中使用,表示祝愿或第三人称的命令式:

Qu'il parte tout de suite! 让他马上走!

Qu'elles se dépêchent! 让她们动作快点!

2) 有些动词在作肯定式使用时,从句动词用直陈式;但在作否定或疑问式时,从句动词用虚拟式。例如:

Je crois qu'il **est** à Paris.

Je ne crois pas qu'il **soit** à Paris.

Je pense qu'elle **va** voir ce film.

Je ne pense pas qu'elle **aille** voir ce film.

Je suis certain qu'elle **est** malade.

Etes-vous certain qu'elle **soit** malade?

II. 介词 par 的几种用法

1. 表示地点:经过,从

Nous avons passé par Tianjin. 我们路过了天津。

Il est sorti par le jardin. 他从花园出去了。

2. 表示"每"

On travaille 8 heures par jour. 每天工作八小时。

Le rendement par mou a atteint 800 kilos. 亩产达到800公斤。

3. 表示方式或方法:用,以,通过

J'ai réservé une chambre par internet. 我在互联网上订了一个房间。

La délégation est arrivée par avion spécial. 代表团是乘专机到达的。

4. 引导施动者补语

Ce repas a été préparé par mon père. 这顿饭是我父亲做的。

5. 用在 commencer 和 finir 之后,分别表示:以…开始,以…结束

Le professeur a commencé par nous présenter la situation internationale. 老师首先向我们介绍国际形势。

Ils ont fini par trouver un appartement. 他们终于找到了一套住房。

EXERCICES

I. *Questions sur le texte*

1. Pourquoi les pouvoirs publics insistent-ils sur la formation alternée?

____

2. Que veut dire《une formation alternée》?

____

____

3. Pourquoi se méfie-t-on du patronat en France?

____

4. Est-ce que les stages sont une source d'enrichissement? Sur quel plan?

____

____

5. Les étudiants font-ils tous des stages dans les entreprises?

____

6. Est-ce que les stages se déroulent pendant les vacances?

____

____

7. Quand les stagiaires doivent-ils écrire un rapport?

____

8. Qui s'occupe du stage dans les grandes écoles et dans les universités?

____

____

II. *Mettez les verbes entre parenthèses au subjonctif et tradusez-les en chinois*

1. Téléphonez-moi avant que vous (ne partir)__________.
2. Aidez-la pour qu'elle (finir)__________ce travail.
3. Lisez lentement afin que nous (pouvoir)__________prendre des notes (记笔记).
4. Le temps passe sans qu'on (s'en apercevoir)__________.
5. Nous ne finirons pas les travaux à moins que vous (venir)__________nous

aider.

6. Je terminerai la traduction pourvu que personne (ne venir) __________ me déranger.
7. Il ne perd pas courage bien qu'il (avoir) __________ des difficultés dans ses études.
8. Quoique nous (avoir) __________ peu de temps, nous répondrons à toutes les lettres.
9. Vous pouvez faire du sport à condition que le médecin le (permettre) __________.
10. J'accepte de venir à condition que vous (inviter) __________ Pierre et Marie.
11. J'attendrai ici jusqu'à ce qu'il (revenir) __________.
12. Le professeur lui explique ce texte jusqu'à ce qu'elle le (comprendre) __________.

III. *Complétez les phrases par* :

bien que, avant que, à moins que, sans que, afin que

1. Rentrons vite __________ qu'il ne pleuve.
2. Vous pouvez partir __________ vous vouliez rester ici.
3. Ne partez pas __________ nous le sachions.
4. __________ le professeur parle fort, nous ne l'entendons pas bien à cause de ce bruit terrible.
5. On va acheter des machines modernes __________ la production puisse augmenter.

IV. *Complétez les phrases par* :

depuis que, après que, parce que, pendant que, dès que

1. __________ tu auras lu ce roman, tu le passeras à Nicole.
2. Tu n'es jamais allé au Temple du Ciel, __________ tu es à Beijing?
3. __________ ils ont fait ce stage, les étudiants rentrent à l'université.
4. __________ le garagiste réparait notre voiture, nous en avons profité pour visiter la ville à pied.

5. Ils ne sont pas venus, ________ ils n'ont pas reçu l'invitation.

V. *Transformez les phrases en employant* bien que

1. Le garçon n'est pas riche, mais il veut payer pour les deux officiers.

____

2. Elle a le temps de faire la cuisine, cependant elle achète des plats tout préparés.

____

3. En France, on est méfiant à l'égard du patronat, et pourtant on se rend compte de l'importance des stages professionnels.

____

4. Les touristes font vivre ce village, mais les habitants se méfient toujours d'eux.

____

5. Il ne connaît que très peu de mots en français, et pourtant il a l'intention de traduire cet article.

____

VI. *Complétez les phrases avec* : qui que, quoi que, où que, quel que

1. ________ tu sois, tu ne peux pas entrer.
2. Je ne vous croirai pas, ________ vous disiez.
3. Il reste toujours calme, ________ soit la situation.
4. ________ vous habitiez, vous avez besoin d'une voiture.
5. ________ on dise dans les journaux, je trouve ce film très mauvais.
6. ________ soit le moment où vous viendrez, vous serez toujours la bienvenue.

VII. *Mettez les verbes au subjonctif*

1. Je cherche un endroit où je (être) ________ tranquille.
2. Il y a peu de gens qui (savoir) ________ son adresse.
3. Il voudrait un appartement qui (être) ________ grand et clair.
4. Pouvez-vous m'indiquer une librairie où on (vendre) ________ des livres russes?

5. Il n'y a personne qui (vouloir) __________ l'aider.

VIII. *Traduisez les phrases suivantes en français*

1. 在您见到负责人之前,我先向您介绍一下我们这个企业。

____

2. 这里没有人懂得这种语言。

____

3. 不需要我们邀请,他们也会来参加晚会的。

____

4. 除非您能在他走之前去看他,否则就给他打个电话吧。

____

5. 老师给我们解释了一些难词,以便使我们更好地理解这篇课文。

____

6. 只要摩托车不太贵,你就去买一辆吧。

____

7. 无论他做出什么样的努力,他都不会成功。

____

8. 不管您是谁,您都得自己去想办法。

____

IX. *Traduisez les phrases suivantes en chinois*

1. Ils ont pris le train qui passe par Lyon.

____

2. Ils ont fini par comprendre ce texte.

____

3. Le professeur Zhang vient trois fois par semaine.

____

4. M. Dupont commence son cours par se présenter.

____

5. Cet article est écrit par un journaliste espagnol.

____

6. Par la fenêtre on voit les voitures qui font la queue dans la rue.

____

7. Par où doit-on commencer?

____

8. J'ai appris cette nouvelle par la radio.

____

X. *Version*

Les études et les diplômes

Les universités françaises organisent des enseignements littéraires, scientifiques, juridiques (法律的) et économiques qui subissent (经受) de fréquentes transformations. En lettres (文科) et en sciences les études sont réparties en trois cycles: un premier cycle qui dure 3 ans conduit à la licence (学士学位); un second cycle de formation approfondie (深入的) en 2 ans, conduisant à la master (硕士学位); un troisième cycle de 3 ans consacré à la recherche, sanctionné (认可的) lui-même par un doctorat (博士学位). Trois cycles existent également en droit et en économie. Et le doctorat s'obtient généralement après soutenance d'une thèse (论文答辩).

____

____

____

____

____

____

LECTURE

L'université du troisième âge[1]

Il n'est jamais trop tard pour apprendre, et la ville de Toulouse vient de créer une université du troisième âge. Pour une somme de 10 euros par an, les cours sont ouverts à tous ceux qui désirent apprendre.[2] On utilise les salles de l'université au moment où les étudiants sont absents,[3] c'est-à-dire du 15 mai au 30 octobre.

Pendant cette période, on s'intéresse à des sujets très différents: l'art, la géographie, l'histoire et quelques éléments de médecine. D'autre part, des discussions sont organisées sur des problèmes choisis par des personnes âgées. On fait venir des gens des différentes professions (médecins, chirurgiens ...), pour qu'ils puissent répondre directement aux questions posées.

De novembre à mai, les activités ont lieu à l'extérieur de l'université: sports, visites de musées, expositions, promenades dans la campagne. On prépare ainsi les retraités à différentes activités: tenir une bibliothèque, par exemple, ou s'occuper des malades dans un hôpital.

C'est sans doute la meilleure façon de réagir contre l'ennui.[4] Et les universités de Paris, Caen, Montpellier, Grenoble sont déjà prêtes à suivre l'exemple de Toulouse.

LEXIQUE

Toulouse 图卢兹(城市名)
la géographie 地理
la discussion 讨论
le musée 博物馆
retraité, e *n.* 退休人员
la bibliothèque 图书馆
réagir *v. i.* 抵制,反抗
l'ennui *n. m.* 无聊,烦恼
Caen 冈城
Montpellier 蒙彼利埃(城市名)

NOTES

1. le troisième âge: 第三年龄期。指 60 岁以上的老年人。
2. Pour une somme ... désirent apprendre. 只要每年交 10 欧元,所有希望学习的人都能来听课。
3. au moment où les étudiants sont absents: 大学生们不在的时候。
4. C'est sans doute la meilleure façon de réagir contre l'ennui. 这可能是向烦闷、无聊作斗争的最好办法。

LEÇON TRENTE-NEUF

I. Points importants

1. Tu es arrivé à l'heure; j'en suis content.
   Je suis content que tu **sois arrivé** à l'heure.
2. On m'a donné un billet, et pourtant je n'irai pas au cinéma.
   Bien qu'on m'**ait donné** un billet, je n'irai pas au cinéma.
3. Est-ce que Marie a changé d'avis?
   Oui, il est possible qu'elle **ait changé** d'avis.
4. Il a chanté cette chanson en italien, crois-tu?
   Oui, je **crois** qu'il **a chanté** cette chanson en italien.
   Non, je **ne crois pas** qu'il **ait chanté** cette chanson en italien.
5. Il m'a posé des questions; je n'ai pas pu répondre à ces questions.
   Il m'a posé des questions **auxquelles** je n'ai pas pu répondre.
6. Voilà le petit jardin; M. Dupont a planté des fleurs dans ce jardin.
   Voilà le petit jardin **dans lequel** M. Dupont a planté des fleurs.

II. Texte

Les fêtes en France

La France est un pays de tradition catholique, où les cérémonies religieuses ont eu une grande importance dans la vie sociale. La plupart des fêtes sont d'origine chrétienne.[1]

Bien que la religion soit moins pratiquée[2] aujourd'hui, les étapes de la vie sont encore marquées par le baptême,[3] la première communion[4] et le mariage. Le mariage civil, à la mairie, est le seul légal, et doit précéder le mariage religieux s'il y en a un.[5] Beaucoup de Français estiment encore que le mariage à l'église est nécessaire pour donner à l'événement sa solennité et son caractère de fête.[6] L'enterrement religieux reste également très fréquent.

Chaque cérémonie, surtout dans les campagnes, est suivie d'un repas de fête.

Certaines fêtes d'origine catholique, bien qu'elles aient en grande partie perdu leur caractère religieux,[7] sont devenues des jours de congé légal.[8] Ils permettent à la plupart des Français, comme les autres jours fériés, de《prolonger》les week-ends. Et ils leur permettent même de《faire le pont》,[9] à condition que le jour férié tombe un mardi ou un jeudi. Dans ce cas, en effet, il est rare qu'on travaille le lundi, ou le vendredi, selon les cas. Ces fêtes religieuses sont:

Pâques,[10] l'Ascension,[11] la Pentecôte,[12] l'Assomption (le 15 août), la Toussaint (le 1er novembre) et enfin Noël, le 25 décembre.

Noël est certainement la fête familiale à laquelle les Français restent le plus attachés.[13] C'est l'occasion d'offrir des cadeaux à sa famille et à ses amis. Avec la《société de consommation》, ces cadeaux sont de plus en plus nombreux et de plus en plus coûteux.[14] Incités par la publicité,[15] des foules de gens remplissent les magasins qui font pendant cette saison les plus grandes ventes de l'année.[16]

LEXIQUE

NOMS

le billet 票,票证
la fête 节日
la tradition 传统
catholique 天主教徒
la cérémonie 仪式
l'origine *n. f.* 起源
la religion 宗教
l'étape *n. f.* 阶段,期
le baptême 洗礼
la communion 领圣体
le mariage 结婚
la mairie 市(镇)政府
l'événement *n. m.* 事件
la solennité 隆重,庄严
le caractère 特点,性质
l'enterrement *n. m.* 葬礼
Pâques *n. m.* 复活节
l'Ascension *n. f.* 耶稣升天节
la Pentecôte 圣灵降临节
l'Assomption *n. f.* 圣母升天节
la Toussaint 诸神瞻礼节

Noël *n. m.* 圣诞节
août [u, ut] *n. m.* 八月
novembre *n. m.* 十一月
décembre *n. m.* 十二月
la consommation 消费
la publicité 广告
la foule 人群

VERBES
pratiquer *v. t* 从事,进行
marquer *v. t.* 留痕迹,标志
précéder *v. t.* 先于…
estimer *v. t.* 认为
perdre *v. t.* 丢失
prolonger *v. t.* 使延长
tomber *v. i.* 适逢,碰上
inciter *v. t.* 鼓动,唆使

ADJECTIFS
catholique 天主教的
religieux, se 宗教的
social, e (sociaux) 社会的
chrétien, ne 基督教的
civil, e 世俗的,民事的
légal, e (légaux) 法定的,合法的
nécessaire 必要的
fréquent, e 常见的
férié, e 放假的
rare 罕见的
familial, e (familiaux) 家庭的
attaché, e 喜爱的,依恋的
coûteux, se 昂贵的

NOTES SUR LE TEXTE

1. la plupart des fêtes sont d'origine chrétienne: 大多数节日起源于基督教。
2. bien que la religion soit moins pratiquée: 尽管参加宗教仪式的人少了。

   pratiquer une religion 指遵守教会活动的规定,参加宗教仪式。
3. le baptême: 洗礼。基督教的入教仪式。行洗礼时,主持者口诵规定的礼文,把"圣水"撒在受礼人的头上。
4. la première communion: 初次领圣体。"领圣体"是天主教称作"圣事"的仪式之一。据说,耶稣受难前夕与门徒晚餐时,手持面饼和葡萄酒祝圣后分给门徒们吃,并说:"这是我的身体和血"。后来,天主教在举行弥撒的仪式上,由神父把一种面饼"祝圣",视面饼为耶稣的身体。教徒领食,称为"领圣体"。
5. Le mariage civil ... s'il y en a un. 在市政厅办理的世俗婚礼是唯一合法的(手续)。如果举行宗教婚礼,那么世俗婚礼应在此之前办理。

   le mariage civil 指到市政厅办理结婚手续,登记结婚。

6. pour donner à l'événement sa solennité et son caractère de fête：以便使这一事件(结婚)显得隆重，并具有节日特点。
7. bien qu'elles aient en grande partie perdu leur caractète religieux：尽管这些节日在很大程度上已经失去宗教特色。

   1) aient perdu 是虚拟式过去时，详见本课语法。

   2) en grande partie：大部分，在很大程度上。
8. des jours de congé légal：法定休假日。
9. faire le pont 指休假日和周末连起来休息。法国实行五天工作日，如果某一假日逢星期四，那么星期五连同周末一起休息；如果某一假日逢星期二，那么上一周末连同星期一和星期二一起休息。
10. Pâques：复活节。基督教纪念耶稣复活的节日，该教称耶稣被钉死在十字架上，三天后复活。
11. l'Ascension：耶稣升天节。基督教称耶稣复活后第四十天升天。
12. la Pentecôte：圣灵降临节。《圣经》称，耶稣升天后第十天差遣圣灵降临人间。
13. Noël est certainement la fête familiale à laquelle les Français restent le plus attachés. 圣诞节确实是法国人最喜爱的合家团聚的节日。

   (être) attaché à *qch.*：对…喜爱，依恋…
14. Avec la《société de consommation》, ces cadeaux sont de plus en plus nombreux et de plus en plus coûteux. 由于"消费社会"(的出现)，这些礼品的数量越来越多，价格越来越贵。

   avec 在此表示原因。
15. incités par la publicité：在广告的鼓动下。

   在句中作 des foules de gens 的同位语。
16. qui font pendant cette saison les plus grandes ventes de l'année：商店这一季节的销售量居全年首位。

MOTS ET EXPRESSIONS

1. **marquer** *v. t.*

   1) 划出，记下

   marquer au crayon un passage d'un livre：用铅笔划出书上的一段话。

marquer un numéro de téléphone dans son carnet：在笔记本上记下电话号码。

2）标志

Le lever du rideau marque le début du spectacle. 帷幕拉起标志着演出的开始。

Ce traité a marqué la fin de la guerre. 这个条约标志着战争的结束。

3）标出，指

Le thermomètre marque cinq au-dessous de zéro. 温度计标出零下五度。

2. **précéder** *v. t.* 走在…前面，在…之前

Je vais vous précéder pour vous montrer le chemin. 我走在您前边给您指路。

le jour qui précède son arrivée：他到达的前一天。

3. **estimer** *v. t.*

1）估价

Ce tableau a été estimé à deux mille euros. 这幅画估价为 2 000 欧元。

2）重视，尊敬

C'est un musicien qu'on estime beaucoup. 这是一位受人尊敬的音乐家。

3）estimer que 认为

J'estime que sa décision est bien imprudente. 我认为他的决定非常不慎重。

4. **suivre** *v. t.*

1）跟随

Vos bagages vous suivront. 您的行李将随后到达。

2）构成动词短语

suivre un cours 去听课

suivre la mode 赶时髦

suivre une politique 奉行一项政策

3）être suivi de 在…之后

Son discours a été suivi d'un long applaudissement. 人们对他的讲话报以长时间的掌声。

5. **tomber** *v. i.*

1）跌倒；阵亡

Il est tombé et s'est cassé une jambe. 他跌了一跤，把腿摔断了。

Des millions d'hommes sont tombés pendant la deuxième guerre mondiale. 在第二次世界大战中，阵亡的人数达数百万。

2）减弱，接近结束

Le vent est tombé. 风停了。

Le jour tombe. 天黑了。

3）适逢，碰上

La fête nationale tombe un dimanche. 国庆节正好是星期日。

4）构成动词短语

tomber malade 病倒

tomber amoureux (de *qn*) 钟情于某人

tomber d'accord 达成一致意见

GRAMMAIRE

I. 虚拟式过去时 (le subjonctif passé)

1. **构成：**

助动词 avoir 或 être 的虚拟式现在时加动词的过去分词：

parler	**venir**
que j'aie parlé	que je sois venu(e)
que tu aies parlé	que tu sois venu(e)
qu'il ait parlé	qu'il soit venu
que n. ayons parlé	qu'elle soit venue
que v. ayez parlé	que n. soyons venus(es)
qu'ils aient parlé	que v. soyez venu(e)(s)(es)
	qu'ils soient venus
	qu'elles soient venues

2. **用法：**

虚拟式过去时与现在时的使用范围相同，但它表示说话时已经完成或在将来某一时间前要完成的动作。例如：

Nous sommes contents que tu aies fait des progrès. 你取得了进步，我们都

高兴。

Il faut que vous soyez arrivé à Shanghai avant le 18 décembre. 您必须在12月18日前到达上海。

3. **虚拟式除现在时和过去时外，还有虚拟式未完成过去时和虚拟式愈过去时。这两种时态在现代法语中较为少见，故本书不做讲解。**

II. 复合关系代词(le pronom relatif composé)

1. **词形：**

复合关系代词 lequel 有词形变化，其性、数要与先行词一致，前面有介词 à 或 de 时要变成缩合形式。详见下表：

单数		复数	
阳性	阴性	阳性	阴性
lequel	laquelle	lesquels	lesquelles
和介词 à 或 de 连用			
auquel duquel	à laquelle de laquelle	auxquels desquels	auxquelles desquelles

[**注意**]和 à，de 连用时，à laquelle 和 de laquelle 分开写，其余要连在一起写。

2. **用法：**

1) 在关系从句中作主语，代替关系代词 qui (多用于书面语言)。

J'ai rencontré la sœur de Pierre, laquelle va partir pour le Canada. (laquelle = la sœur de Pierre)

我遇见了皮埃尔的妹妹，她要到加拿大去。

2) 和介词 à 或 de (介词短语如 au cours de) 连用，在关系从句中作间接宾语或状语(如果先行词指人，也可以使用 à qui 形式)。

Il m'a posé des questions auxquelles je n'ai pas pu répondre. 他向我提出一些使我无法回答的问题。

(auxquelles = à ces questions, 在从句中作 répondre 的间接宾语，即：Je n'ai pas pu répondre à ces questions.)

Voilà monsieur Dupont auquel (ou: à qui) j'écris souvent. 这就是杜邦先生，我常给他写信。

(auquel = à monsieur Dupont, 在从句中作 écrire 的间接宾语，即：

J'écris souvent à monsieur Dupont.)

3) 和其他介词或介词短语连用，在关系从句中作状语。

Le stylo avec lequel j'écris n'est pas à moi. 我写字用的那支钢笔不是我的。

(avec lequel = avec le stylo，在从句中作方式状语)

Les étudiants ont tenu une réunion au cours de laquelle ils ont élu le président de leur association. 学生们举行了一次会议，在会上他们选举了学生会主席。

(au cours de laquelle = au cours de la réunion，在从句中作时间状语)

［提示］

1. 不要混淆复合关系代词和复合疑问词 lequel，laquelle。例如：

Voilà deux voitures，laquelle préférez-vous? 这有两辆车，您喜欢哪一辆?（复合疑问词）

Vous voulez des fleurs，mais lesquelles? 您想买花，但要哪些花呢?（复合疑问词）

2. lequel 和 laquelle 等复合关系代词单独使用时，大致相当于英语中的 whom，which；与 à，de 或其他介词一起使用时，相当于介词 of，to，on，with ＋ whom 或 which。例如：

L'outil avec lequel il travaille est appelé une pince.

(The tool with which he is working is called pincers.)

On enterra le chien sous une grosse pierre sur laquelle on écrivit son nom.

(They buried the dog under a big stone on which they wrote his name.)

EXERCICES

I. *Questions sur le texte*

1. Est-ce qu'il y a beaucoup de fêtes d'orgine chrétienne en France?

____

2. Et citez-en quelques-unes.

____

3. Ces fêtes sont-elles devenues des congés légaux?

____

4. Expliquez l'expression《faire le pont》en français.

____

5. Pourquoi certains Français préfèrent-ils le mariage à l'église?

____

____

6. Quelle est la fête la plus importante en France et en Occident?

____

7. Pourquoi les magasins font-ils les plus grandes ventes de l'année à Noël?

____

8. Est-ce que le 14 juillet est une fête religieuse?

____

II. *Mettez les verbes entre parenthèses au subjonctif passé*

1. Je suis très content qu'elle (trouver) ______ du travail.
2. Le professeur a été étonné que nous (faire) ______ une excellente traduction.
3. Je n'ai reçu aucune réponse bien que je lui (écrire) ______ il y a trois semaines.
4. Il est possible que vous (vous tromper) ______.
5. Il a pris des vacances bien qu'il (avoir) ______ beaucoup de travail.
6. C'est la seule personne que nous (rencontrer) ______.
7. C'est l'une des plus graves erreurs qu'il (faire) ______.
8. Il n'y a personne qui (visiter) ______ autant de pays que vous.
9. C'est la seule résolution (提案) qui (être adoptée) ______.

III. *Transformez les phrases d'après l'exemple*

Ex: Vous vous êtes trompé. C'est regrettable.

Il est regrettable que vous vous soyez trompé.

1. Nous nous sommes compris. C'est important.

____

2. Il s'est aperçu de son erreur trop tard. C'est dommage.

____

3. Ce discours a duré trop longtemps. C'est regrettable.

____

4. Ils ont abandonné leur projet. C'est normal.

____

5. Leur mariage a eu lieu dans une église. C'est nécessaire.

____

IV. *Répondez d'après l'exemple*

Ex: Vous croyez que c'est possible?

Non, je ne crois pas que ce soit possible.

1. Croyez-vous que Pierre et Jacques sont déjà là?

____

2. Tu crois que le magasin est encore ouvert?

____

3. Tu penses que nous sommes en retard?

____

4. Vous croyez qu'ils vont souvent au cinéma?

____

5. Vous croyez que nous aurons le temps de visiter cette entreprise?

____

V. *Transformez d'après l'exemple*

Ex: Il a trouvé du travail. (Nous ne pensons pas)

Nous ne pensons pas qu'il ait trouvé du travail.

1. Les étudiants de la classe B ont appris la leçon 40. (Je ne crois pas)

____

2. Ils ont réussi au concours. (Il n'est pas sûr)

____

3. Marie a pu suivre des cours d'anglais. (Nous ne pensons pas)

____

4. Paul est parti. (Je ne pense pas)

____

5. Ils ont été très courageux. (Il n'est pas certain)

____

VI. *Transformez d'après l'exemple*

Ex: Il souhaite faire ce travail.
Qu'il le fasse, s'il le souhaite!

1. Ils veulent apprendre une autre langue étrangère.

____

2. Elle désire partir tout de suite.

____

3. Il veut y aller.

____

4. Il souhaite acheter une moto.

____

5. Elle veut prendre un taxi.

____

VII. *Transformez d'après l'exemple*

Ex: Je suis monté sur ce bateau.
Voilà le bateau sur lequel je suis monté.

1. J'ai passé mes vacances dans ce village.

____

2. Ils ont gravé leur nom sur cet arbre.

____

3. Nous avons voyagé avec ces étudiants.

____

4. Elles sont venues par cet avion.

____

5. Je m'intéresse beaucoup à ces recherches.

____

6. Je ne peux pas travailler sans ce dictionnaire.

____

VIII. *Complétez avec un pronom relatif composé*

1. J'aimerais vous présenter à l'une de mes collègues avec ________ j'ai travaillé pendant deux ans.
2. Je voudrais vous parler d'un des voyages au cours ________ j'ai pris toutes ces photos.
3. La police a découvert le nom d'une des personnes chez ________ le bandit s'est caché.
4. La police a découvert l'un des clubs dans ________ les terroristes se réunissent souvent.
5. Je voudrais vous montrer l'une des agences de voyage à ________ je me suis adressé.

IX. *Reliez les deux phrases d'après l'exemple*

Ex: Je dois assister à une réunion. Elle commence à 10 heures.

A. Je dois assister à la réunion, qui commence à 10 heures.

B. La réunion à laquelle je dois assister commence à 10 heures.

1. Nous sommes invités à un festival. Il aura lieu au mois de juillet.

____

____

2. Elle a assisté à des spectacles. Ils lui ont beaucoup plu.

____

____

3. Nous répondions à des questions. Elles ont été posées par des journalistes étrangers.

____

____

4. Ils ont participé à une manifestation. Elle a eu lieu hier.

____

____

X. *Traduisez les phrases suivantes en français*

1. 这是我收到的礼物中最贵重的一件。

____

2. 他愿意看电影就让他去看吧。

____

3. 我不相信他们已经找到了住房。

____

4. 你没有记下他的电话号码,我很遗憾。

____

5. 春节是中国人民最喜爱的传统节日。

____

LECTURE

La France, pays catholique ?

La Suède a une église d'Etat, la France n'en a plus depuis 1905. En Suède, on peut se marier à l'église ou à la mairie. En France, on doit se marier à la mai rie, ensuite on peut se marier à l'église, au temple, à la synagogue.

Il y a en France près de 900 000 protestants, la plupart établis au sud du Massif central ou dans l'Est,[1] 500 000 juifs et au moins 800 000 musulmans. Il est difficile de dire combien il y a de catholiques. Tout dépend des définitions que l'on donne au catholicisme.[2] 90% des Français sont baptisés, mais on estime en général que seul 1 catholique sur 5 pratique sa religion. Les pratiquants sont plus nombreux dans les campagnes que dans les villes, où ils ne sont que 12 à 15%. Il existe des régions où les catholiques sont en majorité et d'autres où le catholicisme a pratiquement disparu. C'est là l'originalité de la France dans le domaine religieux.

Les régions où les catholiques sont en majorité se trouvent à l'ouest, à l'est et au nord du pays. Par contre, la France du sud, celle qui pourtant se rapproche le plus de l'Espagne et de l'Italie par l'histoire, la langue et la civilisation, compte une minorité de catholiques.[3]

Quelquefois une frontière invisible sépare une région où 80% des habitants sont catholiques pratiquants d'une autre où les croyants ne sont que 20%. Sur la rive droite d'une rivière, les églises sont pleines le dimanche, sur la rive gauche elles sont presque vides. Sur le versant d'une montagne, la plupart des hommes assistent à la messe, sur le versant opposé[4] le curé prêche devant quelques vieilles dames et de jeunes enfants.

Quoi qu'il en soit, la religion et l'église catholique sont loin de jouer en France le rôle qu'elles jouent dans certains autres pays.[5] Un exemple le montrera: le divorce, que condamne le catholicisme, est légal en France depuis 1884, alors qu'il est toujours interdit en Espagne.[6]

LEXIQUE

la Suède 瑞典	se rapprocher (de) 靠近
le temple 寺院	invisible *a.* 看不见的
la synagogue 犹太教堂	la rive 岸
protestant, e *n.* 新教徒	le versant 山坡
établi, e *a.* 定居在…	opposé, e *a.* 对面的;相反的
juif, ve *n.* 犹太教徒	le curé (天主教)神甫
musulman, e *n.* 伊期兰教徒	prêcher *v. i.* 讲道,布道
le catholicisme 天主教	le divorce 离婚
la majorité 大多数	condamner *v. t.* 谴责
l'originalité *n. f.* 新奇,古怪	interdire *v. t.* 禁止

NOTES

1. la plupart établis au sud du Massif central ou dans l'Est:大多数(新教徒)定居在中央高原南部和法国东部。

   la plupart 的修饰成分要用复数。

2. Tout dépend des définitions que l'on donne au catholicisme. 一切都取决于给天主教下什么样的定义。

   1) tout 在句中是代词,作主语。

2）dépendre de：取决于…

3. celle qui se rapproche ... compte une minorité de catholiques：然而，那些从历史、语言、文化方面最靠近西班牙和意大利的地方，天主教徒的数量却很少。

4. sur le versant opposé：在对面的山坡。

5. Quoi qu'il en soit ... dans certains autres pays. 不管怎么说，宗教和天主教在法国所起的作用远远不如在其他一些国家那样大。

   (être) loin de：差得远。

6. Le divorce ... interdit en Espagne.

   天主教所谴责的离婚 1884 年在法国就已是合法的了，而在西班牙至今仍遭到禁止。

LEÇON QUARANTE

I. Points importants

1. Avez-vous lu *les Misérables* de Victor Hugo?
   Oui, je me souviens d'**avoir lu** ce roman.
2. Je vous remercie d'**être venu(e)(s)(es)** me voir.
3. Il **part** en vacances **après avoir** passé les examens.
   Il **est parti** en vacances **après avoir passé** les examens.
   Il **partait** en vacances **après avoir passé** les examens.

II. Texte

Charles Chaplin

Par une triste nuit d'hiver,[1] un vagabond marche seul dans une rue de Londres. Le vent souffle rageusement en le poussant d'un bord du trottoir à l'autre;[2] le pauvre homme a l'air d'un ivrogne vacillant sous les effets de l'alcool.[3]

La neige tombe et blanchit le chapeau melon qu'il maintient d'une main sur sa tête;[4] elle couvre aussi ses vêtements trop grands qui le protègent mal du froid,[5] et ses chaussures éculées.

De toute évidence,[6] ce pauvre hère n'a pas de toit pour s'abriter. Soudain, un gémissement attire son attention.[7] Il s'arrête, cherche, et aperçoit dans un recoin obscur un enfant abandonné pleurant lamentablement. Le visage du vagabond s'illumine: bien qu'il ne possède ni maison ni foyer,[8] il pourra offrir à l'enfant son affection et sa tendresse. Il le prend dans ses bras et s'éloigne sous les flocons de neige.

C'est sur cet épisode que commence le film intitulé *le Gosse*[9] (The Kid), film qui fit connaître au monde le visage de Chaplin sous le masque comique de Charlot.[10]

Charles Chaplin est né à Londres le 16 avril 1889. Il n'a pas eu une enfance heureuse: tout jeune,[11] il perd son père. Elevé par sa mère, une danseuse de talent,[12] il connaît avec son frère une existence misérable dans une sordide mansarde de Londres, se passant le plus souvent de manger, et marchant pieds nus.[13] Il parvient cependant à apprendre le chant, la danse, l'acrobatie, dans diverses troupes de théâtre ou de cirque. Outre la faim et la fatigue, Chaplin connaît la solitude, et souffre du manque de compréhension.[14] Devenu adulte, il sent le besoin d'apprendre au public à comprendre la souffrance des pauvres et l'angoisse des faibles.[15] Dans *le Gosse*, par l'intermédiaire du vagabond recueillant l'enfant abandonné, Chaplin donne au《gamin》toute l'affection qui lui avait manqué autrefois.[16] Quand il a la possibilité de créer tout seul ses propres films, il fait naître un personnage d'un comique incomparable,[17] doté des sentiments d'un homme véritable:[18] Charlot.

LEXIQUE

NOMS

la nuit 夜晚
le vagabond 流浪汉
le trottoir (路边)人行道
l'ivrogne *n. m.* 醉汉
l'effet *n. m.* 效力,作用
l'alcool *n. m.* 酒精
le chapeau melon 圆顶礼帽
l'évidence *n. f.* 明显
le hère 穷人,可怜人
le toit 屋顶,房屋
le gémissement 呻吟
le recoin 隐蔽的角落
le visage 面孔
le foyer 家,家庭
la tendresse 温情,体贴
le bras 胳膊
les flocons de neige *n. m.* 雪片
l'épisode *n. m.* 插曲,情节
gosse 小孩子
le masque 假面具,面部表情
avril *n. m.* 四月
l'enfance *n. f.* 童年
danseur, se 舞蹈演员

le talent 才华
l'existence *n. f.* 存在,生活
la mansarde 屋顶室
le chant 歌曲,歌唱
la danse 舞蹈
l'acrobatie [akrɔbasi] *n. f.* 杂技
la troupe 剧团
le cirque 马戏
la fatigue 疲劳
la solitude 孤单
le manque 缺少
la compréhension 理解
adulte *n.*, *a.* 成年人;成年的
le public 公众
pauvre 穷人
l'angoisse *n. f.* 焦虑,困惑
le faible 弱者
gamin, e 孩童
la possibilité 可能性
le personnage 人物
le comique 诙谐,滑稽
le sentiment 感情

VERBES

souffler *v. i.* 刮(风)
vaciller *v. i.* 摇晃
blanchir *v. t.* 使变白
maintenir *v. t.* 扶着,维持
couvrir *v. t.* 盖,盖满
protéger *v. t.* 保护
s'abriter *v. pr.* 躲避
apercevoir *v. t.* 发现
pleurer *v. i.* 哭
s'illuminer *v. pr.* 容光焕发
s'éloigner *v. pr.* 走远
élever *v. t.* 抚养
se passer (de) *v. pr.*
parvenir *v. t. ind.* 省掉,免去
souffrir (de) *v. i.* 受…痛苦
recueillir *v. t.* 收留,收养
manquer *v. t. ind.* 缺少
créer *v. t.* 创造
doter *v. t.* 赋予

ADJECTIFS

éculé, e 磨坏鞋跟的
pauvre 贫穷的,可怜的
obscur, e 阴暗的
intitulé, e 题为…
comique 滑稽的
sordide 肮脏的
nu, e 赤裸的
divers, e 不同的,多样的
propre 本身的,自己的
incomparable 无与伦比的
véritable 真正的

AUTRES

rageusement *adv.* 狂怒地
sous les effets de 在…作用下
lamentablement *adv.* 悲惨地

ne ... ni ... ni ... 既不…也不 outre *prép.* 除…之外
pieds nus 赤脚 par l'intermédiaire de 通过…

NOTES SUR LE TEXTE

1. par une triste nuit d'hiver：冬天一个凄凉的夜晚。

   表示时间、天气的状语往往由介词 par 引出，例如：

   Nous sommes rentrés par un froid glacial. 我们回来时天气非常寒冷。

2. en le poussant d'un bord du trottoir à l'autre：（风）把他从马路的这一侧推到另一侧。

3. Le pauvre homme a l'air d'un ivrogne vacillant sous les effets de l'alcool. 这个可怜的人像是一个饮酒过量、走路东摇西晃的醉鬼。

   1）pauvre 在名词前，意为“可怜的”；在名词后，意为“贫穷的”。例如：un pauvre garçon 可怜的男孩；un garçon pauvre 贫穷的男孩。

   2）sous les effets de：受…的作用。

4. le chapeau melon qu'il maintient d'une main sur sa tête：他用一只手捂着头上的圆顶礼帽。

   d'une main 作方式状语。

5. qui le protège mal du froid：肥大的衣服难以御寒。

   protéger *qn* de：使…免遭受…

6. de toute évidence：显而易见。

7. Soudain, un gémissement attire son attention. 突然，一阵呜咽声引起了他的注意。

8. bien qu'il ne possède ni maison ni foyer：尽管他既没有住房也没有家庭。

   ne ... ni ... ni：既不…也不…

9. C'est sur cet épisode que commence le film intitulé *le Gosse*. 题为《男孩》的影片就是以这一情节开头的。

   The Kid 在我国上演时译为《寻子遇仙记》。

10. film qui fit connaître au monde le visage de Chaplin sous le masque comique

de Charlot. 这部影片使公众熟悉了扮演滑稽角色夏尔洛的卓别林。

faire connaître: 使了解,使熟悉。

11. Tout jeune, il perd son père. 他年幼时就失去了父亲。

    tout 在此是副词,表示:十分地;非常地。

12. une danseuse de talent: 一位出色的舞蹈演员。

13. se passant le plus souvent de manger, et marchant pieds nus: 常常吃不上饭,穿不上鞋子。

    se passer de *qch*. 省掉,免去。

14. Outre la faim et la fatigue, Chaplin connaît la solitude, et souffre du manque de compréhension. 除了饥饿和劳累以外,卓别林还饱尝孤独和无人体谅之苦。

    outre + *qch*. 除…之外;不仅。例如:

    Outre la patience, il manque de courage. 他不仅没有耐心,还缺乏勇气。

    souffrir de: 受…痛苦。

15. Devenu adulte, il sent le besoin d'apprendre au public à comprendre la souffrance des pauvres et l'angoisse des faibles. 成年之后,卓别林感到有必要让公众了解穷人的苦难和弱者的焦虑。

    apprendre à *qn* à + *inf*.: 教某人;让…知道。

    pauvre 和 faible 在此作名词使用。

16. Par l'intermédiaire du vagabond ... autrefois. 通过收养弃儿这一举动,卓别林把过去自己没有得到过的爱抚全部奉献给这个孩子。

17. Il fait naître un personnage d'un comique incomparable. 他塑造出一个无与伦比的滑稽角色。

18. doté des sentiments d'un homme véritable: 具有一个真正的人的全部情感。

    (être) doté de 在此是被动意义,表示:被赋予…;具有…

MOTS ET EXPRESSIONS

1. **protéger** *v. t.*

1）protéger *qn*（*qch.*）保护

Plusieurs policiers sont chargés de protéger le ministre dans ses déplacements. 数名警察负责部长出行时的安全。

Cette association a pour but de protéger les arts. 这个协会的宗旨是保护艺术。

2）protéger *qn*（*qch.*）de（ou: contre）使…免遭受

La vaccination nous protège de certaines maladies. 预防接种使我们对某些疾病产生免疫力。

La forêt protège ce village contre le vent du nord. 森林使这个村庄免受北风袭击。

2. **ne ... ni ... ni ...** 既不…也不…

Voulant maigrir，elle ne prend ni de viande ni de beurre. 由于想减肥，她既不食肉类，也不吃黄油。

Il ne dit ni oui ni non. 他既不说"是"也不说"否"。

3. **se passer de** 省掉，免去

Quand je fais de la traduction，je ne peux pas me passer de ce dictionnaire. 我搞翻译时离不开这本词典。

Il essaie de se passer du tabac. 他试图戒烟。

4. **parvenir à** + *inf.* 能够；终于

Les deux pays sont parvenus à un accord. 两个国家最终达成一个协议。

Il était parvenu à amasser sou par sou une somme considérable. 他终于一个铜板一个铜板地积攒下一大笔钱。

5. **souffrir** *v. t.* ou *v. i.*

1）souffrir *qch.*（*qn*）忍受，允许

souffrir la faim：忍受饥饿。

Elle ne peut souffrir l'odeur du poisson. 她不能忍受鱼的腥味。

Ce travail ne souffre aucun retard. 这个工作不容延误。

2）*v. i.* 受痛苦

Il est malade depuis quelque temps et souffre beaucoup. 他生病一段时间了，很痛苦。

3) souffrir de 患…病；受…痛苦

Il souffre de la gorge. 他嗓子痛。

Le pays a souffert d'une crise économique. 这个国家受到经济危机的打击。

6. **manquer** *v. i.* ou *v. t.*

1) manquer *qch.* 错过

Le gardien de but a manqué le ballon. 守门员没有接住球。

Nous avons manqué le début du film. 我们没有看到电影的开头。

2) manquer de *qch.* 缺乏…

Les jeunes manquent d'expérience. 青年人缺乏经验。

3) manquer à *qn* 缺少；不足；失去

Mes enfants me manquent beaucoup. 我非常想念孩子们。

Le temps me manque pour aller le voir. 我没有时间去看望他。

GRAMMAIRE

I. 不定式（l'infinitif）的用法

1. 作主语或逻辑主语

Partir est triste. 离去是令人伤心的。

(= Il est triste de partir.)

Cela me plaît d'aller au théâtre. 我喜欢看戏。

(= Aller au théâtre me plaît.)

2. 作宾语

不定式有时可直接作动词宾语(不用介词引导)，有时要由介词 à 或 de 引导。这一点不取决于不定式本身，而取决于前面的动词：

1) 直接跟在动词后面

J'aime faire du sport.

Il espère réussir aux concours.

2）由介词 à 引导

Nous commençons *à* comprendre.

Il aide ses camarades *à* faire ce travail.

3）由介词 de 引导

Elle lui demande *de* venir.

Il a accepté *de* vous accompagner.

3. **在一些介词或短语后使用**

Marie est *en train de* téléphoner à son ami.

Il est sorti *sans* dire un mot.

Il est temps de prendre une décision.

Avant de partir en vacances, *il faut* réserver une chambre.

4. **构成省略疑问句**

Comment faire? 怎么办?

Pourquoi partir si tôt? 为什么这么早就走?

II. 不定式的时态

不定式有两种时态:现在时和过去时

1. **不定式现在时**(l'infinitif présent) 表示与主要动词(时间可以是过去、现在、将来)的动作同时或在它之后发生的动作:

Je veux *lire* ce roman.

Je lui ai demandé de *venir* me voir.

2. **不定式过去时** (l'infinitif passé) 由助词 être 或 avoir 的不定式加动词的过去分词构成,表示与句中主要动词(时间可以是过去、现在、将来)相比较,已经完成的动作:

Je me souviens d'*avoir lu* ce roman. 我记得曾经读过这本书。

Il regrette de vous *avoir fait* attendre si longtemps. 让您久等了,他很抱歉。

Je vous remercie d'*être venu*. 谢谢您来看我。

Après *avoir fait* ce stage, les étudiants ont rédigé un rapport. 实习之后,学生们写出一份报告。

[提示]法语不定式的某些用法与英语不定式或动名词的用法相同：

Il est facile de faire cela.

(It is easy to do that.)

J'ai fini de réparer cette machine.

(I have finished repairing that machine.)

Après avoir dîné, je suis parti.

(After having dined, I set out.)

Je suis désolé de vous avoir fait attendre.

(I am sorry to have kept you waiting.)

III. 介词 à 和 de 的用法

1. 介词 à 的几种用法

1) 表示"去向"或"地点"

Nous allons à Beijing. 我们去北京。

Il travaille à la poste. 他在邮局工作。

2) 表示"距离"

La gare est à 100 mètres d'ici. 火车站离这儿 100 米。

3) 表示"时间"

Il se lève à six heures. 他六点钟起床。

Ce monument a été construit au 18e siècle. 这座建筑物建于 18 世纪。

4) 表示"方式"

Il va à vélo. 他骑自行车去。

J'ai écrit cette lettre au crayon. 我用铅笔写的这封信。

5) 表示"所属"

Ce magnétophone est à moi. 这台录音机是我的。

6) 引导名词补语

C'est une machine à écrire. 这是一台打字机。

Son voyage au Tibet a duré deux mois. 他的西藏之行长达两个月。

7) 引导形容词补语

Il est fidèle à sa petite amie. 他对女朋友忠诚。

8) 引导间接宾语

Je dis au revoir à Pierre. 我向皮埃尔道别。

Il demande des renseignements à la concierge. 他向看门人打听情况。

2. 介词 de 的几种用法

1) 表示来源:从…;自…

Je viens de Paris. 我从巴黎来。

Il est issu d'une famille ouvrière. 他出生在一个工人家庭。

2) 表示"分量"或"内容"

un kilo de sucre: 一公斤糖。

Je voudrais une tasse de café. 我想要一杯咖啡。

3) 表示"程度"

Ma montre retarde de deux minutes. 我的手表慢两分钟。

La production a augmenté de 5%. 产量提高了 5%。

4) 表示"方式"

Il m'a fait signe de la tête. 他向我点头示意。

Je l'ai vu de mes propres yeux. 这是我亲眼看到的。

5) 引导名词补语,表示"…的"

C'est la moto de Pierre. 这是皮埃尔的摩托。

6) 引导形容词补语

Ce mur est haut de 3 mètres. 这堵墙高三米。

7) 引导间接宾语

Il se souvient de son voyage en Chine. 他回想起在中国的旅行。

Paul a changé d'avis. 保尔改变了主意。

8) 引导不定式动词

Je suis très content de vous revoir. 我很高兴再次见到您。

3. 介词 à 与 de 连用

1) de ... à ... 从…到…(表示空间或时间)

le voyage de la Terre à la Lune 从地球到月球的旅行。

Les vacances d'été vont de juillet à septembre. 暑假从七月份延续到九月份。

2) 分别引导直接宾语和间接宾语

Je demande à Paul de m'expliquer ce problème. 我请求保尔给我解释这个问题。

Les parents ne permettent pas aux enfants de regarder la télévision toute la soirée. 父母们不允许孩子整晚坐在电视机前。

[说明] à 引导的成分作间接宾语，de 引导的成分作直接宾语(当不定式动词作直接宾语时，前面要加介词 de)。

EXERCICES

I. *Questions sur le texte*

1. Est-ce que Chaplin a eu une enfance heureuse?

____

2. Que faisait sa mère?

____

3. Où Chaplin habitait-il avec son frère?

____

4. Où a-t-il appris le chant et la danse?

____

5. De quoi souffrait-il, quand il était jeune?

____

6. Avez-vous vu des films de Chaplin?

____

7. Est-ce que vous les aimez? Pourquoi?

____

____

8. Pouvez-vous nous raconter en quelques mots le début du film *le Gosse*?

____

____

____

II. *Mettez les verbes entre parenthèses au temps et au mode convenables*

1. Il faut que nous (préparer) ______ les documents pour la conférence.
2. Il est possible qu'il y (avoir) ______ beaucoup de monde.
3. Nous espérons que vous (arriver) ______ à temps.
4. Ils demandent que nous (partir) ______ tout de suite.
5. Je crois qu'elle (prendre) ______ l'autobus pour venir.
6. Je ne crois pas que tu (avoir) ______ raison.
7. Il m'a demandé si je (connaître) ______ l'adresse de Mme Dupont.
8. Je ne sais pas comment (aller) ______ au Louvre.
9. Nous souhaitons qu'ils (pouvoir) ______ réussir au concours universitaire.
10. Je serai libre dès que je (finir) ______ cette lettre.
11. Bien que nous (rester) ______ 5 semaines à Paris, nous n'avons pas pu tout voir.
12. Quoi qu'elle (dire) ______, elle n'arrivera pas à convaincre son père.
13. Quoiqu'il (pleuvoir) ______, le médecin sortira pour voir ses malades.
14. Je ferai avec plaisir ce que vous proposerez, pourvu que vous (pouvoir) ______ me convaincre.
15. Je vais lire les journaux en attendant que ton père (revenir) ______.

III. *Complétez avec* en, dans, pendant, depuis

1. Que ferez-vous ______ deux ans?
2. J'ai lu ce texte ______ cinq minutes, et vous?
3. Il a travaillé au Japon ______ deux ans.
4. Je n'ai pas vu mes parents ______ deux ans.

5. On peut aller de New York à Washington ______ trois heures et demie.
6. Comment le monde sera-t-il ______ 50 ans?
7. Les étudiants ont fait un stage ______ les vacances.
8. Tu vas revenir ______ combien de temps?

IV. *Mettez les verbes entre parenthèses à l'infinitif passé*

1. Excusez-moi de ne pas vous (écrire) ______ plus tôt.
2. Il était heureux de (finir) ______ son travail.
3. Je suis désolé de vous (déranger) ______.
4. Je vous remercie de (venir) ______.
5. Etes-vous certain de me (laisser) ______ la clé?
6. Jacques est parti sans (passer) ______ son examen.

V. *Transformez les phrases d'après l'exemple*

Ex: Il a bu un café, puis il est parti.

Après avoir bu un café, il est parti.

1. Les enfants ont bien joué, puis ils vont se coucher.

____

2. Elle est allée à la banque, puis elle a fait des achats.

____

3. Nous avons assisté à la réunion, puis nous sommes allés au bar.

____

4. Elle a lu la lettre, puis elle a pleuré.

____

5. Il est arrivé à Paris, puis il s'est mis à chercher un appartement.

____

6. J'ai lu ce roman, puis je le lui ai rendu.

____

7. J'ai réfléchi, puis j'ai pu résoudre mes problèmes.

____

8. Nous nous sommes bien amusés, puis nous sommes rentrés chez nous.

____

VI. *Transformez les phrases en employant l'infinitif passé*

Ex: Avant de partir au bureau, il déjeune.

Après avoir déjeuné, il part au bureau.

1. Avant de monter dans le train, il prend son billet.

____

2. Avant d'envoyer la lettre, il l'a relue.

____

3. Avant de répondre aux questions, elle a réfléchi.

____

4. Avant de choisir une profession, il a hésité pendant deux ans.

____

5. Avant d'écrire un livre sur le Marché Commun, il est resté six mois à Bruxelles.

____

VII. *Traduisez les phrases suivantes en français*

1. 步行了三小时后，大家都很累了。

____

2. 我没有和他们道别就走了。

____

3. 感谢您帮助我们解决了这个难题。

____

4. 我很高兴自己成了一名医生。

____

5. 他独自一人在大街上行走，突然一种奇怪的声音引起他的注意。

____

6. 这部影片使公众了解到非洲人民的苦难生活。

____

7. 她成为一名大学教师,我们感到高兴。

____

8. 和这些人在一起工作,您就会发现他们是多么热爱自己的工作。

____

VIII. *Transformez d'après l'exemple*

Ex: Tu as parlé à un pêcheur que je connais.

Je connais le pêcheur à qui tu as parlé.

Je connais le pêcheur auquel tu as parlé.

1. Elle a parlé à des personnes que vous connaissez.

____

____

2. Je me suis adressé à une vendeuse que tu connais.

____

____

3. Ils ont parlé à des policiers que vous connaissez.

____

____

4. Vous vous êtes adressé à une concierge que je connais.

____

____

IX. *Complétez les phrases avec des prépositions convenables*

1. Il va ____ ville ____ vélo.
2. Nous partons ____ le Canada.
3. La banque est ____ 50 mètres ____ ici.
4. C'est une machine ____ laver.
5. Il travaille ____ 8 heures ____ 16 heures.
6. Les enfants ____ 6 ____ 16 ans doivent aller ____ l'école.

7. Il demande souvent ____ sa sœur ____ l'aider.
8. Il a acheté un kilo ____ pommes.
9. Cette rivière est large ____ 15 mètres.
10. Ils sont heureux ____ faire ce voyage.

X. *Traduisez en chinois le passage de la lecture suivante* :

《Les jours passent ... qui a remplacé son modeste étalage. 》

LECTURE

Les lumières de la ville

Ce film a été tourné en 1931. Il conte l'histoire d'un pauvre vagabond solitaire qui aime une jeune fille aveugle, vendeuse de fleurs au coin de la rue. [1] Charlot, qui ne possède pas un sou, ne peut offrir à la jeune fille que le réconfort de quelques bonnes paroles.

Un jour, elle lui confie que, si elle avait l'argent nécessaire, elle se ferait soigner et recouvrerait la vue. A ces mots, [2] Charlot n'hésite pas à se faire passer pour un homme riche et promet de lui offrir ce qu'il faut pour l'opération. [3]

Les jours passent; Charlot travaille avec acharnement, acceptant tous les travaux, pourvu qu'il parvienne à gagner assez d'argent pour atteindre son but; après avoir été balayeur, il se fait boxeur. L'épisode de Charlot sur le ring, s'abritant derrière l'arbitre pour fuir la fureur de l'adversaire, est l'un des plus irrésistibles du film. Enfin, après mille aventures, il parvient à rassembler la somme promise; heureux, il la remet à la jeune fille qui pleure de joie et d'émotion. [4]

Puis il reprend sa vie de vagabond, tandis que la petite fleuriste, qui a recouvré la vue, connaît une vie plus heureuse en travaillant dans un magasin bien installé qui a remplacé son modeste étalage.

Un jour qu'il passe devant le magasin, Charlot l'aperçoit à travers la vitrine; il la regarde aller et venir, souriante et paisible au milieu des fleurs qu'elle peut enfin admirer.

La jeune fille le voit aussi et，pendant un bref instant，le doute la reprend：son bienfaiteur est-il vraiment un riche personnage plein de générosité，ou bien ce pauvre homme aux vêtements usés qui a l'air si gentil?

Elle sent que c'est lui，sous ses yeux，et décide d'aller à sa rencontre，[5] de lui parler；mais déjà le pauvre homme est parti：il préfère garder son secret et s'acheminer en solitaire vers son destin.

Presque tous les films de Charlot se terminent par la scène du vagabond qui s'éloigne sur la route，marchant vers l'inconnu. Et cette finale，empreinte de mélancolie，est passée dans l'usage et le langage cinématographiques sous le nom de《finale à la Chaplin》.

LEXIQUE

Les lumières de la ville《城市之光》

tourner *v. t.* 拍摄，摄制

conter *v. t.* 讲述

solitaire *a.* 孤独的

aveugle *a.* 瞎的

le sou 铜板

le réconfort 安慰

la parole 话

confier *v. t.* 说(知心话)

recouvrer *v. t.* 重见光明

l'acharnement *n. m.* 激烈，顽强

le balayeur 清洁工

le boxeur 拳击手

le ring (英)拳击场

s'abriter *v. pr.* 躲藏

l'arbitre *n. m.* 裁判

fuir *v. t.* 躲避

la fureur 狂怒

adversaire *n.* 敌手

irrésistible *a.* 难以抵御的

rassembler *v. t.* 蓄聚
promis，e *a.* 允诺的
fleuriste *n.* 卖花的人
modeste *a.* 简朴的
l'étalage *n. m.* 货架
bienfaiteur，trice *n.* 恩人
la générosité 慷慨
usé，e *a.* 破旧的
s'acheminer *v. pr.* 前进
le destin 命运
l'inconnu *n. m.* 未知的事物
la finale 结尾
empreindre *v. t.* 留标记
cinématographique *a.* 电影的

NOTES

1. au coin de la rue：在街道拐角处。
2. à ces mots：听到这话。
3. Charlot n'hésite pas ... ce qu'il faut pour l'opération. 夏尔洛毫不犹豫地以富人自居，答应送给姑娘动手术所需要的钱。
   se faire passer pour *qn*：以…自居。
4. qui pleure de joie et d'émotion：她高兴和激动地哭了起来。
5. aller à sa rencontre：迎着他走去。

LEÇON QUARANTE ET UN

I. Points importants

1. Vous **auriez dû** venir plus tôt.
2. Tout cela **aurait été** impossible avant l'arrivée de l'Internet.
3. Si tu ne m'**avais** pas **aidé**, je n'**aurais** pas **fini** ce travail.
4. Si vous **aviez été** plus prudent, vous **vous seriez informé** de l'heure du train.

II. Texte

La transpiration des plantes

Le soleil est brûlant; après avoir marché pendant longtemps en terrain découvert,[1] vous éprouvez soudain une impression de soulagement intense en pénétrant dans un bois. Votre bonne humeur[2] revient aussitôt et vous poursuivez votre chemin avec plus d'entrain[3]. Est-ce seulement la présence de l'ombre qui vous donne cette sensation de fraîcheur si agréable?[4] Cette ombre, vous auriez pu la trouver sous un toit quelconque ou à l'abri d'un mur,[5] mais elle n'aurait pu vous rafraîchir autant que celle du bois. Pourquoi? Parce que les arbres retiennent une humidité qui rend leur ombre vivifiante pour notre organisme.[6]

Les végétaux sont-ils capables d'humidifier l'air? Certainement, et nous allons le vérifier par une expérience simple.

Après avoir recouvert une plante d'une cloche de verre, nous la maintenons à une basse température,[7] car nous savons que le froid produit la condensation des vapeurs humides de l'air. Au bout d'un certain temps,[8] nous verrons la surface interne de la cloche se recouvrir lentement de petites gouttes d'eau.[9] D'autre part,[10] la plante se flétrit rapidement.

En réalisant l'expérience sur le plateau d'une balance, on peut remarquer la différence de poids entre le végétal frais et le végétal flétri,[11] l'eau déposée sur les parois de la cloche compensant cette perte de poids. Par cette méthode, il est aisé de mesurer la quantité d'eau rejetée en un temps donné par les différentes plantes.[12]

Pourquoi les plantes transpirent-elles?

Pour se nourrir, les plantes absorbent, par leurs racines, l'eau qui renferme les matières minérales dont elles ont besoin. Mais cette eau n'est pas très riche: un litre contient à peine 1 ou 2 grammes des éléments indispensables à la plante.[13] Aussi les végétaux doivent-ils absorber une grande quantité de liquide.[14] Que deviendra cette eau qui remonte sans arrêt dans les tiges ou les troncs, avant d'arriver aux branches et aux feuilles? C'est là qu'intervient la transpiration;[15] elle permet aux végétaux de se libérer du liquide absorbé et de ne conserver que ce dont ils ont besoin.[16]

LEXIQUE

NOMS

la transpiration （植物）蒸腾作用

la plante 植物，花草

le terrain 地，场所

l'impression *n. f.* 感受，印象

le soulagement 缓和，轻松

l'humeur *n. f.* 心境，情绪

le chemin 路，小道

l'entrain *n. m.* 活力，生气

la présence 在场，存在

l'ombre *n. f.* 阴凉，阴影

la sensation 感觉

la fraîcheur 凉爽

l'humidité *n. f.* 潮湿，湿度

l'organisme *n. m.* 机体；人体

végétal, e (végétaux) *n. m.* 植物

l'air *n. m.* 空气

l'expérience *n. f.* 试验，经验

la cloche 钟形罩

le verre 玻璃

la température 温度

la condensation 凝结

la vapeur 蒸汽

la surface 表面

la goutte 水滴

le plateau 天平盘

la balance 天平,秤
la différence 不同,差别
le poids 重量
la paroi 内壁
la perte 失去,损失
la méthode 方法
la quantité 数量
la racine 根,根部
la matière 物质
le litre 升
le gramme 克
l'élément *n. m.* 成分
le liquide 液体
la tige 茎,秆
le tronc 树干
la branche 枝
la feuille 叶

VERBES

se souvenir *v. pr.* 回想起
éprouver *v. t.* 感觉到
pénétrer *v. i.* 进入,走行
rafraîchir *v. t.* 使凉爽
retenir *v. t.* 保留
humidifier *v. t.* 使潮湿
vérifier *v. t.* 检查,核实
recouvrir *v. t.* 覆盖,盖上
produire *v. t.* 产生
se recouvrir *v. pr.* 盖满,布满
se flétrir *v. pr.* 枯萎
déposer *v. t.* 放置,沉积出
compenser *v. t.* 补偿
mesurer *v. t.* 测量
rejeter *v. t.* 排出
transpirer *v. i.* 蒸腾,渗出
se nourrir *v. pr.* 吸收养料
absorber *v. t.* 吸收
renfermer *v. t.* 含有
contenir *v. t.* 包含
remonter *v. i.* 重新上升,提高
intervenir *v. i.* 介入,发生
se libérer (de) *v. pr.* 摆脱
conserver *v. t.* 保存,留下

ADJECTIFS

brûlant, e 灼热的
découvert, e 无遮盖的
intense 强烈的
quelconque 任何一个
vivifiant, e 爽人的
bas, se 低的
humide 潮湿的
interne 内部的
frais, fraîche 凉爽的
flétri, e 枯萎的
aisé, e 容易的
minéral, e (minéraux) 矿物的
indispensable 不可缺少的

AUTRES

à l'abri de *loc. prép* 在…遮蔽下

autant *adv.* 同样地　　sans arrêt *loc. adv.* 不停地
à peine *loc. adv.* 才，勉强

NOTES SUR LE TEXTE

1. après avoir marché pendant longtemps en terrain découvert：在开阔地长久行走之后。

   (après) avoir marché 是不定式过去时。

2. la bonne humeur：好的情绪，心情愉快。
3. avec plus d'entrain：更加充满活力地。
4. cette sensation de fraîcheur si agréable：如此令人惬意的凉爽感觉。

   si 在此是副词，表示"这样地"，"如此地"。

5. Cette ombre, vous auriez pu la trouver sous un toit quelconque ou à l'abri d'un mur. 这样的阴凉，您本可以随便在哪个屋顶下或在一堵墙的遮蔽下找到。

   1) la 代替 cette ombre，cette ombre 放在句首起强调作用。

   2) vous auriez pu 是条件式过去时，详见本课语法。

   3) quelconque 是泛指形容词，表示"任何一个"，"随便哪个"。

   4) à l'abri de：在…保护下，在…遮蔽下。

6. une humidité qui rend leur ombre vivifiante pour notre organisme：这种湿度使树阴更加爽人。

   rendre *qch.* (*qn*) + *adj.*：使…变得，使…成为。

7. Après avoir recouvert une plante d'une cloche de verre, nous la maintenons à une basse température. 用一个钟形玻璃罩将一棵植物罩好后，我们把它保持在低温的环境中。

   d'une cloche de verre 在句中作方式状语。

8. au bout d'un certain temps：过了一段时间之后。
9. Nous verrons la surface interne de la cloche se recouvrir lentement de petites gouttes d'eau. 我们看到钟形罩的内壁上渐渐地布满了小水珠。

   voir 后面可直接加不定式动词。

10. d'autre part：此外，另一方面。

11. la différence de poids entre le végétal frais et le végétal flétri：新鲜植物和枯萎的植物在重量上的差别。

12. Par cette méthode, il est aisé de mesurer la quantité d'eau rejetée en un temps donné par les différentes plantes. 用这种方法可以轻而易举地测量出不同的植物在一定的时间内所排出水分的重量。

 1) il est aisé de 是无人称句，表示“容易…”；“不难…”。

 2) en un temps donné：在固定的时间内，在一定的时间内。

13. un litre contient à peine 1 ou 2 grammes des éléments indispensables à la plante. 一升(水)中所含植物必需的成分仅有一至二克。

 1) à peine：刚刚；才；勉强。

 2) indispensable à：对…必不可少的。

14. Aussi les végétaux doivent-ils absorber une grande quantité de liquide. 因此，植物必须吸收大量的水分。

 以 aussi, ainsi 等词引导的陈述句，主语和谓语要倒装。

15. C'est là qu'intervient la transpiration. 蒸腾作用是在这时出现的。

 本句主语和动词倒装，主语是：la transpiration.

16. Elle permet … ce dont ils ont besoin. 蒸腾作用可以使植物摆脱所吸收的水分，只保留它们所需要的东西。

 1) se libérer de：摆脱…

 2) ce 与关系代词 dont 连用，在句中作 avoir besoin de 的间接宾语。

MOTS ET EXPRESSIONS

1. **pénétrer**

 1) *v. i.* 进入

 Que personne ne pénètre ici en mon absence. 我不在时任何人不得进来。

 faire pénétrer de l'air dans une cavité：把空气压入孔内。

 2) *v. t.* 穿入，浸透；看透，识破

 La pluie a pénétré ses vêtements. 雨水浸透了他的衣服。

 J'ai fini par pénétrer le sens de ses paroles. 我最终明白了他话中的含义。

2. **retenir** *v. t.*

1）留住

Je vous retiens à dîner. 我留您吃晚饭。

Je ne vous retiens pas, partez si vous voulez. 我不挽留您，您愿意走就请便吧。

2）拉住，抓住

Il serait tombé dans le ravin si je ne l'avais pas retenu. 假如我没有拉住他，他就掉在沟里了。

3）记住，记牢

Il n'a entendu cette chanson qu'une fois et il l'a presque retenue. 这首歌他只听过一遍就差不多已经记住了。

4）留住，拦住

On a construit un barrage pour retenir les eaux de la rivière. 人们筑起堤坝拦住河水。

Cette terre ne retient pas l'eau. 这土地保持不住水分。

3. **rendre** ＋ *adj*. 使得，使变为

Son invention l'a rendu célèbre. 他的发明使他出了名。

La construction rend cette route impraticable. 建筑工程使这条路无法通行了。

4. **voir** ＋ *inf*. 看到…做…

Nous voyons les enfants danser dans la cour. 我们看到孩子们在院子里跳舞。

Plusieurs témoins ont vu la bombe exploser au milieu de la rue. 许多证人看到炸弹是在街中心爆炸的。

5. （**être**） **indispensable à** 对…必不可少

La persévérance est indispensable au succès. 持之以恒是成功的必要保障。

Ces conditions sont indispensables à la normalisation des relations bilatérales. 这些条件是双边关系正常化必不可少的。

GRAMMAIRE

I. 条件式过去时（le conditionnel passé）

1. **构成**：助动词 avoir 或 être 的条件式现在时 ＋ 动词的过去分词。

parler	
j'aurais parlé	nous aurions parlé
tu aurais parlé	vous auriez parlé
il aurait parlé	ils auraient parlé

venir	
je serais venu(e)	nous serions venus(es)
tu serais venu(e)	vous seriez venu (e)(s)(es)
ils serait venu	ils seraient venus
elle serait venue	elles seraient venues

2. **用法:**

1）表示设想、遗憾或惋惜等语气

Qui aurait pensé à ce grand changement dans le passé? 过去,谁会想到这巨大的变化呢?

Vous auriez dû me prévenir. 您当时应该通知我。

2）表示推测,即某事可能已发生,但确切与否尚待进一步证实。这一用法常见于新闻报道中。

Le ministre de la culture aurait démissionné. 文化部长可能已经辞职。

Trois ouvriers auraient été grièvement blessés dans cet accident. 在这一事故中,可能有三名工人受了重伤。

3）在主从复合句中使用,表示过去未发生或无法实现的动作,仅仅是一种假设。主句和从句的时态配合如下:

从句: si ＋ 愈过去时

主句: 条件式过去时

Si vous étiez venu hier, vous l'auriez recontré. 假如您昨天来,您就见到他了。

S'il avait travaillé plus, il aurait réussi à l'examen. 假如他过去学习努力一些,他就会通过考试了。

[提示]

1）法语条件式过去时的用法与英语中表示过去情况的虚拟条件句相同:

Si j'étais parti un peu plus tôt, je n'aurais pas manqué le train.

(If I had left a little earlier, I would have caught the train.)

Elle serait venue, si elle n'était pas si occupée.

(She would have come if she hadn't been so busy.)

2) 条件式主句和从句时态的配合并不是固定不变的，例如：

Si j'étais vous, je serais allé le voir. 假如我是您的话，我就去看他了。

(主句表示过去的动作)

Si j'avais appris le japonais, je traduirais volontiers cet article. 假如我过去学过日语，我很愿意翻译这篇文章。

(从句表示过去的动作，主句表示现在的动作)

3) 不要混淆条件式现在时的被动态和条件式过去时：

S'il pleuvait, cette visite serait annulée. 如果下雨，就取消这次参观。

(条件式现在时的被动态)

S'il avait plu, nous aurions annulé cette visite. 假如下了雨，我们就取消这次参观了。

(条件式过去时)

II. 介词 en 的几种用法

1. 表示"地点"

Les étudiants sont en classe. 学生们在上课。

Il y a beaucoup de chômeurs en France. 法国有许多失业者。

2. 表示"时间"

Les festivals ont lieu en été. 艺术节在夏天举办。

Ils sont retournés à Naples en août. 他们在八月份回到那不勒斯。

3. 表示"状态"

La ville est en fête. 城市里的一派节日景象。

4. 在…方面

Notre région est riche en minerais. 我们这个地区矿产资源丰富。

Il est très fort en mathématiques. 他的数学成绩很好。

5. 表示"方式"

Il faut écrire cette lettre en français. 要用法文写这封信。

Je lui ai donné ce livre en cadeau.

这本书是我作为礼物送给他的。

6. 表示“材料”

Cette chemise est en nylon. 这是一件尼龙衬衫。

Nous habitons dans une maison en briques. 我们住在一幢砖房里。

7. 表示“颜色”

Ces photos sont en couleurs. 这些照片是彩色的。

C'est un film en noir et blanc. 这是一部黑白影片。

EXERCICES

I. *Questions sur le texte*

1. Pourquoi les ombres des arbres peuvent-elles nous donner une sensation de fraîcheur agréable?

____

____

2. Quand on a recouvert une plante d'une cloche de verre, qu'est-ce qu'on voit au bout d'un certain temps?

____

____

3. Pourquoi est-il préférable de maintenir cette plante à une basse température?

____

4. Comment les plantes se nourissent-elles?

____

5. Pourquoi les plantes ont-elles besoin d'absorber une grande quantité de liquide?

____

____

6. Comment se libèrent-elles du liquide absorbé?

____

II. *Complétez avec* à *ou* de

1. Est-il facile ____ apprendre cette langue?
2. Nous commençons ____ travailler dès demain?

3. Je vous demande ____ ne plus fumer.
4. Le patron est en train ____ discuter avec lui.
5. Essayez-vous toujours ____ parler en français?
6. Avez-vous envie ____ faire ce stage?
7. Pourriez-vous remettre cette lettre ____ Michel?
8. Il avait mal ____ la tête.
9. Avez-vous le temps ____ préparer ce texte?
10. Est-ce qu'il s'adapte bien ____ son travail?
11. Ils se réjouissent ____ ces congés payés.
12. Ils ont appris ____ se débrouiller seuls.

III. *Mettez les infinitifs au conditionnel passé*

1. Les bandits (stopper) ______ une voiture de la police.
2. Le président (se rendre) ______ au Canada.
3. Il (mettre) ______ un autre nom sur son passeport.
4. Un magasin (être détruit) ______ par la bombe.
5. Elle (venir) ______ par un Boeing 747.

IV. *Mettez au conditionnel passé et au plus-que-parfait*

Èx: J'irais avec eux, si je pouvais.

Je serais allé avec eux, si j'avais pu.

1. S'il restait sous la pluie, il prendrait froid.

____

2. Si nous obtenions ces postes, nous irions en Amérique.

____

3. Si vous m'envoyiez un e-mail, je viendrais.

____

4. S'il faisait beau, nous ferions une excursion.

____

5. Si j'étais libre, je vous accompagnerais.

____

6. Je ne viendrais pas, si je savais cela.

____

V. *Transformez d'après l'exemple*

Ex：Nous ne sommes pas venus en voiture.

Si nous avions su，nous serions venus en voiture.

1. Vous n'êtes pas allés en vacances.

____

2. Ils n'ont pas apporté de fleurs.

____

3. Ils ne sont pas restés à Beijing.

____

4. Nous n'avons pas assisté au festival.

____

5. Nous ne sommes pas restés à la maison.

____

6. Vous n'avez pas vu ce film.

____

VI. *Tranformez d'après l'exemple*

Ex：Nous ne sommes pas partis，à cause de cette pluie.

Sans cette pluie，nous serions partis.

1. Nous ne sommes pas arrivés avant 8 heures，à cause de cette panne de voiture.

____

2. Je n'ai pas réussi aux concours，à cause de cette erreur.

____

3. Les paysans n'ont pas eu une bonne récolte（好收成），à cause du gel（冰冻）。

____

4. Elle n'a pas pu obtenir son permis de conduire，à cause de l'imprudence.

____

VII. *Traduisez les phrases suivantes en français*

1. 如果没有这位电影编导，她也许不会成为著名的电影演员。

2. 没有您的帮助，我就不会找到 20 年没有见面的兄弟。

3. 要把这些食品置于低温中。

4. 植物需要吸收大量的水分才能生长。

5. 这些是进行试验必不可少的条件。

6. 用这种办法，我们很容易测出海洋的深度（la profondeur）。

VIII. *Traduisez les phrases suivantes en chinois*

1. Est-ce qu'il y a un téléviseur en couleurs chez vous?

2. Les ouvriers en grève demandent qu'on augmente leur salaire.

3. Voilà deux grandes maisons traditionnelles: celle-ci est en bois, celle-là est en pierre.

4. Est-ce que tu peux terminer ce travail en une demi-heure?

5. Ce roman est en quelle langue?

6. C'est une région qui est riche en pétrole.

IX. *Traduisez le texte suivant en chinois*

En détruisant (*v. t.* 毁坏) la forêt, l'homme détruit la terre. Sur une terre sans arbres, l'eau coule (*v. i.* 流) plus vite et bientôt emporte cette terre.

On veut tuer (*v. t.* 杀死) les vers (*n. m.* 虫) qui nuisent (*v. t.* 危害) à un arbre; on se sert d'un produit chimique qui, en même temps, nuit aux arbres voisins. Un bateau laisse couler son pétrole (*n. m.* 石油) en pleine mer. Quelques jours après apparaissent des milliers de poissons morts.

Et l'air dans lequel nous vivons est tout aussi sale (*adj.* 脏) que l'eau. Les usines rejettent, dans l'air comme dans l'eau, des poussières (*n. f.* 灰尘) qui ne servent à rien. Quelquefois, ces poussières forment un brouillard (雾) dangereux. Le 5 décembre 1952, quatre mille personnes sont mortes, à Londres, pour avoir respiré (*v. t.* 呼吸) les poussières de ce genre de brouillard.

LECTURE

Le temps et l'espace

Quand Einstein, en 1921, débarqua pour la première fois en Amérique, à New York, il fut entouré par une foule de journalistes et de photographes.

《Il me semble que je suis une ... star de cinéma》, dit le savant en souriant. Les journalistes lui demandèrent d'abord d'expliquer en peu de mots ce qu'était sa théorie de la relativité. [1] Einstein répondit: 《Si vous ne prenez pas ma réponse trop au sérieux, mais la considérez comme une boutade, [2] je vous dirai ceci: jusqu'ici, on croyait que, si toutes les choses matérielles disparaissaient de l'Univers, le temps et l'espace, eux, demeureraient. [3] Suivant la théorie de la relativité, au contraire, le temps et l'espace disparaîtraient avec le reste. 》

Le temps et l'espace, donc, sont déterminés en fonction des corps célestes; s'ils existent, c'est parce que la Terre, le Soleil, les autres innombrables astres existent. Mais il y a plus. Le temps, par exemple, n'est pas une mesure absolue, ayant toujours la même valeur; celle-ci change avec les variations de la vitesse du corps sur lequel il est mesuré.[4]

Imaginons qu'un homme voyage sur une fusée à une vitesse supérieure à 200 000 km/s. Pour lui, le temps ralentirait considérablement par rapport à celui de la Terre.[5] Pourtant il ne s'en apercevrait pas; en effet, influencés par la vitesse, non seulement sa montre marcherait plus lentement, mais son cœur même battrait au ralenti;[6] en d'autres termes,[7] il pourrait vérifier que son cœur frappe les 70 pulsations normales à la minute comme il faisait sur la Terre, mais, pendant le temps d'une pulsation, des heures et des heures se seraient écoulées sur la Terre. Si cet homme revenait sur notre planète, après un an calculé à sa montre, il ne reconnaîtrait plus rien de ce qu'il avait laissé au départ[8] car, sur la Terre, se seraient écoulées des années et des années.

Une preuve de cette hypothèse peut s'obtenir en lançant un satellite ayant à son bord une horloge atomique (donc précise au maximum); celle-ci transmet alors, par signaux électro-magnétiques, ses battements qui sont comparés à ceux d'une montre sur la Terre. Après un certain temps, on peut noter un décalage entre les deux montres.

LEXIQUE

l'espace *n. m.* 空间
débarquer *v. i.* 下船,登陆
entourer *v. t.* 围住
photographe *n.* 摄影记者
la théorie 理论
la relativité 相对论
la boutade 俏皮话
disparaître *v. i.* 消失
l'univers *n. m.* 宇宙
suivant *prép.* 根据
les corps céleste 天体
innombrable *a.* 数不尽的
l'astre *n. m.* 星体
la mesure 度量(单位)
absolu, e *a.* 绝对的
la variation 变化,差异
la fusée 火箭
ralentir *v. i.* 减慢
battre *v. i.* (心脏)跳动
au ralenti *loc. adv.* 放慢速度

la pulsation 搏动,脉搏
la planète 行星,地球
calculer *v. t.* 计算
la preuve 证明
l'hypothèse *n. f.* 假设
le satellite (人造)卫星
l'horloge *n. f.* 钟
atomique *a.* 原子的
transmettre *v. t.* 传递
signal, signaux *n. m.* 信号
électro-magnétique *a.* 电磁的
le battement 跳动
comparer *v. t.* 比较
le décalage 差距

NOTES

1. expliquer en peu de mots ce qu'était sa théorie de la relativité:用三言两语解释一下他的相对论是怎么一回事。
2. Si vous ne prenez pas ma réponse trop au sérieux, mais la considérez comme une boutade. 如果你们不把我的回答看得过于认真,而是当作俏皮话的话。
   prendre *qch.* au sérieux: 认真对待;重视。
3. Si toutes les choses matérielles ... demeureraient. 假如一切物质的东西都从宇宙消失了,而时间和空间依然存在。
4. Le temps n'est pas ... sur lequel il est mesuré. 时间并非是一个数值始终不变的绝对度量单位;时间在哪个物体上测量,那么它的数值也随着那个物体速度的变化而变化。
   1) celle-ci = la valeur
   2) changer avec: 随…变化。
5. Imaginons qu'un homme ... par rapport de la Terre. 假定我们设想一个乘一枚火箭以每秒20万公里以上的速度飞行,对他来说,时间要比地球上的时间慢得多。
6. Son cœur même battrait au ralenti. 甚至他的心脏也跳得慢了。
7. en d'autres termes: 换句话说。
8. Si cet homme ... au départ. 如果这个人按他的手表计算一年后回到地球上,那么他对出发时所见的一切就什么也认不出来了。
   1) de ce qu'il avait laissé 作 rien 的补语。
   2) au départ: 出发时;起初。

LEÇON QUARANTE-DEUX

I. Points importants

1. Pierre, qui a travaillé pendant trois ans en Chine, connaît bien la vie du peuple chinois.
   Pierre, **ayant travaillé** pendant trois ans en Chine, connaît bien la vie du peuple chinois.
2. Après avoir fini mes devoirs, je suis allé au théâtre.
   Ayant fini mes devoirs, je suis allé au théâtre.
3. Comme elle s'était bien reposée, Marie a repris son travail.
   S'étant bien **reposée**, Marie a repris son travail.

II. Texte

Un butin de 1 million de dollars

Deux précautions valent mieux qu'une. [1] L'astucieux cambrioleur savait sans doute que M. et Mme Reynolds avaient quitté mardi soir leur appartement, avenue du Président Wilson, mais il voulait s'en assurer par un coup de téléphone. [2]

— Monsieur et Madame sont-ils ici? ... Non? ... Alors je rappellerai demain, dit le mystérieux correspondant à 20 h 30, à la femme de ménage, Mme Martinez. Ayant obtenu ce renseignement, il raccrocha précipitamment. [3]

Deux heures plus tard, [4] la porte de la chambre de Mme Martinez s'ouvrit brutalement. [5]

— Un homme est entré. Il avait un foulard sur le visage jusqu'à mi-nez. [6] Il m'a tirée par les cheveux et sortie du lit [7] en demandant: 《Où sont les bijoux de ta patronne?》 J'ai refusé de répondre, il m'a frappée brutalement.

Le cambrioleur obligea ensuite la jeune femme à l'accompagner jusqu'à la chambre de ses employeurs.[8] Une fouille méthodique lui permit de découvrir un véritable trésor：800 000 dollars en bijoux et 12 500 dollars en billets,[9] soit un butin de près de 1 million de dollars![10]

Ce n'est que trois heures plus tard que M. et Mme Reynolds, ayant découvert leur femme de ménage ligotée, alertèrent les policiers.

Aucune trace d'effraction n'ayant été retrouvée sur les portes,[11] on pense que c'est par les toits que le cambrioleur s'est introduit dans l'appartement de M. Morgan Reynolds.[12]

M. Reynolds, 66 ans, retraité depuis l'an dernier, ancien administrateur de plusieurs sociétés bancaires et industrielles américaines et de quelques compagnies d'assurances, réside le plus souvent en Floride,[13] mais passe généralement ses vacances d'été dans son appartement parisien.

LEXIQUE

NOMS

le butin 赃物,不义之财

le million 百万

la précaution 谨慎

le cambrioleur 盗贼

le président 总统,主席

correspondant, e 通话人

la femme de ménage 女佣人

le foulard 方围巾

les cheveux *n. m. pl.* 头发

le lit 床

le bijou, des bijoux 首饰

la jeune femme 少妇

employeur, se 雇主

la fouille 搜寻

le dollar 美元

le billet 纸币

la trace 迹,迹象

l'effraction *n. f.* 撬门

administrateur, trice 管理人,董事

la société 公司,协会

la compagnie d'assurance 保险公司

Floride 佛罗里达

VERBES

se reposer *v. pr.* 休息

valoir mieux (que) 比…好

s'assurer *v. pr.* 弄清楚

rappeler *v. t.* 再打电话

raccrocher *v. i.* 挂断电话

s'ouvrir *v. pr.* 打开

frapper *v. t.* 打,击

obliger *v. t.* 强迫
découvrir *v. t.* 发现
ligoter *v. t.* 捆绑
alerter *v. t.* 报警
retrouver *v. t.* 重新找到
s'introduire *v. pr.* 进入
résider *v. i.* 居住

ADJECTIFS

astucieux, se 诡谲的
mystérieux, se 神秘的
méthodique 有次序地，细密地
aucun, e 任何的，某种的
retraité, e 退休的
bancaire 银行的

AUTRES

précipitamment *adv.* 匆忙地
brutalement *adv.* 剧烈地，粗暴地
soit *conj.* 即，等于说
généralement *adv.* 通常

NOTES SUR LE TEXTE

1. Deux précautions valent mieux qu'une. 加倍小心，万无一失。
   valoir mieux (que) 比…好；胜于…
2. Il voulait s'en assurer par un coup de téléphone. 他想打个电话证实此事。
   1) en = de cela，即 M. et Mme Reynolds avaient quitté ...
   2) un coup de téléphone：(打)电话。
3. Ayant obtenu ce renseignement, il raccrocha précipitamment. 得到这一情报后，他匆忙挂断电话。
   ayant obtenu 是复合过去分词，详见本课语法。
4. deux heures plus tard：两小时之后。
5. La porte s'ouvrit brutalement. 门被猛地打开了。
   s'ouvrir 表示被动意义。
6. Il avait un foulard sur le visage jusqu'à mi-nez. 他脸上的方围巾盖到鼻梁中部。
   mi 是前缀词，意为：一半，正中。
7. Il m'a tirée par les cheveux et sortie du lit. 他揪住我的头发，把我从床上拖下来。
   1) tirer *qn* par 拉住某人身体的一部位，例如：
   Il m'a tiré par le bras. 他拉住我的胳膊。

2) sortie du lit 是 il m'a sortie du lit 之省略。

sortir 在此作及物动词使用,表示:带出去;拉出;取出。

8. Le cambrioleur obligea ensuite la jeune femme à l'accompagner jusqu'à la chambre de ses employeurs. 随后,窃贼强迫女佣人陪他一直走进主人的卧室。

obliger *qn* à: 强迫某人做某事。

9. 800 000 dollars en bijoux et 12 500 dollars en billets: 价值 80 万美元的首饰和 12 500 美元的现金。

10. soit un butin de près de 1 million de dollars: 相当于近一百万美元的赃物。

soit 是连词,意为:即,等于说。

11. aucune trace d'effraction n'ayant été retrouvée sur les portes: 由于没有发现任何撬门的痕迹。

n'ayant été retrouvée 是复合过去分词的被动态形式。在此表示原因。

12. C'est par les toits que le cambrioleur s'est introduit dans l'appartement de M. Morgan Reynolds. 窃贼是从屋顶进入摩尔根·雷诺兹先生的住宅的。

par les toits 放在句首起强调作用。

13. Il réside le plus souvent en Floride. 他通常住在佛罗里达。

le plus souvent: 往往,通常。

MOTS ET EXPRESSIONS

1. **valoir** *v. i.*

1) 价值,值

Combien vaut cette montre? 这块手表多少钱?

Elle vaut 50 yuans. 50 元。

2) 有价值,有益处

Cela ne vaut pas la peine. 真不值得。

3) valoir mieux ... 比…好;胜过…

Votre appartement vaut mieux que le mien. 您的住房比我的好。

Il vaut mieux se taire que de dire des sottises. 沉默胜于讲蠢话。

2. **sortir** *v. t.* 带出去;拿出;拉出

Je vous prie de sortir votre voiture du garage. 请您把您的车从车库开出

来。

Il a sorti un livre de sa serviette et l'a posé sur le bureau. 他从书包里掏出一本书放在写字台上。

3. **refuser** *v. t.* 拒绝，拒绝接受

1) refuser *qch.*

refuser sa porte à *qn*：把某人拒之门外。

Plume refusa l'opération en disant qu'il devait écrire à sa mère. 普鲁姆拒绝做手术，说还得给他母亲写信。

2) refuser de ＋ *inf.*

Il a refusé de payer cette amende. 他拒付这笔罚金。

4. **obliger** *v. t.*

1) obliger *qn* 使承担义务

Le contrat oblige les deux parties. 契约使双方承担义务。

2) obliger *qn* à ＋ *inf.* 强迫；迫使

La nécessité l'a obligé à accepter ce travail. 他迫不得已接受了这个工作。

Rien ne l'oblige à intervenir dans le débat. 没有任何东西迫使他参加辩论。

3) être obligé de ＋ *inf.* 必须，被迫

Je suis obligé de vous faire cette remarque. 我不得不向您提这个意见。

5. **retrouver** *v. t.*

1) 重新找到

Les gendarmes ont retrouvé les criminels qui s'étaient évadés de la prison. 治安警察重新抓获越狱潜逃的罪犯。

Michel est tout heureux de retrouver son chat. 米歇尔找回他的猫，非常高兴。

2) 恢复

Il commence à retrouver la santé. 他开始恢复健康。

3) 看出；认出

On ne retrouve plus ce romancier dans ses dernières œuvres. 在这位作家的最近一些著作中，我们看不出他原来的风格了。

6. **introduire** *v. t.*

1) 带进

La secétaire l'a introduit dans le bureau du ministre. 女秘书把他带进部长的办公室。

Ces gens ont introduit des marchandises en fraude en France. 这些人把商品私运进法国。

2) 引入,导致

C'est lui qui a introduit cette réforme. 是他倡导了这项改革。

De nouveaux mots ont été introduits dans la langue. 一些新词引进语言。

3) s'introduire 进入;传入

Il s'introduit dans l'appartement par la fenêtre. 他从窗户进入住房。

Ces techniques se sont introduites au début du siècle. 这些技术是本世纪初传进来的。

GRAMMAIRE

I. 过去分词 (le participe passé) 的性数配合(小结)

1. 过去分词和助动词 avoir 或 être 配合使用,构成复合时态或被动态。这时,过去分词的性数变化如下:

1) 以 avoir 为助动词时,过去分词一般不变化,但如直接宾语在动词前面时,过去分词的性数应和直接宾语一致。例如:

Mes parents habitent à Beijing, je ne **les** ai pas vu**s** depuis deux ans. 我父母住在北京,我有两年没有看见他们了。

Quelle revue avez-vous lu**e**? 您看了什么杂志?

Combien de leçons avez-vous appris**es**? 你们学了几课?

Voilà **l'usine** que nous avons visité**e** hier. 这就是我们昨天参观过的工厂。

2) 以 être 为助动词时,过去分词的性数和主语一致。

Elles sont parties hier. 她们是昨天走的。

Toute la ville est détruite. 整座城市被毁。

3) 代动词:应区别两种情况:

——如果是表示自反或相互意义的代动词,过去分词的性数要和动词前面的直接宾语配合。例如：

Nous **nous** sommes lavé**s**. 我们洗脸。（自反代词 nous 是直接宾语）

Voilà **les lettres** qu'ils se sont écrit**es**. 这是他们互相写的信。（que 的先行词是 lettres）

——如果是被动意义或纯粹的代动词（动词不能离开自反代词，独立使用），过去分词的性数和主语一致。例如：

La porte s'est ouvert**e**. 门打开了。（被动意义）

Nous nous sommes souvenu**s** de ce voyage. 我们回想起这次旅行。（se souvenir 是纯粹代动词）

2. 过去分词独立使用，在句中作表语、定语或同位语时，要与有关的名词或代词的性数一致。例如：

La Chine est situé**e** dans l'est de l'Asie. 中国在亚洲东部。

Les fenêtres restent ouvert**es** toute la nuit. 窗户整晚都开着。

Voilà un article écrit（= qui a été écrit）par Xiao Wang. 这是小王写的一篇文章。

Nous accueillons des amis venu**s**（= qui sont venus）de différents pays du monde. 我们欢迎来自世界各国的朋友。

［注意］1. 及物动词的过去分词独立使用时，表示被动意义，如上例中的 écrit.

2. 以 être 作助动词构成复合时态的不及物动词，其过去分词独立使用时，表示主动意义，如上例中的 venus.

II. 复合过去分词（le participe passé composé）

1. **构成：** être 或 avoir 的现在分词加动词的过去分词。

主动态： demander → ayant demandé
arriver → étant arrivé
se lever → s'étant levé

被动态： faire → ayant été fait

2. **用法：** 复合过去分词实际上是现在分词的过去式，用法与现在分词基本相同。二者的区别只是时态的不同：现在分词表示和主要动词同时发生的动作，复合过去分词表示在主要动词之前已经完成的动作。

Bernard, ayant pris la parole, a quitté la salle. 贝尔纳发言后就离开了大厅。

(ayant pris = qui avait pris)

Ayant passé les examens, les étudiants sont rentrés chez eux. 学生们考完试后都回家了。

(ayant passé = après avoir passé)

(Etant) arrivés trop tard à la gare, ils ont manqué leur train. 他们到火车站太晚了,误了火车。

(arrivés = comme ils étaient arrivés)

[提示]法语的复合过去分词与英语的现在分词完成式在用法上大致相同:

Ayant terminé toutes mes lettres, je suis sorti.

(Having finished all my letters, I went out.)

Tout notre argent ayant été dépensé, nous nous sommes mis à chercher du travail.

(All the money having been spent, we started looking for work.)

EXERCICES

I. *Questions sur le texte*

1. Où les Reynolds habitent-ils à Paris?

____

2. Quand ont-ils quitté leur appartement ce jour-là?

____

3. Quand la porte de la chambre de Mme Martinez s'est-elle ouverte brutalement?

____

4. Comment le cambrioleur a-t-il sorti Mme Martinez du lit?

____

5. Qu'est-ce qu'il l'a obligée à faire ensuite?

____

6. Qu'est-ce que le cambrioleur a trouvé dans la chambre de Reynolds?

____

7. Quand les Reynolds ont-ils alerté la police?

____

8. Par où le cambrioleur s'est-il introduit dans l'appartement de Reynolds?

____

9. Qu'est-ce que vous savez sur M. Reynolds?

____

10. Est-ce qu'il habite souvent à Paris?

____

II. *Accordez, s'il le faut, les participes passés entre parenthèses*

1. Voilà les photos que nous avons (pris) ______ pendant le voyage.
2. La maison qu'il a (fait) ______ construire est très grande.
3. Combien de textes avez-vous (lu) ______?
4. La porte a été (ouvert) ______ par le cambrioleur.
5. Elle espère être (reçu) ______.
6. Nous allons rendre visite à des amis étrangers (arrivé) ______ hier à Beijing.
7. (Né) ______ dans une famille pauvre, elle ne pouvait pas aller à l'école.
8. Ils sont (parti) ______ sans nous avoir (dit) ______ au revoir.

III. *Mettez les verbes entre parenthèses au passé composé et faites attention aux accords des participes passés*

1. Ils (se rencontrer) ________ dans la rue et il (se dire) ________ bonjour.
2. Elles (se téléphoner) ________.
3. Je pense qu'elle (s'intéresser) ________ à cette exposition.
4. Marie (se souvenir) ________ d'avoir lu ce texte.
5. Comme ils (ne pas se voir) ________ depuis longtemps, ils (se poser) ________ beaucoup de questions.

IV. *Mettez les verbes entre parenthèses au participe présent ou au participe passé*

1. (être) ______ malade, le professeur n'est pas venu aujourd'hui.

2. Le ministre a répondu aux questions (poser) ______ par les journalistes étrangers.
3. Mme Reynolds a retrouvé ses bijoux (vendre) ______ par le cambrioleur.
4. Elle se sert d'une machine à laver (fabriquer) ______ à Hangzhou.
5. Il a acheté un livre (raconter) ______ la vie de Marie Curie.
6. Nathalie, (baisser) ______ la tête, ne répond pas tout de suite.
7. Le spectacle (terminer) ______, les spectateurs sont sortis du théâtre.
8. La voiture (être) ______ en panne, nous avons dû descendre et prendre un taxi.

V. *Transformez les phrases en employant le participe passé composé*

Ex: Après avoir visité le Temple du Ciel, les touristes vont au Palais d'Eté.
Ayant visité le Temple du Ciel, les touristes vont au Palais d'Eté.

1. Après avoir regardé la télévision, nous avons fait une promenade dans la rue.
____
2. Après avoir consulté un avocat, elle a changé d'avis.
____
3. Après avoir relu la lettre, elle l'a envoyée.
____
4. Après avoir réfléchi, il a pris la décision.
____
5. Après avoir pris ce médicament, elle s'est endormie.
____

VI. *Transformez les phrases d'après l'exemple*

Ex: Comme il avait obtenu une bourse, il est parti pour les Etats-Unis.
Ayant obtenu une bourse, il est parti pur les Etats-Unis.

1. Comme il avait payé l'addition, Duroc a quitté le restaurant.
____
2. Comme elle avait pris froid, Marie est obligée de rester au lit.
____

3. Comme il s'était bien reposé, Pierre s'est remis à travailler.

____

4. Comme elle s'était trompé de route, Mme Li est arrivée en retard.

____

5. Comme ils ne s'étaient pas vus depuis longtemps, ils étaient très contents de se retrouver.

____

VII. *Traduisez les phrases suivantes en français*

1. 战争迫使她放弃了学习。

____

2. 他抓住我的胳膊对我说:"别一个人出去,这太危险了。"

____

3. 由于没有得到任何答复,她只好重新写了一封信,并直接寄给公司总经理。

____

4. 如果我要报警,应该拨哪个号码?

____

5. 只是在一星期之后,他才得知他父亲去世的消息。

____

6. 由于在北京工作了多年,玛丽回国后很想写一本描述北京人生活的书。

____

VIII. *Traduisez en chinois*

LECTURE

Le cambrioleur de l'avenue du Président-Wilson

Agé de 66 ans, retraité depuis l'an dernier, ancien administrateur de plusieurs sociétés bancaires et industrielles américaines et de quelques compagnies d'assurances, résidant le plus souvent à Miami (Floride), mais habitué à passer ses vacances estivales dans son appartement du seizième, Mr Reynolds eut une bien fâcheuse surprise lorsque, au retour d'une grande réception,[2] il rentrait, en compagnie de son épouse, à son domicile vers 2 heures du matin, et découvrait le boudoir proche de l'entrée entièrement dévasté, les tiroirs des meubles arrachés, vidés de leur contenu.[3]

Pénétrant dans la chambre conjugale, il découvrait de surcroît, la femme de chambre, Mme Martinez, 32 ans, bâillonnée, ligotée sur le lit, encore toute tremblante de peur.

EXERCICES DE REVISION

(Leçon 37 — Leçon 42)

I. *Mettez les infinitifs au subjonctif présent*

1. Je veux que vous (prendre) ______ seul votre décision.
2. Il faut que vous (étudier) ______ tous ces documents pour mieux saisir l'affaire.
3. Ma femme est heureuse que vous (faire) ______ cela pour elle.
4. Je ne crois pas que ses invités (pouvoir) ______ venir ce soir.
5. Voudriez-vous que je vous (dire) ______ la vérité?
6. Il est possible qu'il (ne pas savoir) ______ comment monter cette machine.
7. Elle a peur que nous (partir) ______ sans elle.
8. Jacques craint que son amie ne lui (être) ______ pas fidèle (忠诚).
9. Tout le monde est fâché (恼火) qu'il (pleuvoir) ______ sans cesse.
10. Le patron demande qu'on (finir) ______ cette querelle (争吵).

II. *Mettez les verbes au temps et au mode convenables*

1. Le professeur espère que les élèves (comprendre) ________ ce qu'il dira.
2. Je suis certain que vous (avoir) ________ raison.
3. Je ne pense pas qu'il (pouvoir) ________ réussir.
4. Quoi que vous (faire) ________, il y a toujours des mécontents.
5. Quel que (être) ________ son problème, aidez-le!
6. Ils jouent aux cartes (bavarder) ________ .
7. Il était très satisfait qu'elle (comprendre) ________ cela.
8. Je regrette beaucoup que son appartement (cambrioler) ________ deux

foix en trois mois.

III. *Refaites les phrases suivantes en employant le participe présent, le gérondif ou le participe passé composé*

1. Il ne faut pas parler quand on mange.

____

2. Quand il descendit du train, il vit sa fiancée (未婚妻) qui l'attendait.

____

3. Comme elle a des achats à faire, elle demande un congé au directeur.

____

4. Quand vous sortez, n'oubliez pas de fermer la porte à clé.

____

5. Comme il avait terminé son travail, il est rentré chez lui.

____

6. On cherche le chemin qui conduit à la Colline parfumée (香山).

____

7. Je n'ai pas pu répondre à cette question, parce que je n'avais pas appris cette leçon.

____

8. Après avoir ligoté le voleur, Marc téléphone à la police.

____

9. Comme il s'était couché très tard, il n'a pas pu se réveiller à six heures le lendemain matin.

____

10. Il ne sait pas comment faire ces exercices et il demande à son camarade de l'aider.

____.

IV. *Répondez avec un pronom relatif composé*

Ex: Sur quel sujet parle-t-il?

Voilà le sujet sur lequel il parle.

1. Dans quel laboratoire a-t-on fait ces recherches?

Voilà ____________________

2. A quels matchs vous intéressez-vous?

Voilà ____________________

3. A quelle réunion ont-ils assisté?

Voilà ____________________

4. Dans quel hôpital vous êtes-vous fait soigner?

Voilà ____________________

5. Dans quel lycée avez-vous fait vos études?

Voilà ____________________

V. *Complétez les phrases suivantes*

1. Le médecin demande ______ sont les parents de cet enfant.
2. Pouvez-vous me dire ______ habite dans cette maison?
3. Dites-moi ______ habitent ces gens.
4. Je ne sais pas ______ je peux faire pour vous.
5. Je vais vous montrer la photo ______ il a parlé.
6. Dites-moi ______ vous avez besoin.
7. Dites-lui les problèmes ______ vous réfléchissez.
8. Il y a beaucoup de pays ______ j'aimerais aller.
9. Il y a beaucoup de pays ______ j'aimerais visiter.
10. Il y a beaucoup de pays ______ j'aimerais apprendre les langues.

VI. *Transformez d'après l'exemple*

Ex: Grâce à son aide, j'ai pu trouver un travail.

Sans son aide, je n'aurais pas pu trouver ce travail.

1. Grâce à vos encouragements, j'ai pu oser lui en parler.

____

2. Grâce à votre appareil, j'ai pris de bonnes photos.

____

3. Grâce à ce chien, les policiers ont arrêté les voleurs qu'ils recherchaient.

____

4. Grâce aux livres que vous m'avez prêtés, j'ai trouvé la solution du

problème.

____

5. Grâce à cette voiture, ils sont arrivés à temps.

____

6. Grâce aux antibiotiques (抗菌素), un grand nombre de maladies ont été guéries.

____

VII. *Transformez les phrases suivantes*

Ex: Elle a pris froid, parce qu'elle n'avait pas mis son manteau.

Si elle avait mis son manteau, elle n'aurait pas pris froid.

1. Il est tombé, parce qu'il n'avait pas fait attention.

____

2. Je n'ai pas assisté à la soirée, parce que je n'avais pas reçu d'invitation.

____

3. Le professeur a critiqué Paul, parce qu'il n'avait pas fait ses devoirs.

____

4. Ils n'ont pas acheté de cassettes, parce qu'ils n'avaient pas assez d'argent.

____

5. Elle n'est pas venue, parce qu'elle n'avait pas fini son article.

____

6. Ils sont arrivés en retard, parce qu'ils n'avaient pas pris le métro.

____

VIII. *Transformez les phrases avec le pronom relatif composé*

1. Il regarde le mur; sur ce mur il y a un tableau de Picasso.

____

2. Il ouvre la valise; dans cette valise il a mis des bijoux.

____

3. Marie nous a présenté ses amis; elle avait fait un stage avec eux.

____

4. Ce sont de nouveaux règlements; on doit faire attention à ces règlements.

____

IX. *Choisissez parmi les mots proposés*

1. Vous pouvez venir travailler dans notre bureau, ______ vous ne fumiez plus.

   A. bien que C. à condition que

   B. pour que D. parce que

2. ______ il fasse, il se débrouille toujours très bien.

   A. quel que C. qui que

   B. quoi que D. quoique

3. Je n'aime pas ______ seul.

   A. que je travaille C. travaillant

   B. travailler D. en travaillant

4. J'aimerais savoir ______ voulait le patron.

   A. ce que C. ce qui

   B. que D. ce qu'il

5. Voilà ______ j'ai besoin.

   A. ce que C. ce dont

   B. ce qui D. celui

6. Il faut que quelqu'un m'explique les problèmes ______ on a parlé hier.

   A. que C. auxquels

   B. où D. dont

7. Elle a fini ce travail toute seule, ______ ses amis l'aient aidée.

   A. à condition que C. pourvu que

   B. avant que D. sans que

8. On arrivera plus tôt ______ par ce village.

   A. en passant C. passer

   B. passant D. passe

X. *Traduisez les expressions suivantes en français*

1. 延长假期 ________________
2. 在…遮蔽下 ________________
3. 提炼镭的专利 ________________
4. 降价 ________________
5. 世俗婚姻 ________________
6. 保险公司 ________________
7. 消费社会 ________________
8. 抓住某人的头发 ________________

XI. *Traduisez le texte suivant en chinois*

La télévision et la presse

Avant la télévision, c'était le journal qui racontait l'événement. C'était lui qui donnait connaissance au lecteur de tout ce qui arrivait dans la vie nationale et internationale. Avant la télévision on achetait un journal pour《savoir》.

Maintenant ce rôle d'informateur appartient à l'image électronique. Le téléspectateur voit sur le petit écran la vie du Monde, et parfois au moment où elle se produit. Donc, le téléspectateur sait déjà, avant la parution du journal, tout ce qui se passe. Par conséquent, il n'achètera un journal que si celui-ci lui donne la possibilité de savoir davantage, et surtout de comprendre l'événement, de l'analyser, de prévoir ses développements.

Bref, le journal ne doit pas apprendre ce qui est, mais l'expliquer, le commenter.

COURS DE NIVEAU 2

中级教程

LEÇON QUARANTE-TROIS

Dopage: un des problèmes du sport

Tout le monde en parle. Tout le monde le sait. Les sportifs se droguent. L'an dernier, Martin. Aujourd'hui, Berg. Même les《grands》se font prendre.[1]

Tout est bon pour parvenir à de meilleurs résultats ou battre des records,[2] et beaucoup de sportifs acceptent cette《obligation》.

Il y a 25 ans, les athlètes se contentaient de faire des exercices de musculation. Aujourd'hui, pour réaliser des exploits toujours plus prodigieux, on a recours à des méthodes《scientifiques》.[3]

L'industrie pharmaceutique crée sans cesse de nouveaux produits efficaces pour soigner les malades, mais qui peuvent devenir très dangereux quand ils sont utilisés à d'autres fins.

La lutte contre le dopage a commencé en 1960: ce sont des médecins qui ont découvert avec surprise le contenu des valises de certains sportifs. La campagne menée depuis a pu aboutir à la loi antidopage du 1er juin 1965.[4]

Mais les produits ne sont pas toujours faciles à découvrir: un médicament vraiment nouveau peut échapper aux analyses. Alors, pour la plupart des sportifs, l'essentiel, c'est de ne pas se faire prendre.

Qui est responsable? Pourquoi les sportifs trichent-ils? Il faut souvent accuser l'entourage des athlètes: les dirigeants, les entraîneurs qui n'hésitent pas à encourager le dopage. Et surtout, les sportifs d'aujourd'hui trouvent qu'on leur demande trop. Cette année, par exemple, le Tour de France[5] a obligé les coureurs à faire des efforts qu'ils estimaient anormaux: ils sont allés au-delà de leurs limites;[6] ils ont traversé les Alpes, les Pyrénées, le Massif Central, avec, entre les étapes, des déplacements continuels en voiture, en chemin de fer.[7] Arrivés tard le soir, ils n'avaient même plus le temps de dormir ...

Bien sûr, ils aiment le public, ils comprennent son goût pour la compétition. Mais le Tour de France est sur le point de devenir selon eux, complètement inhumain,[8] car les dirigeants, pour maintenir l'intérêt des spectateurs, refusent d'alléger les épreuves ...

LEXIQUE

NOMS

le dopage (体育比赛中)使用兴奋剂
sportif, ve 运动员
le record 记录
l'obligation *n. f.* 义务,职责
athlète 运动员,田径运动员
la musculation 肌肉锻炼
l'exploit *n. m.* 战绩;功劳;成绩
la lutte 斗争,对抗
le contenu 内盛物;内容
la campagne 运动
la loi 法律,法令
le médicament 药品
l'analyse *n. f.* 分析
l'entourage *n. m.* 接近的人们,亲友
le dirigeant 领导人
l'entraîneur *n. m.* 教练
coureur, se 赛跑运动员
l'effort *n. m.* 努力,用力
la limite 限度,极限
le déplacement 迁移,移动,旅行
le goût 爱好,兴趣
la compétition 比赛;竞争
l'épreuve *n. f.* 比赛;考核
spectateur, trice 观众

VERBES

se droguer *v. pr.* 服麻醉(药)品
se contenter (de) *v. pr.* 满足于
aboutir (à) *v. t.* 通向,导致
tricher *v. i.* 作弊
accuser *v. t.* 谴责;控诉
encourager *v. t.* 鼓励,支持
traverser *v. t.* 横穿过;通过
alléger *v. t.* 减轻,减轻负担

ADJECTIFS

prodigieux, se 惊人的,出奇的
pharmaceutique 制药的
efficace 有效的
antidopage 反对使用兴奋剂的
anormal, e (anormaux) 异常的;不公正的
continuel, le 连续的,经常的
inhumain, e 不人道的,无情的

AUTRES

au-delà de *loc. prép.* 在…以外,超过

sur le point de *loc. prép.* 正要,即将

NOTES SUR LE TEXTE

1. Même les《grands》se font prendre. 甚至连"明星运动员"也被查出(服用了兴奋剂)。

   se faire prendre:被抓住,被查出。
2. battre des records:打破记录。
3. On a recours à des méthodes《scientifiques》. 人们救助于"科学"的方法。

   avoir recours à *qch.*:求助于,依靠…
4. La campagne menée depuis a pu aboutir à la loi antidopage du 1er juin 1965. 此后开展的那场运动以 1965 年 6 月 1 日颁布"反对使用兴奋剂法"而告终。

   depuis 在此作副词使用,意为:从此以后,此后。

   aboutir à *qch.*:通向;导致;以…为结果。
5. le Tour de France:环法自行车赛。世界上著名的自行车比赛,1903 年由法国自行车运动员、记者德格朗热(H. Desgrange)发起。每年六、七月间举行,赛程约 4 000 公里,包括平地和山路。比赛分阶段计时,各阶段累计时间最少者为优胜。
6. Ils sont allés au-delà de leurs limites.(他们)已超过了自己体力所能及的限度。
7. avec, entre les étapes, des déplacements continuels en voiture, en chemin de fer. 在各段比赛之间,(运动员)乘汽车、火车,日夜兼程。

   les étapes 比赛中的各个阶段。

   en chemin de fer 指乘火车赶路。
8. Mais le Tour de France est sur le point de devenir, selon eux, complètement inhumain. 他们认为,环法自行车赛快变成极不人道的比赛了。

   selon eux:据参赛运动员的看法…

LA FORMATION DES MOTS FRANÇAIS

法语构词法

法语词汇的构成是有一定规律可循的。对这些规律略知一二,有助于增强我

们的理解力,巩固和扩大词汇量。但法语构词法体系庞大,种类繁多,本书仅就最基本的构词知识,作简单介绍。

LA CONVERSION

转化构词法

词形不变,改变一个词所属的词类,称为转化构词法。如本课课文中:essentiel 原是形容词,在 l'essentiel, c'est de ne pas se faire prendre 中作名词;depuis 是介词,而在 la campagne menée depuis a pu aboutir à la loi antidopage ... 中作副词使用。转化构词法主要有以下几种:

1. **形容词→名词**

   malade *a.*(患病的)→ malade *n.*(病人)

   jeune *a.*(年轻的)→ jeune *n.*(年轻人)

2. **动词不定式→名词**

   pouvoir *v. t.*(能够)→ le pouvoir(权力)

   vivre *v. i.*(生存)→ les vivres(粮食、食物)

3. **现在分词→名词、形容词或介词**

   habitant → un habitant(居民)

   passant → un passant(过路人)

   C'est une histoire **touchante.** 这是一个动人的故事。(转化为形容词)

   suivant cette théorite ... 根据这一理论…(转化为介词)

4. **过去分词→名词或形容词**

   sorti(e) → la sortie(出口,外出)

   reçu → un reçu(收据)

   La fenêtre est **ouverte** toute la nuit. 窗户整夜都开着(转化为形容词)

   L'Algérie est **située** en Afrique du Nord. 阿尔及利亚地处北非(转化为形容词)

5. **介词→副词**

   Nous en reparlerons **après.** 我们以后再谈此事吧。

   Il prit son fusil et s'en alla **avec.** 他拿起步枪就走了。

EXERCICES

I. *Choisissez la meilleure réponse d'après le texte* 根据课文,选择最佳答案。

1. Tout le monde en parle.

   A. Tout le monde parle du sport.

   B. Tout le monde parle des problèmes du sport.

   C. Tout le monde parle du fait que les sportifs se droguent.

2. Tout est bon pour parvenir à de meilleurs résultats.

   A. Rien n'est mauvais pour ...

   B. Tous les moyens sont utilisés pour ...

   C. Rien n'est interdit pour ...

3. 《l'industrie pharmaceutique》signifie:

   A. les fabricants de médicaments

   B. les médecins et les pharmaciens

   C. les pharmaciens

4. Mais les produits ne sont pas toujours faciles à découvrir.

   Dans cette phrase,《découvrir》signifie:

   A. inventer

   B. créer

   C. déceler

5. Il faut souvent accuser l'entourage des athlètes.

   《L'entourage》veut dire:

   A. les dirigeants et les entraîneurs

   B. les dirigeants, les entraîneurs et les sportifs.

   C. la famille et les amis

6. 《maintenir l'intérêt des spectateurs》 signifie:

   A. protéger les droits des spectateurs

   B. éviter que les spectateurs s'ennuient

   C. s'intéresser aux spectateurs

II. *Relevez dans le texte les mots et expressions relatifs au sport* 挑选课文中与

"体育"有关的词和句型

Ex：le sport，de meilleurs résultats，battre des records

__________ __________ __________

__________ __________ __________

__________ __________ __________

III. *Relevez dans le texte les mots et expressions relatifs à la médecine* 挑选课文中与"医学"有关的词和句型

Ex：se droguer，l'industrie pharmaceutique

__________ __________ __________

__________ __________ __________

IV. *Choisissez le mot juste* 选择正确的词

1. En Occident，la couleur du deuil est ______.

   A. le rouge　B. le blanc　C. le noir

2. Les trois couleurs du drapeau français sont ______，le blanc et le rouge.

   A. le bleu　B. le jaune　C. le vert

3. Le jaune mélangé au ______ donne le vert.

   A. noir　B. rouge　C. bleu

4. ______ et le faux sont parfois difficiles à distinguer.

   A. Le bon　B. Le vrai　C. Le beau.

5. Le professeur était fort embarrassé（为难的）par ______ de ces élèves curieux.

   A. les pourquoi　B. les oui　C. les mais

6. Tout le monde a ______ d'aider celui qui est en difficulté.

   A. le pouvoir　B. le savoir　C. le devoir

V. *Complétez les phrases en employant un des mots proposés*

avant	avec	depuis
après	près	devant

1. M. Roux habite tout ______，à deux pas d'ici.
2. Il travaille très ______ dans la nuit.
3. Les officiers marchaient ______.

4. Paul est allé en Amérique en 2003, et je n'ai pas eu de ses nouvelles ______.
5. Pierre a sorti un crayon de sa poche et s'est mis à écrire ______.
6. Réfléchissez d'abord vous-même, je vous donnerai la réponse ______.

VI. *Formez six phrases avec les mots proposés*

1. sportif, ve *n.* ______________________________
2. sportif, ve *adj.* ______________________________
3. dîner *v. i.* ______________________________
4. dîner *n. m.* ______________________________
5. passant *n. m.* ______________________________
6. passant (*participe présent*) ______________________________

VII. *Version*

Traduisez le passage de la lecture suivante:《Quand nous avons ... avec des airs de martyrs》.

LECTURE

A bas la télé!

Nous avons longtemps hésité à acheter un poste de télévision à cause de nos voisins, les Fournier. Il y a deux ans, c'était la famille la plus unie du monde. Le soir au dîner, les enfants racontaient ce qu'ils avaient fait dans la journée. Mme Fournier qui travaillait à mi-temps avait toujours quelque chose d'intéressant à dire et les remarques pleines d'humour du père faisaient la joie de tous.[1] Tout a changé l'année dernière, quand nos voisins ont acheté un téléviseur qu'ils ont installé dans leur salle à manger. Personne n'accordait plus d'attention à l'excellente cuisine de Mme Fournier.[2] Le choix des programmes est devenu le seul sujet de conversation. Jacqueline est une passionnée, une fanatique de《Monte-Carlo》,[3] son frère n'aime que la première chaîne;[4] leur mère voudrait bien regarder de temps en temps la deuxième chaîne. Quant au père, il mange au plus vite pour aller lire le journal dans sa chambre.

Quand nous avons, à notre tour, décidé d'acheter un poste, nous étions tous d'accord pour le mettre dans le salon et non dans la salle à manger: rien ne devait détruire l'harmonie du repas familial.[5] Résultat: la situation est pire que chez nos voisins. Tantôt c'est mon plus jeune fils qui mange froid[6] parce qu'il veut voir la fin du western, tantôt c'est mon fils aîné qui quitte la table au milieu du repas pour ne pas manquer le début du feuilleton. Mes enfants qui adoraient la natation et le tennis ne font presque plus de sport. Leur travail scolaire, comme leur santé, souffrent du trop grand nombre d'heures consacrées à la télévision. Si mon mari décide qu'il y aura un soir sans télé, nous passons une triste soirée en face de deux enfants silencieux et inactifs qui nous regardent avec des airs de martyrs.[7]

LEXIQUE

à bas *loc. interj.* 打倒
uni, e *a.* 和睦的
l'humour *n. m.* 幽默
fanatique *n.* 狂热爱好者
l'harmonie *n. f.* 和谐,一致
western *n. m.* （美国电影的）西部片
le feuilleton 电视连续剧
adorer *v. t.* 喜欢,热爱
la natation 游泳
le tennis 网球
martyr, e *n.* 受虐待者,受痛苦的人

NOTES

1. Mme Fournier qui travaillait à mi-temps ... la joie de tous. 富尼埃太太半天工作,她总有些趣事可说。而富尼埃先生那充满幽默感的见解使全家喜悦欢乐。

   1) à mi-temps *loc. adv.* 半天班

   travailler à mi-temps: 半日制工作;全日制工作则为:travailler à plein temps

2) quelque chose d'intéressant: 有趣的事。

quelque chose 是泛指代词;形容词修饰它时,要加介词 de,而且形容词使用阳性、单数。

3) plein(e) de: 充满…的。

plein 是形容词,要与所修饰的成分性、数一致。

2. Personne n'accordait plus d'attention à l'excellente cuisine de Mme Fournier. 再没有人注意富尼埃太太的精美菜肴。

1) personne ne ... :没有一个人…

2) accorder de l'attention à *qch*. : 关心某事;重视某事。

3. Jacqueline est une passionnée, une fanatique de《Monte-Carlo》. 雅克琳非常喜欢蒙特卡洛台,简直是入了迷。

Monte-Carlo: 蒙特卡洛。摩纳哥电视台。

4. la première chaîne: 电视一台。即 T. F. 1.

5. Rien ne devait détruire l'harmonie du repas familial. 任何东西都不应该破坏全家聚餐时的和谐气氛。

rien ne ... : 没有任何东西…

6. manger froid: 吃冷饭。

froid 在这里是副词。

7. Si mon mari décide ... avec des airs de martyrs. 每当我丈夫决定某一个晚上不看电视时,我们就得度过一个凄凉的夜晚。孩子们沉默不语,毫无情绪,用一种受罪的神情看着我们。

si 在这里不表示条件,而相当于 quand.

LEÇON QUARANTE-QUATRE

La fierté de mon père

Lorsque ma mère allait au marché, elle me laissait au passage dans la classe de mon père, qui apprenait à lire à des gamins de six ou sept ans. Je restais assis, bien sage, au premier rang et j'admirais la toute-puissance paternelle. Il tenait à la main une baguette de bambou:[1] elle lui servait à montrer les lettres et les mots qu'il écrivait au tableau noir, et quelquefois à frapper sur les doigts d'un cancre inattentif.

Un beau matin,[2] ma mère me déposa à ma place, et sortit sans mot dire, pendant qu'il écrivait magnifiquement sur le tableau: 《La maman a puni son petit garçon qui n'était pas sage. 》

Tandis qu'il arrondissait un admirable point final, je criai: 《Non! Ce n'est pas vrai! 》

Mon père se retourna soudain, me regarda stupéfait,[3] et s'écria: 《Qu'est-ce que tu dis? 》

— Maman ne m'a pas puni! Tu n'as pas bien écrit!

Il s'avança vers moi:

— Qui t'a dit qu'on t'avait puni?

— C'est écrit.

La surprise lui coupa la parole un moment.[4]

— Voyons, voyons, dit-il enfin, est-ce que tu sais lire?

— Oui.

— Voyons, voyons ... répétait-il.

Il dirigea la pointe du bambou vers le tableau noir.

— Eh bien, lis.

Je lus la phrase à haute voix.[5]

Alors, il alla prendre un abécédaire, et je lus sans difficulté plusieurs pages ...

Je crois qu'il eut ce jour-là la plus grande joie, la plus grande fierté de sa vie.

Lorsque ma mère survint, elle me trouva au milieu de quatre instituteurs,[6] qui avaient renvoyé leurs élèves dans la cour de récréation, et qui m'entendaient déchiffrer lentement l'histoire du Petit Poucet ... Mais au lieu d'admirer cet exploit, elle pâlit, déposa ses paquets par terre, referma le livre, et m'emporta dans ses bras, en disant:《Mon Dieu! mon Dieu! ...》

Sur la porte de la classe, il y avait la concierge qui était une vieille femme corse: elle faisait des signes de croix.[7] J'ai su plus tard que c'était elle qui était allée chercher ma mère, en l'assurant que《ces messieurs》allaient me faire《éclater le cerveau》.

A table, mon père affirma qu'il s'agissait de superstitions ridicules, que je n'avais fourni aucun effort, que j'avais appris à lire comme un perroquet apprend à parler, et qu'il ne s'en était même pas aperçu. Ma mère ne fut pas convaincue, et de temps à autre elle posait sa main fraîche sur mon front et me demandait:《Tu n'as pas mal à la tête?》

Non, je n'avais pas mal à la tête, mais jusqu'à l'âge de six ans, il ne me fut plus permis d'entrer dans une classe, ni d'ouvrir un livre,[8] par crainte d'une explosion cérébrale. Elle ne fut rassurée que deux ans plus tard, à la fin de mon premier trimestre scolaire,[9] quand mon institutrice lui déclara que j'étais doué d'une mémoire surprenante,[10] mais que ma maturité d'esprit était celle d'un enfant au berceau.[11]

D'après Marcel PAGNOL[12]

La gloire de mon père

LEXIQUE

NOMS

la fierté 自豪,骄傲
le marché 市场,集市
le rang 一排,一行
la toute-puissance 万能,至高无上的权力
la baguette 小棒;筷子
le bambou 竹子
la lettre 字母;信
le cancre (俗)又懒又笨的学生
le point final 句号
la parole 话,话语
la pointe 尖端
l'abécédaire *n. m.* 识字读本
la cour de récréation 操场
Dieu 上帝
la croix 十字,十字架
le cerveau 大脑
la superstition 迷信
le perroquet 鹦鹉
le front 前额
l'explosion *n. f.* 爆炸
le trimestre 季度;学期
la mémoire 记忆力,记性
la maturité 成熟
l'esprit *n. m.* 智力,头脑
le berceau 摇篮

VERBES

admirer *v. t.* 钦佩,仰慕
déposer *v. t.* 放下,放置
punir *v. t.* 惩罚
arrondir *v. t.* 使成圆形
crier *v. i.* 喊叫
se retourner *v. pr.* 转身
s'écrier *v. pr.* 大声说
s'avancer *v. pr.* 向前移动
couper *v. t.* 打断,使中断
diriger *v. t.* 指向
survenir *v. i.* 突然来到
renvoyer *v. t.* 送回,打发
déchiffrer *v. t.* 辨认,辨读
pâlir *v. i.* 脸色变得苍白
refermer *v. t.* 再关闭
assurer *v. t.* 肯定,使某人相信
éclater *v. i.* 爆炸
affirmer *v. t.* 断言,肯定
rassurer *v. t.* 使安心,使放心

ADJECTIFS

sage 乖的,听话的;聪明的
paternel, le 父亲的
inattentif, ve 不专心的
stupéfait, e 惊呆的
corse 科西嘉的
ridicule 可笑的,荒谬的
cérébral, e 大脑的

doué, e 有天赋的,有才能的

surprenant, e 惊人的

AUTRES

magnifiquement *adv.* 出色地,绝妙地

de temps à autre *loc. adv.* 不时地

par crainte de *loc. prép.* 担心

NOTES SUR LE TEXTE

1. Il tenait à la main une baguette de bambou. 他手持一根细竹棍。

   à la main 作方式状语。法语中一般不说 sa main tenait *qch.* 而用 il tenait à la main *qch.* 这种形式。

2. un beau matin: 一天早晨。

   beau 在此没有"美好,晴朗"的含义,仅仅表示"某一天;某一个"。

3. Mon père se retourna soudain, me regarda stupéfait. 我父亲猛地转过身,吃惊地看着我。

   stupéfait 作主语的同位语,修饰 mon père.

4. La surprise lui coupa la parole un moment. 他吃惊得半天说不出话来。

   couper la parole à *qn*: 打断某人的话,使某人说不出话来。

   un moment = pendant un moment

5. Je lus la phrase à haute voix. 我高声朗读这个句子。

   à haute voix: 高声地,大声地。

6. Elle me trouva au milieu de quatre instituteurs. 她看到我待在四位教师中间。

   me 作 trouver 的直接宾语; trouver *qn* + 地点状语,表示:看到某人在某处。

7. Elle faisait des signes de croix. 她(用手)划着十字。

8. Il ne me fut plus permis d'entrer dans une classe, ni d'ouvrir un livre. 从此,再也不许我走进教室,不许看书。

   il est permis à *qn* de faire *qch.*: 允许某人做某事。

   这是一个无人称句。

9. à la fin de mon premier trimestre scolaire: 在我第一学期的学习结束时…

   trimestre 指一年分为三学期的学制中的一个学期。根据法国这一学制,暑假后开学到圣诞节前为第一学期,圣诞节后到复活节前(四月初)为第二学期,复活节后到暑假为第三学期。

10. J'étais doué d'une mémoire surprenante. 我有着惊人的记忆力。

être doué(e) de：具有，富有…

11. Ma maturité d'esprit était celle d'un enfant au berceau. 但我的智力发育仍处于婴幼儿水平。

    un enfant au berceau：躺在摇篮里的小孩儿，婴幼儿。

12. Marcel Pagnol：马赛尔·帕尼奥尔(1895—1974)，法国剧作家、电影剧本作家、评论家。本文选自他的三部自传体小说：《我父亲的光荣》、《我母亲的城堡》、《秘密的时代》中的第一部。他早期的戏剧作品《窦巴兹》1982 年曾在我国上演。

LA PRÉFIXATION

前缀构词法

在一个词的前面加上前缀，构成新词，称为前缀构词法。如本课课文中：inattentif 是由 attentif 加前缀 in 构成，déposer 由 poser 加前缀 dé 构成，récréation 由 création 加前缀 ré 构成。前缀构词具有强化或改变词义的功能，但不改变词类。常见的前缀及其含义：

1. **in-, im-, ir-** 表示"否定"

   connu *a.*（认识的）→ inconnu（陌生的）

   possible *a.*（可能的）→ impossible（不可能的）

   réel *a.*（真实的）→ irréel（不真实的）

2. **dé-, dés-** 表示"解除，分开"

   charger *v. t.*（装货）→ décharger（卸货）

   camper *v. t.*（安营）→ décamper（撤营）

   accord *n. m.*（和睦）→ désaccord（不和）

3. **re-, ré-** 表示"再次，重新"

   chercher *v. t.*（寻找）→ rechercher（再次寻找）

   unifier *v. t.*（统一）→ réunifier（重新统一）

4. **sur-** 表示"超越，高于"

   production *n. f.*（生产）→ surproduction（生产过剩）

   estimer *v. t.*（估计）→ surestimer（过高估计）

   réalisme *n. m.*（现实主义）→ surréalisme（超现实主义）

5. **pré-** 表示"在…之前"

histoire *n. f.* (历史)→ préhistoire (史前史)

avis *n. m.* (通知)→ préavis (预先通知)

6. **co-** 表示"共同"

auteur *n. m.* (作者)→ coauteur (合著者)

habiter *v. t.* (居住)→ cohabiter (同居)

opération *n. f.* (活动,操作)→ coopération (合作)

7. **anti-** 表示"反抗,反对"

dopage *n. m.* (使用兴奋剂的)→ antidopage (反对使用兴奋剂的)

aérien *a.* (空中的)→ antiaérien (防空的)

8. **mal-, mé-** 表示"相反,不"

heureux *a.* (幸福的)→ malheureux (不幸的)

content *a.* (高兴)→ mécontent (不高兴)

honnête *a.* (诚实的)→ malhonnête (不诚实的)

9. **auto-** 表示"自身,自动"

contrôle *n. m.* (控制)→ autocontrôle (自动控制)

défense *n. f.* (保卫)→ autodéfense (自卫)

10. **télé-** 表示"遥远的","电视的"

commander *v. t.* (指挥)→ télécommander (遥控)

spectateur *n. m.* (观众)→ téléspectateur (电视观众)

EXERCICES

I. *Choisissez la meilleure réponse d'après le texte* 根据课文选择最佳答案

1. un beau matin veut dire:
   - A. un matin
   - B. un matin où il fait beau
   - C. au beau milieu de la matinée
2. Il arrondissait un admirable point final.

   《arrondissait》 veut dire:
   - A. écrivait très soigneusement
   - B. rendait rond

C. dessinait un cercle

3. La surprise lui coupa la parole un moment.

《un moment》 veut dire：

A. tout de suite après

B. juste avant

C. pendant un certain temps

4. Il ne s'en était même pas aperçu.

A. Il ne s'était pas aperçu que mon cerveau allait éclater.

B. Il ne s'était pas apeçu que je parlais comme un perroquet.

C. Il ne s'était pas aperçu que j'avais appris à lire.

5. J'étais doué d'une mémoire surprenante.

A. J'étais doué parce que j'avais une mémoire surprenante.

B. J'avais une mémoire surprenante.

C. Grâce à ma mémoire surprenante, j'étais doué.

II. *Dites* vrai *ou* faux *d'après le texte* 根据课文,判断下列句子的“正”“误”

1. Ma mère me laissait tous les jours dans la classe de mon père. (   )
2. Quand j'ai vu la phrase《La maman a puni son petit garçon qui n'était pas sage》, je croyais que mon père voulait dire que je n'étais pas sage et que ma mère m'avait puni. (   )
3. Je ne pouvais lire couramment un abécédaire. (   )
4. Ma mère était très contente de me voir déchiffrer l'histoire du Petit Poucet au milieu de quatre instituteurs. (   )
5. La concierge, qui s'inquiétait de ma santé, était allée chercher ma mère pour lui dire que ces instituteurs me faisaient du mal. (   )

III. *Trouvez des mots qui ont les mêmes préfixes*

1. **mal**heureux __________ __________ __________
2. **in**connu __________ __________ __________
3. **re**voir __________ __________ __________
4. **auto**mobile __________ __________ __________
5. **dé**composer __________ __________ __________

IV. *Trouvez, à partir des verbes ci-dessous, des verbes en* en-, em-, *qui indiquent le mouvement*

Ex: porter — emporter voler — envoler

lever ______ mener ______

fuir ______ fermer ______

dormir ______ tasser ______

V. *Trouvez des mots en* pré- *à partir des mots suivants*

Ex: histoire — préhistoire

venir ______ avis ______

juger ______ voir ______

nom ______ conçu ______

occupation ______ sentiment ______

VI. *Trouvez les contraires des adjectifs suivants*

Ex: résistible — irrésistible

réalisable ______ recevable ______

remplaçable ______ réparable ______

responsable ______ mangeable ______

VII. *Complétez le tableau*

armer	désarmer	réarmer
	démonter	
		rhabiller
gonfler		
plier		
	déboucher	
celer		
		reposer

VIII. *Traduisez le passage de la lecture suivante*: «Un jour, le bûcheron ... retrouva facilement son chemin et rentra.»

LECTURE

Le Petit Poucet

Un bûcheron et une bûcheronne avaient sept petits garçons. Ils étaient si pauvres qu'ils ne pouvaient pas manger à leur faim.[1]

Un jour, le bûcheron décida de perdre ses enfants dans les bois. La bûcheronne n'était pas d'accord, mais ne voulant pas les voir mourir lentement, sous ses yeux, à cause de la faim, elle finit par accepter le projet du père.[2] Le Petit Poucet, celui que l'on croyait le plus bête de tous et qui, à sa naissance,[3] n'était pas plus gros que le pouce, avait tout entendu. Aussi se leva-t-il de bon matin, sortit-il et remplit-il ses poches de petits cailloux blancs. Il les sema tout le long du chemin lorsque son père les mena au bois.[4] Grâce aux petits cailloux blancs, il retrouva facilement son chemin et rentra.

Les parents décidèrent de recommencer. La fois suivante, le Petit Poucet, ne trouvant pas de cailloux, sema des miettes de pain sur le chemin. Mais les oiseaux les mangèrent et les sept frères ne purent plus retrouver leur chemin. La nuit survint. Monté en haut d'un arbre, le Petit Poucet aperçut au loin une lumière,[5] et il se dirigea vers elle. C'était la maison d'un ogre qui mangeait des enfants. Lorsque l'ogre fut de retour,[6] il trouva les enfants sous son lit. Comme il comptait inviter un de ses amis un peu plus tard, il ne tua pas les enfants tout de suite. Il les coucha dans un lit, tandis que ses sept filles, chacune avec une couronne sur la tête, dormaient dans un autre plus grand. Craignant que l'ogre ne change d'idée,[7] le Petit Poucet enleva les couronnes des fillettes et les posa sur la tête de ses frères. La nuit, l'ogre décida soudain de tuer les sept frères. Mais à cause des couronnes, il se trompa et tua ses sept filles. Lorsqu'il se fut rendormi, les frères s'enfuirent.[8] Au matin, l'ogre s'aperçut de son erreur. Mettant ses bottes de sept lieues, il réussit à rattraper les sept frères,[9] qui s'étaient cachés sous un rocher. Alors, le Petit Poucet vola les bottes, pendant que l'ogre, fatigué, dormait près du rocher. Grâce aux bottes magiques, le Petit Poucet enrichit plus tard ses parents et ses frères.

LEXIQUE

le Petit Poucet 《小拇指》
bûcheron, ne *n.* 樵夫
le bois 树林
bête *a.* 愚蠢的
le pouce 拇指
semer *v. t.* 播种,撒
la miette de pain *n. f.* 面包屑
l'oiseau *n. m.* 鸟
l'ogre *n. m.* 吃人妖魔
la couronne 王冠
la fillette 小女孩
s'enfuir *v. pr.* 逃跑
la botte 长统靴
la lieue (法国)古里
le rocher 悬岩,峭壁
magique *a.* 富于魔力的
enrichir *v. t.* 使富有

NOTES

1. Ils étaient si pauvres qu'ils ne pouvaient pas manger à leur faim. 他们穷得吃不饱饭。
   1) si ... que ... : 如此…以至于…
   2) manger à sa faim: 吃饱肚子。
2. Ne voulant pas les voir ... le projet du père. 由于不愿意亲眼看到孩子们慢慢饿死,她最终还是同意了丈夫的计划。
   1) ne voulant pas 是 vouloir 的现在分词否定形式,在句中作原因状语。
   2) sous les yeux de *qn*: 当着某人的面。
3. à sa naissance: 在他出生的时候。
   介词 à 引导一个时间状语,表示同时性。
4. Il les sema tout le long du chemin ... au bois.
   父亲带着他们去树林时,他沿路撒下了小卵石。
5. Monté en haut d'un arbre, le Petit Poucet aperçut au loin une lumière. 小拇指爬到树上,看到远方有灯光。
   过去分词 monté 在句中修饰主语,相当于:qui était monté ...
   或相当于时间状语:quand il fut monté ...
6. être de retour: 回到家。
7. Craignant que l'ogre ne change d'idée: 由于害怕妖魔改变主意。
   ne 是赘词。

8. Lorsqu'il se fut rendormi, les frères s'enfuirent. 妖魔刚又睡着，兄弟几个就逃走了。

   se fut rendormi 是先过去时，常用于以 quand, lorsque 引导的状语从句；主句动词一般使用简单过去时。

9. Mettant ses bottes de sept lieues, il réussit à rattrapper les sept frères. 由于妖魔穿上了他的七里靴，他终于抓住了七兄弟。

   现在分词 mettant 引导的从句表示原因，即：comme il avait mis ...

LEÇON QUARANTE-CINQ

Les femmes et le travail

Yvette, trente-sept ans, trois enfants, n'a jamais eu vraiment le choix. Travailler ou rester chez elle? Depuis son mariage, il y a dix-sept ans, elle s'est souvent posé la question. Chaque fois ce sont les circonstances qui ont tranché pour elle.

Jusqu'à la naissance de son second enfant, elle put continuer d'exercer son métier d'aide-comptable.[1] Son mari, employé dans l'administration, gagnait 1 500 euros par mois. Cette somme, à elle seule, couvrait mal, dans la région parisienne, les dépenses d'une famille en train de s'installer.[2] Aussi le salaire d'Yvette n'était-il pas un luxe mais une nécessité pour elle et son mari. Ils eurent d'abord la chance de pouvoir confier leur première fille à une grand-mère, mais à l'arrivée de la seconde, la vieille dame déclara forfait.[3] Aucune crèche dans les environs, seulement quelques nourrices qui, pour garder deux bébés, demandaient presqu'autant que ce que gagnait Yvette[4] ... Ne pouvant faire autrement, elle s'arrêta de travailler. Elle espérait que cet intermède cesserait dès que sa cadette entrerait à l'école. Un troisième enfant accepté mais non désiré bouleversa ses plans.

Pendant neuf ans Yvette a donc exercé la profession de mère au foyer jusqu'au jour où le salaire du père de famille, diverses allocations, de petits gains provenant d'heures de ménage faites chez une voisine, n'ont plus suffi. Malgré la présence des trois enfants et l'absence d'installations collectives qui les auraient accueillis après l'école, Yvette décida de reprendre un emploi à plein temps.[5] Encore une fois, nécessité faisait loi.[6]

Mère au foyer, Yvette le fut sans l'avoir voulu.[7] Une enquête récente d'un hebdomadaire féminin montre que, sur les six millions de femmes qui restent chez elles,[8] 15% seulement choisissent cet état par goût personnel. Inversement, celles qui ont un métier l'exercent pour la plupart,[9] parce qu'elles en ont besoin. La liberté qu'auraient les femmes de choisir entre le travail rémunéré et le travail domestique est, dans la plupart des cas, un mythe.[10]

LEXIQUE

NOMS

les circonstances *n. f.* 环境，情况
la naissance 出生
aide-comptable 助理会计
l'administration *n. f.* 政府部门
la somme 金额
le salaire 工资
le luxe 豪华；过多
la chance 运气
le forfait 放弃
la crèche 托儿所
les environs *n. m.* 周围，附近
la nourrice 奶妈，保姆
le bébé 婴儿
l'intermède *n. m.* 插曲，间断期
cadet, te 最年幼的子女
le plan 计划，安排
la mère au foyer 家庭妇女
l'allocation *n. f.* 津贴，补助
l'absence *n. f.* 缺席，缺乏
l'installation *n. f.* 设施
l'emploi *n. m.* 职业，工作
l'enquête *n. f.* 调查
l'hebdomadaire *n. m.* 周刊
la liberté 自由
le mythe 神话，空想

VERBES

trancher *v. i.* 切断；解决
gagner *v. t.* 挣（钱）
couvrir *v. t.*. 补偿，抵消
confier *v. t.* 托付
garder *v. t.* 看护，照料
cesser *v. i.* 停止，中止
bouleverser *v. t.* 打乱
provenir *v. i.* 来自，来源于
accueillir *v. t.* 迎接，招待
reprendre *v. t.* 再取，再继续

ADJECTIFS

collectif, ve 集体的
féminin, e 妇女的
rémunéré, e 有报酬的
domestique 家庭的，家里的

AUTRES

à l'arrivée de *loc. prép.* 在…到来时
autrement *adv.* 别样，不同
malgré *prép.* 尽管，不顾
à plein temps 全日制的
inversement *adv.* 相反地

NOTES SUR LE TEXTE

1. Elle put continuer d'exercer son métier d'aide-comptable. 她能够继续从事助理会计的职业。

   continuer de + *inf*.：继续做…。也可用 continuer à + *inf*.

2. Cette somme, à elle seule, couvrait mal, dans la région parisienne, les dépenses d'une famille en train de s'installer. 在巴黎地区,仅靠这笔收入难以满足一个正在巴黎定居的家庭的开支。

   à elle seule 修饰 cette somme, 起强调作用,意为:"仅此…"

   couvrir les dépenses：支付费用,收支平衡。

3. Mais à l'arrivée de la seconde, la vieille dame déclara forfait. 但第二个女孩出生后,老太太拒绝再为他们照看孩子。

   seconde 在此作名词,即 la seconde enfant.

   forfait 有不同的含义:

   1）大罪,重罪。例如:un horrible forfait 罪大恶极。

   2）承包,承包合同。例如:un travail à forfait 包工。

   3）déclarer forfait :宣布弃权,放弃。

4. ... qui, pour garder deux bébés, demandaient presqu'autant que ce que gagnait Yvette. 她们照看两个孩子所要的工钱与伊韦特的工资相差无几。

   autant que ... 与…相等, presqu'autant que ... 与…相差无几

5. un emploi à plein temps：全日制工作。

6. nécessité fait loi 原是一句谚语,意为:需要就是法律。

   faire loi：具有法律效力,起决定性的作用。

7. Mère au foyer, Yvette le fut sans l'avoir voulu. 伊韦特不情愿地做了家庭妇女。

   le 代替 mère au foyer.

8. sur les six millions de femmes qui restent chez elles：在 600 万待在家的妇女中。

9. celles qui ont un métier l'exercent pour la plupart：那些有工作的妇女,大多数都在从事自己的工作。

   pour la plupart：… 之中的大多数。

10. La liberté qu'auraient les femmes de choisir entre le travail rémunéré et le

travail domestique est, dans la plupart des cas, un mythe. 妇女在有报酬的工作和家务活之间进行选择的自由,在大多数情况下依然是空想。

本句主要结构为:la liberté ... est un mythe.

la liberté 的补语是 de choisir entre le travail ...

dans la plupart des cas:在大多数情况下。

LA SUFFIXATION (1)

后缀构词法

在一个词或词干后面加上后缀,构成新词,称为后缀构词法。如本课课文中:vraiment 是由 vrai 加后缀 -ment 构成,mariage 是由 marier 改变词尾加后缀 -age 构成。后缀构词法是法语中使用最多的构词方法。

常见的后缀及其含义:

1. **-er, -ir 一般表示"动作"**

calm**er** *v. t.* (使平静)　envoy**er** *v. t.* (派遣)

offr**ir** *v. t.* (赠送)　grand**ir** *v. i.* (长大)

2. **-tion, -age 一般表示"行为或动作结果"**

modernisa**tion** *n. f.* (现代化)　puni**tion** *n. f.* (惩罚)

atterriss**age** *n. m.* (着陆)　bloc**age** *n. m.* (阻止)

3. **-aire, -eur, -ien 一般表示"施动者"或"职业"**

locat**aire** *n.* (房客)　révolutionn**aire** *n.* (革命者)

employ**eur** *n. m.* (雇主)　technic**ien** *n. m.* (技师)

4. **-té, -ité 一般表示"品质"**

honnête**té** *n. f.* (诚实)　naïve**té** *n. f.* (单纯)

banal**ité** *n. f.* (平庸)　sonor**ité** *n. f.* (响度,音色)

5. **-logie 一般表示"学科"**

socio**logie** *n. f.* (社会学)　bio**logie** *n. f.* (生物学)

lexico**logie** *n. f.* (词汇学)　éco**logie** *n. f.* (生态学)

6. **-isme 一般表示"学说","体系"**

commun**isme** *n. m.* (共产主义)　capital**isme** *n. m.* (资本主义)

romant**isme** *n. m.* (浪漫主义)　existential**isme** *n. m.* (存在主义)

7. **-able, -ible 一般表示"可能性"**

connaiss**able** *a.*（可认识的）　　fais**able** *a.*（可做的）

lis**ible** *a.*（易于阅读的）　　divis**ible** *a.*（可分的）

8. **-ment 一般表示"方式"**

juste**ment** *adv.*（公正地）　　publique**ment** *adv.*（公开地）

récem**ment** *adv.*（新近地）　　principale**ment** *adv.*（主要地）

EXERCICES

I. *Choisissez la meilleure réponse d'après le texte*

1. Chaque fois ce sont les circonstances qui ont tranché pour elle.
   A. Les circonstances lui ont été favorables.
   B. Les circonstances ont décidé à sa place.
   C. Les circonstances l'ont déçue.
2. Cette somme, à elle seule, couvrait mal les dépenses.
   A. Cette somme suffisait à peu près pour les dépenses.
   B. Cette somme ne suffisait pas vraiment pour les dépenses.
   C. Cette somme était insuffisante pour les dépenses.
3. La vieille dame déclara forfait.
   A. La grand-mère demanda une somme d'argent.
   B. Yvette abandonna son travail.
   C. La grand-mère n'accepta pas de garder la deuxième enfant.
4. Elle espérait que cet intermède cesserait.
   A. Elle espérait que la grand-mère s'occuperait de sa seconde fille.
   B. Elle espérait se débarrasser de sa cadette.
   C. Elle espérait recommencer à travailler.
5. 《de petits gains provenant d'heures de ménage faites chez une voisine》 signifie que:
   A. la voisine fait le ménage chez Yvette
   B. Yvette fait le ménage chez sa voisine
   C. Yvette et sa voisine font ensemble le ménage

6. Encore une fois, nécessité faisait loi:

   A. les circonstances lui ont été favorables, encore une fois

   B. les circonstances lui ont été défavorables, encore une fois

   C. les circonstances ont décidé à sa place, encore une fois

7. Sur les six millions de femmes qui restent chez elles, 15% seulement choisissent cet état par goût personnel.

   A. Moins d'un million de femmes préfèrent rester à la maison.

   B. Plus de cinq millions de femmes préfèrent rester à la maison.

   C. Beaucoup plus de femmes que d'hommes aiment s'occuper des enfants.

II. *Regroupez les mots ou groupes de mots par thème* 根据不同的题材,归纳词或词组

Ex: argent: gagner 1 500 euros par mois,

une somme

__________ __________

__________ __________

enfants: __________ __________

__________ __________

__________ __________

travail: __________ __________

__________ __________

__________ __________

III. *Trouvez des groupes d'antonymes dans le texte* 找出课文中的反义词或词组

Ex: continuer d'exercer son métier/s'arrêter de travailler, choix/nécessité

__________ __________

__________ __________

IV. *Trouvez des noms en* -ture *correspondant aux verbes suivants*

Ex: ouvrir — ouverture

fermer __________ lire __________

écrire __________ capter __________

couvrir __________ signer __________

V. *Trouvez les mots en* -esse *correspondant aux adjectifs suivants*

Ex: petit — petitesse

triste ________ étroit ________

riche ________ gentil ________

vieux ________ jeune ________

VI. *Trouvez les adjectifs en* -able *correspondant aux verbes suivants*

Ex: profiter — profitable

aimer ________ admirer ________

porter ________ accepter ________

recevoir ________ servir ________

réaliser ________ remarquer ________

lire ________ voir ________

VII. *Transformez les mots d'après l'exemple*

Ex: éduquer — éducation, former — formation

fabriquer ________ opérer ________

expliquer ________ préparer ________

compliquer ________ réaliser ________

provoquer ________ pénétrer ________

VIII. *Complétez les phrases suivantes avec*:

apporter, emporter, amener, emmener

1. Il ______ sa voiture chez le mécanicien.
2. Il n'a pas ______ de quoi boire.
3. Qu'est-ce qui vous ______ dans cette ville?
4. S'il vous plaît, ______ ce chien dehors, ici il nous gêne.
5. N' ______ pas ce disque, s'il te plaît. J'en ai besoin.
6. Je vous ai ______ un souvenir du Mexique.

LECTURE

La vie quotidienne des Françaises

Pour la majorité des femmes, le foyer reste encore le cadre et la réalité essentielle de la vie quotidienne. Des enquêtes ont montré que, pour l'épouse, les activités ménagères et les soins aux enfants occupent en moyenne une dizaine d'heures par jour.[1] On conçoit dans ces conditions que l'exercice d'une profession rend la tâche extrêmement lourde pour la mère de famille.

Cependant les conditions de la vie au foyer se sont modifiées. Le travail ménager est facilité par les équipements modernes:[2] aspirateur, réfrigérateur, machine à laver ...

La préparation des repas est devenue plus aisée: les achats se concentrent dans un seul supermarché[3] et les aliments sont présentés sous un conditionnement qui rend plus facile leur préparation (produits congelés,[4] légumes épluchés, conserves de qualité, plats précuisinés ...).

La mère de famille ne confectionne plus guère les vêtements de ses enfants et les siens. Les progrès de la confection industrielle permettent à la famille de se vêtir à des prix avantageux.[5]

Les femmes travaillent souvent pour améliorer le budget familial.[6] Cet impératif d'ordre économique vaut surtout pour le monde ouvrier.[7] Dans les milieux aisés, on trouve d'autres motivations: le goût et l'intérêt pour le métier pratiqué, le désir d'indépendance, la volonté d'échapper à la monotonie d'une vie au foyer.[8]

LEXIQUE

quotidien, ne *a.* 日常的
le cadre 范围
époux, se *n.* 配偶
concevoir *v. t.* 想象
l'aspirateur *n. m.* 吸尘器
économiser *v. t.* 节省
se concentrer *v. pr.* 集中
le conditionnement (商品的)包装情况
congeler *v. t.* 冷冻
éplucher *v. t.* 削,切,剥
la conserve 罐头食品
précuisiné, e *a.* 配制好的(菜)
confectionner *v. t.* 制作,缝制
se vêtir *v. pr.* 穿衣
l'impératif *n. m.* 迫切需要
la motivation 动机

NOTES

1. Des enquêtes ont montré ... par jour. 一些调查表明,每个家庭主妇在家务劳动、照看孩子方面平均每天要用十来个小时。

   1) occuper + temps：占…时间。

   2) en moyenne：平均。

2. Le travail ménager est facilité par les équipements modernes. 现代设备使家务劳动变得方便了。

3. Les achats se concentrent dans un seul supermarché. 所需物品仅在一家超级市场就能买齐。

4. des produits congelés：速冻食品。

5. Les progrès de la confection industrielle permettent à la famille de se vêtir à des prix avantageux. 服装工业的发展使每个家庭可以买到廉价的衣服。

   à des prix avantageux 修饰 se vêtir.

6. améliorer le budget familial：改善家庭的收支情况。

7. Cet impératif d'ordre économique vaut surtout pour le monde ouvrier. 妇女迫于经济需要而参加工作,这在工人家庭尤为常见。

   ordre 表示:在…方面。例如:

   des difficultés d'ordre matériel：物质方面的困难。

8. le goût et l'intérêt pour le métier pratiqué, le désir d'indépendance, la volonté d'échapper à la monotonie d'une vie au foyer. 对所从事职业的爱好和兴趣,自立的愿望,摆脱单调的家庭生活的意愿。

LEÇON QUARANTE-SIX

La prise de la Bastille[1]

Le 14 juillet 1789, date de la prise de la Bastille, est un des tournants de l'histoire de France et même de l'histoire du monde. C'est le premier acte de la Révolution française.

La Bastille est un château fort, pourvu de huit grosses tours. Jadis citadelle militaire, elle est devenue une prison où le roi peut enfermer qui bon lui semble, en vertu d'une lettre de cachet.[2]

Depuis plusieurs jours, Paris est en effervescence. Les Etats généraux,[3] résistant au roi, se sont déclarés Assemblée nationale. Le roi a pris peur et a assemblé six régiments autour de Paris. Le 11 juillet, le populaire ministre Necker[4] est renvoyé. Le peuple de Paris prend peur à son tour.[5] Des bandes de manifestants parcourent la capitale et, dans les jardins du Palais-Royal,[6] un orateur passionné, Camille Desmoulins appelle le peuple à prendre les armes.[7]

Le 13 juillet, se fonde un comité permanent qui siège à l'Hôtel de Ville et forme une milice de citoyens, la future Garde nationale,[8] chargée de maintenir l'ordre.[9]

Au matin du 14, la foule se porte en masse aux Invalides où elle trouve des fusils et des canons. Quant aux munitions, elles sont, dit-on, stockées à la Bastille.[10] En route donc pour la Bastille. Par la même occasion on délivrera les《victimes de la tyrannie》du roi. Vers quatre heures de l'après-midi, les émeutiers franchissent le pont-levis et entrent en force dans la forteresse qui n'est défendue que par quatre-vingts invalides et trente Suisses sous les ordres du gouverneur De Launay.[11] Celui-ci, affolé, fait tirer le canon. Il y a plus de cent victimes.

Ivres de fureur,[12] les insurgés traînent De Launay à l'Hôtel de Ville, où il est massacré en même temps que le prévôt des marchands Flesselles.[13] Les deux têtes sont promenées au bout d'une pique dans tout Paris.[14]

Dans la fameuse prison, il n'y avait que sept détenus, dont deux fous et quatre faussaires. La démolition de la Bastille, ce symbole de la barbarie, n'en est pas moins décidée et commencée sur-le-champ.[15]

La prise de la Bastille n'avait duré que quarante-cinq minutes, mais l'événement retentit comme un coup de tonnerre dans la France entière. Pour la première fois le pouvoir avait capitulé devant le peuple.

D'après *Le Grand Livre de l'Histoire en France*

LEXIQUE

NOMS

la prise 夺取,攻克
la Bastille 巴士底(监狱)
le tournant 转折点
l'acte *n. m.* 行动,行为
la révolution 革命
le château 城堡
la tour 城楼,炮楼
la citadelle 堡垒
la prison 监狱
le roi 国王
le cachet 图章,封印
l'effervescence *n. f.* 动荡,骚乱
l'Assemblée nationale *n. f.* 国民议会
le régiment 团
la bande 群,伙
manifestant, e 示威游行者
le jardin 花园
le Palais-Royal 王宫
orateur, trice 演说家,演说者
l'arme *n. f.* 武器
le comité 委员会
l'Hôtel de Ville 市政厅,市政府大楼
la milice 自卫队,民兵
citoyen, ne 公民
la Garde nationale 国民自卫军
l'ordre *n. m.* 秩序;命令
les Invalides 残废军人院
le fusil 步枪
les munitions *n. f.* 弹药
la victime 受害者
la tyrannie 专制,暴政
émeutier, ère 闹事者
le pont-levis 吊桥
la forteresse 堡垒,要塞
invalide 残废军人

le gouverneur 监狱长;总督
la fureur 疯狂,狂怒
insurgé, e 起义者,暴动者
détenu, e 被拘押者,犯人
fou, fol, folle 疯子
faussaire 造假钞票的人
la démolition 拆毁
le symbole 象征
la barbarie 野蛮,残忍
le tonnerre 雷
le coup de tonnerre 雷响,霹雳
la pique 矛,梭标

VERBES

enfermer *v. t.* 关闭
assembler *v. t.* 集中,聚集
renvoyer *v. t.* 辞退
se fonder *v. pr.* 成立,创办
siéger *v. i.* 设立
former *v. t.* 组成
se porter *v. pr.* 走向,涌向
stocker *v. t.* 贮存,囤集
délivrer *v. t.* 释放,拯救
franchir *v. t.* 越过,跨过
défendre *v. t.* 防守,防御
tirer *v. t.* 发射,开枪射击
traîner *v. t.* 拖拉
massacrer *v. t.* 残杀,杀害
durer *v. i.* 持续,延续
retentir *v. i.* 产生回响,回荡
capituler *v. i.* 投降,屈服

ADJECTIFS

pourvu, e (de) 具有…的
militaire 军事的,军用的
populaire 得人心的
passionné, e 热情的,感人的
permanent, e 常设的
affolé, e 疯狂的,发疯似的
ivre 狂热的
fameux, se 著名的,出色的

AUTRES

jadis *adv.* 过去,往昔
en vertu de *loc. prép.* 根据,按照
en masse *loc. adv.* 大量地,大批地
en force *loc. adv.* 大批地,大举地
au bout de *loc. prép.* 在…尖端
sur-le-champ *loc. adv.* 马上,立刻

NOTES SUR LE TEXTE

1. la prise de la Bastille: 攻陷巴士底狱。

巴士底狱建于 14 世纪。早期为巴黎北部城堡。16 世纪起,主要用于囚禁政治犯,成为法国封建专制制度的象征。1789 年 7 月 14 日,巴黎人民起义,攻陷

并拆毁巴士底狱。7月14日后来被定为法国国庆日。

2. ... où le roi peut enfermer qui bon lui semble, en vertu d'une lettre de cachet. 凭借一封盖有国王封印的信,国王可以随意把人关进巴士底狱。
   1) qui bon lui semble = n'importe qui; tous ceux qu'il lui semble bon d'enfermer.
   2) une lettre de cachet 指法国历史上盖有国王封印、命令监禁或放逐某人的信。
3. les Etats généraux:三级会议。
   法国大革命前君主制下的三个"等级"代议制议会。三个等级是:教士、贵族(享有特权的少数)和代表人民大多数的第三等级。
4. Necker:内克(1732—1804)法国路易十六时期的财政大臣。1788年,他为解决财政困难,力主召开三级会议和扩大第三等级(农民、城市平民、资产阶级)的代表人数。次年被罢免。
5. Le peuple de Paris prend peur à son tour. 这回轮到巴黎人民感到害怕了。
   le tour 意为轮值,轮班。例如:
   Chacun parlera à son tour. 大家要轮流发言。
6. le Palais-Royal:王宫。巴黎一处豪华建筑群,始建于1633年,初为黎塞留(Richelieu 1585—1642,法王路易十三的宰相,枢机主教)的府邸,称为"主教宫"。1636年归国王所有,1643年起,改称为"王宫"。
7. Un orateur passionné, Camille Desmoulins, appelle le peuple à prendre les armes. 一位慷慨激昂的演说家卡米耶·德穆兰号召人民拿起武器。
   Camille Desmoulins:卡米耶·德穆兰。(1760—1794)资产阶级革命时期的活动家,新闻记者。
   appeler *qn* à + *inf.*:召唤某人做…
   prendre les armes:拿起武器…
8. ... forme une milice de citoyens, la future Garde nationale:组成一支公民自卫队,即后来的国民自卫军
   milice 原指18世纪以前为加强正规军而组织的法国地方武装力量。
9. maintenir l'ordre:维持秩序。
10. Quant aux munitions, elles sont, dit-on, stockées à la Bastille. 至于弹药,

有人说储藏在巴士底狱内。

on dit：有人说，传说…在此作插入语，因此用倒装形式。

11. ... qui n'est défendue que par quatre-vingts invalides et trente Suisses sous les ordres du gouverneur De Launay：巴士底狱仅仅由监狱长德洛耐指挥的八十名残废军人和三十名瑞士兵把守。(Suisse 指 15 世纪至 1803 年在法国军队中服役的瑞士兵)。

sous les ordres de *qn*：受…的指挥。

De Launay：德洛耐(1740—1789)巴士底狱的监狱长，攻克巴士底狱时被杀死。

12. ivres de fureur：愤怒得发狂。

de 在此表示原因。

13. le prévôt des marchands Flesselles：巴黎市长弗雷赛尔。

le prévôt des marchands：(古时的)巴黎市长。

Flesselles：弗雷赛尔(1721—1789)路易十六时期的巴黎市长。

14. Les deux têtes sont promenées au bout d'une pique dans tout Paris. 两个人的首级被挑在长矛尖上在整个巴黎游街示众。

au bout d'une pique：(挑)在长矛尖端。

15. La démolition de la Bastille, ce symbole de la barbarie, n'en est pas moins décidée et commencée sur-le-champ. 很快便决定拆毁这个象征野蛮的巴士底狱，并立即开始。

n'en est pas moins ... 在此表示“对立”，即：尽管巴士底狱关押的犯人并不多，但人们还是决定拆毁它。

LA SUFFIXATION(2)

后缀构词法

后缀构词往往改变原词的词尾和词类。

后缀构词的种类：

I. 动词

1. 名词→动词

arme *n. f.* (武器)→ armer *v. t.* (武装)

goût *n. m.* (味道)→ goûter *v. t.* (品尝)

accueil *n. m.*（迎接）→accueillir *v. t.*（迎接）

2. **形容词→动词**

moderne *a.*（现代的）→ moderniser *v. t.*（使现代化）

juste *a.*（公正的，合法的）→ justifier *v. t.*（使合法）

vert *a.*（绿的）→ verdir *v. i.*（使变绿）

II. **名词**

1. **动词→名词**

circuler *v. i.*（流通）→ circulation *n. f.*（流通）

changer *v. t.*（改变）→ changement *n. m.*（变化）

organiser *v. t.*（组织）→ organisateur *n. m.*（组织者）

2. **形容词→名词**

faible *a.*（弱的）→ faiblesse *n. f.*（弱）

fier *a.*（骄傲的）→ fierté *n. f.*（骄傲）

patient *a.*（耐心的）→ patience *n. f.*（耐心）

3. **名词→名词**

passage *n. m.*（经过）→ passager *n. m.*（旅客）

dent *n. f.*（牙齿）→ dentiste *n.*（牙科医生）

fonction *n. f.*（职务）→ fonctionnaire *n.*（官员）

III. **形容词**

1. **动词→形容词**

manger *v. t.*（吃，食）→ mangeable *a.*（可食用的）

traduire *v. t.*（翻译）→ traduisible *a.*（可译的）

laver *v. t.*（洗）→ lavable *a.*（可洗的）

2. **名词→形容词**

banque *n. f.*（银行）→ bancaire *a.*（银行的）

culture *n. f.*（文化）→ culturel *a.*（文化的）

atome *n. m.*（原子）→ atomique *a.*（原子的）

Afrique *n. f.*（非洲）→ africain *a.*（非洲的）

IV. **副词**

1. **形容词→副词**

récent *a.* （新近的）→ récemment *adv.* （新近）
naturel *a.* （自然的）→ naturellement *adv.* （自然地）
essentiel *a.* （基本的）→ essentiellement *adv.* （基本上）

EXERCICES

I. *Trouvez la bonne réponse*

1. Le roi peut enfermer qui bon lui semble.
   A. Le roi peut enfermer qui que ce soit.
   B. Le roi peut enfermer même les bons.
   C. Le roi peut enfermer les bons et les mauvais.
2. Les Etats généraux se sont déclarés Assemblée nationale.
   A. Les Etats généraux ont décidé de remplacer l'Assemblée nationale.
   B. Les Etats généraux ont décidé d'élire une Assemblée nationale.
   C. Les Etats généraux se sont transformés en une Assemblée nationale.
3. Le 13 juillet, se fonde un comité permanent.
   A. Un comité permanent est associé à l'Assemblée nationale.
   B. Un comité permanent se crée.
   C. Un comité permanent rempalce l'Assemblée nationale.
4. La foule se porte en masse aux Invalides.
   A. La foule pénètre de force dans les Invalides.
   B. Une foule nombreuse se rend aux Invalides.
   C. La foule est massée devant les Invalides.
5. 《sous les ordres du gouverneur De Launay》 signifie que:
   A. les émeutiers sont commandés par De Launay
   B. de Launay commande la garde de la Bastille
   C. de Launay est commandé par les soldats suisses
6. La démolition de la Bastille n'en est pas moins décidée.
   A. Malgré cela, la démolition est décidée.
   B. La démolition est stoppée.
   C. La démolition n'est pas décidée.

II. *Dites* vrai *ou* faux *d'après le texte*

1. La prise de la Bastille marque le début de la Révolution française. ( )
2. Les Etats généraux se déclarent Assemblée nationale dans le but de protéger le roi. ( )
3. Le 13 juillet 1789 a eu lieu la prise de la Bastille. ( )
4. Si la foule se rend à la Bastille, c'est pour y tuer le gouverneur De Launay. ( )
5. Quand on entre dans la Bastille, on y trouve beaucoup de prisonniers. ( )
6. Le peuple a détruit la Bastille, car c'était un symbole de la barbarie. ( )

III. *Trouvez, dans le texte, des mots qui qualifient la Bastille* 找出课文中修饰"巴士底监狱"的词

Ex: un château fort, le symbole de la barbarie

________ ________

________ ________

IV. *Trouvez des noms en* -eur, *dérivés des adjectifs suivants*

Ex: grand — grandeur, épais — épaisseur

laid ________ gros ________
large ________ doux ________
long ________ frais ________
lent ________ froid ________

V. *Trouvez les verbes correspondant aux noms suivants*

accueil ________ survie ________
soutien ________ licenciement ________
lutte ________ entreprise ________

VI. *Trouvez les verbes correspondant aux noms suivants*

séparation ________ habitation ________
estimation ________ agitation ________
constatation ________ affirmation ________
déclaration ________ hésitation ________

VII. *Transformez les adjectifs suivants en adverbes*

prudent	__________	exact	__________
difficile	__________	puissant	__________
récent	__________	actuel	__________
gentil	__________	patient	__________
actif	__________	financier	__________

VIII. *Transformez les mots d'après l'exemple*

Ex: l'achat — acheter — acheteur, acheteuse

la vente __________ __________ __________

le travail __________ __________ __________

le dessin __________ __________ __________

IX. *Version*

Un résistant

Paris est occupé par les nazis. Les occupants exigent que la population se soumette à leurs ordres. Partout circulent des soldats hitlériens.

Joliot-Curie, l'un des pionniers de l'énergie atomique, travaille en fabriquant des explosifs pour la Résistance au cœur même de Paris. Il poursuit, comme des milliers d'autres patriotes, un travail dangereux, clandestin qui chassera l'occupant hors de la France.

Les hitlériens ne se doutent pas que le laboratoire de Joliot-Curie produit des armes pour les combattants de la Résistance. Deux fois, Joliot-Curie est arrêté par la Gestapo. L'ennemi veut que ce grand savant trahisse la cause sacrée de la libération de sa patrie. Mais Joliot-Curie n'a pas peur de la mort.

Au printemps 1942, après avoir vu plusieurs de ses amis tomber dans le combat héroïque contre les envahisseurs fascistes, il adhère au parti communiste en disant:《Si je dois être pris et fusillé, je veux mourir communiste.》

____

____

____

____

____

LEXIQUE

résistant, e *n.* 抵抗运动的成员
le nazi 纳粹
hitlérien, ne *a.* 希特勒的
n. 希特勒分子
le pionnier 先驱者
l'énergie atomique *n. f.* 原子能
l'explosif *n. m.* 炸药
patriote *n.* 爱国者
combattant, e *n.* 战士,战斗者
la Gestapo 盖世太保
trahir *v. t.* 背叛
la cause 事业
sacré, e *a.* 神圣的
héroïque *a.* 英勇的
l'envahisseur *n. m.* 侵略者
adhérer *v. t. ind.* 加入
fusiller *v. t.* 枪杀

LECTURE

La Marseillaise,[1]

hymne national français

La Révolution française avait commencé en 1789, et la France se trouvait en guerre avec beaucoup d'autres pays.[2] En 1792 un groupe d'officiers français à Strasbourg regrettaient le manque d'un bon chant patriotique que les soldats pourraient chanter en marchant. L'un de ces officiers, Rouget de Lisle,[3] s'est mis le soir même à composer un chant, paroles et musique; il est resté éveillé toute la nuit,[4] et le lendemain il a chanté aux autres officiers ce qu'il avait composé:

Allons enfants de la patrie,[5]
Le jour de gloire est arrivé!
Contre nous de la tyrannie
L'étendard sanglant est levé![6]

Entendez-vous dans les campagnes,
Mugir ces féroces soldats?
Ils viennent jusque dans nos bras
Egorger nos fils, nos compagnes!
Aux armes, citoyens![7]
Formez vos bataillons!
Marchons! Marchons!
Qu'un sang impur
Abreuve nos sillons![8]
...

Ce chant, c'est ce que nous appelons aujourd'hui la Marseillaise.

Pourquoi porte-t-il ce nom? Le chant, connu sous le titre de《Chant de l'armée du Rhin》s'est répandu un peu partout,[9] mais restait inconnu à Paris. Ce sont des soldats marseillais qui l'ont chanté les premiers à Paris,[10] et les Parisiens l'ont appelé par conséquent,《la Marseillaise》, c'est-à-dire la chanson de Marseillaise, et il garde toujours ce nom.

LEXIQUE

la Marseillaise 《马赛曲》
l'hymne *n. m.* 国歌
patriotique *a.* 爱国的
composer *v. t.* 作曲
éveillé, e *a.* 醒着的
la gloire 光荣
l'étendard *n. m.* 军旗
sanglant, e *a.* 沾染鲜血的
mugir *v. i.* 咆哮
féroce *a.* 残暴的
égorger *v. t.* 屠杀
la compagne 妻子
le bataillon 队伍,营
le sang 血
impur, e *a.* 污浊的,不纯洁的
abreuver *v. t.* 浸透
le sillon 皱纹;田野
le Rhin 莱茵河

NOTES

1. la Marseillaise:《马赛曲》。法国国歌,在法国大革命期间,由工兵上尉鲁日·

德·李尔一夜之间写成,原名为《莱茵军战歌》。

2. la France se trouvait en guerre avec beaucoup d'autres pays. 法国正在与许多国家交战。
3. Rouget de Lisle:鲁日·德·李尔(1760—1836)。
4. Il est resté éveillé toute la nuit. 他整夜没有睡觉。
5. Allons enfant de la patrie. 前进,祖国的儿女。
6. Contre nous de la tyrannie
   L'étendard sanglant est levé!
   专制暴政那沾满鲜血的旗子正在向我们逼近。
   de la tyrannie 是 l'étendard sanglant 的补语。这是诗歌中特有的倒装结构,一般词序为:L'étendard sanglant de la tyrannie est levé contre nous.
7. Aux armes, citoyens! 公民们,拿起武器!
   aux armes 是呼语。
8. Qu'un sang impur
   Abreuve nos sillons!
   让我们用敌人的污血洗面! 这是一个祈使句。
9. Le chant, connu ... s'est répandu un peu partout. 这首以《莱茵军战歌》而知名的歌曲几乎传遍各地。
10. Ce sont des soldats marseillais qui l'ont chanté les premiers à Paris. 马赛的士兵是最早在巴黎唱这首歌的人。
    les premiers 修饰 des soldats marseillais.

LEÇON QUARANTE-SEPT

Le dernier rendez-vous

Robert Costadot était fiancé à Rose Révolou. Mais depuis que la famille de Rose est ruinée,[1] la mère de Robert fait tout pour empêcher ce mariage. Le jeune homme, sous l'influence de sa mère, décide de rompre.

《S'il pleut, attends-moi chez le pâtissier,[2] en face du jardin; à six heures il n'y a personne》, avait dit Rose à Robert.

Le quart de six heures avait sonné, Robert avait déjà mangé trois gâteaux, et Rose ne venait pas. 《Si dans cinq minutes elle n'est pas là, je partirai ... 》, songeait-il.

Il se disait que Rose avait dû être retenue par la pluie: elle ne pensait à rien, elle ne devait pas avoir de parapluie;[3] elle arriverait dans un joli état ... [4] Il tourna les yeux vers les deux jeunes filles qui l'avaient servi et qui causaient tout bas. Il songea à l'impression que leur ferait Rose.

Il se leva, mit une pièce de monnaie sur la table ... Alors, il vit Rose qui s'arrêtait devant la porte, fermait un ridicule parapluie d'homme.[5] Le vent collait contre ses jambes une jupe mouillée.[6] Elle entra, ne sut où poser son parapluie, qu'une des jeunes filles lui prit des mains,[7] et alla s'asseoir près de Robert.

— J'ai couru, dit-elle.

Il lui jeta un regard.

— En quel état tu es![8] Tu vas tomber malade ...

— Oh! la jupe est lourde de pluie,[9] j'ai les pieds trempés. Mais ça ne fait rien, tu es là.

Elle approcha de ses lèvres la tasse de thé[10] qu'on lui avait apportée.

— Il faudrait aussi penser à moi, dit-il, penser à la petite Rose que j'ai aimée. Elle n'avait pas une jupe trempée de pluie, cette petite Rose, ni des souliers pleins d'eau. Ce n'est pas un reproche, mais il faut me pardonner si je dois faire un effort pour ...

Elle le regarda avec étonnement.

— Je voudrais que tu aies pitié de toi-même ... je veux dire: de ton visage, de tes mains, de ton corps, reprit-il.

Elle cacha ses mains sous la table. Elle était devenue pâle.

— Je ne te plais plus? murmura-t-elle.

— Ce n'est pas la question, Rose ... Je te demande d'avoir pitié de toi-même. Tu es la seule femme que je n'aie jamais vue se regarder dans une glace.[11] Il te suffirait d'un regard pour comprendre ce que je veux dire.

Elle avait baissé la tête sur le gâteau qu'elle mangeait. Il comprit qu'elle pleurait.

Elle dit sans lever la tête.

— Je mérite tes reproches, mais je vais t'expliquer: on faisait tout pour moi depuis mon enfance, on préparait mon bain, on me coiffait, on m'habillait.[12] Maintenant je rentre tard, je me lève de grand matin.[13] Je me rends compte que je ne fais pas le nécessaire. Je croyais que notre amour était au-delà de toutes ces choses.

Elle ne put continuer. Un sanglot l'étouffait. Il ne l'aidait d'aucune parole.[14] Tout à coup elle lui prit la main, il vit de tout près sa petite figure jaune et mouillée.

— Pourtant, samedi soir, je te plaisais!

Il répondit d'un ton fatigué: 《Mais oui, mais oui!》
Elle l'appela: 《Robert!》 Elle eut le sentiment qu'il s'éloignait, qu'il était déjà trop loin pour qu'il entendît sa voix.[15] Mais non, ce n'était pas vrai, elle le voyait assis là. C'était son fiancé et elle serait sa femme en octobre. Et lui, il comprenait bien ce qu'elle éprouvait à ce moment et retenait ses coups.[16]

— Viens à la maison, dit-il, j'allumerai un grand feu.

Elle le remercia humblement.

Ils s'enfoncèrent sous la pluie et, jusqu'à la maison Costadot, ils se turent tous les deux. Robert savait que, ce jour-là, sa mère rentrait tard. Il introduisit Rose, non dans sa chambre, mais au salon, et alluma un grand feu. Il lui dit d'enlever ses souliers. Elle rougit:

— Pardonne-moi, je crois que j'ai un bas troué ...

Il détourna un peu la tête. Dans la glace Rose se vit tout à coup telle qu'elle apparaissait à Robert.[17] Elle enleva son chapeau et essaya de rattraper ses mèches. Il avait pris les bottines et les rapprocha du feu.

Rose se pencha vers lui et, pour l'obliger à la regarder, lui prit la tête à deux mains:[18]

— Tu es bon, dit-elle.

— Non, ne le crois pas, Rose, protesta-t-il. Non, je ne suis pas bon.

Et tout à coup, ces mots qu'il n'avait pas préparés s'échappèrent:

— Pardonne-moi, je ne t'aime plus.

D'après François MAURIAC[19]

Les Chemins de la Mer

LEXIQUE

NOMS

fiancé, e 未婚夫(妻)

pâtissier, ère 糕点商

la pièce de monnaie 硬币

la jambe 腿

les lèvres *n. f.* 嘴唇

la tasse 茶杯

une tasse de thé 一杯茶

le soulier 鞋;皮鞋

le reproche 责备

l'étonnement *n. m.* 吃惊;惊讶

la pitié 怜悯;可怜

la glace 镜子

le bain 洗澡;洗澡水

le sanglot 呜咽;哭泣

la figure 面孔;气色

le feu 火

le bas 长袜

la mèche 一绺头发

la bottine 高帮皮鞋

VERBES

rompre *v. i.* 绝交;决裂

sonner *v. i.* 响;鸣

songer *v. i.* 想;想到

retenir *v. t.* 拦住;留住

causer *v. i.* 交谈

coller *v. t.* 贴;粘

pardonner *v. t. v. i.* 原谅;宽恕

mériter *v. t.* 应得;值得

coiffer *v. t.* 给…梳妆

habiller *v. t.* 给…穿衣

étouffer *v. t.* 使呼吸困难

allumer *v. t.* 点燃

s'enfoncer *v. pr.* 进入深处;消失

se taire *v. pr.* 沉默

enlever *v. pr.* 脱掉

rougir *v. i.* 变红

détourner *v. t.* 转移;转过去

rattraper *v. t.* 重新抓住

rapprocher *v. t.* 使更靠近

se pencher *v. pr.* 欠身;俯身

protester *v. i.* 抗议;提出异议

s'échapper *v. pr.* 漏出;脱口而出

ADJECTIFS

fiancé, e 已订婚的

ruiné, e 破产的

ridicule 可笑的;滑稽的

lourd, e 沉重的

trempé, e 被雨淋湿的

pâle 苍白的

jaune 黄色的;发黄的

troué, e 穿洞的,穿破的

AUTRES

humblement *adv.* 谦恭地

NOTES SUR LE TEXTE

1. depuis que la famille de Rose est ruinée: 自从罗丝的家庭破产以后。
   depuis que + *inf.*: 自从…以后。
2. chez + le pâtissier (糕点商), le coiffeur (理发师), l'épicier (食品杂货商)等,表示:在…店里。
3. Elle ne devait pas avoir de parapluie. 她大概没有雨伞。
   devoir 在此表示:也许,大概。
4. Elle arriverait dans un joli état. 她来到的时候一定挺狼狈。
   joli 在此是反语,意为:糟糕的;真够瞧的。
5. un ridicule parapluie d'homme: 一把怪模怪样的男用伞。

6. Le vent collait contre ses jambes une jupe mouillée. 风把湿漉漉的短裙贴在她腿上。

   contre 表示：靠，挨。

   J'étais assis contre la fenêtre. 我靠窗户坐着。

   coller *qch.* contre ... ：把…与…贴紧粘住。

   Ne collez pas cette chaise contre le mur. 不要把这把椅子靠在墙上。

7. ... qu'une des jeunes filles lui prit des mains：一位女招待把雨伞从她手中接过来。

   des mains ：从手中。

8. En quel état tu es！看你这副（狼狈）样子！

9. La jupe est lourde de pluie. 沾满雨水的短裙。

   （être）lourd(e) de：负有…的。

10. Elle approcha de ses lèvres la tasse de thé. 她把茶杯端到唇边。

11. Tu es la seule femme que je n'aie jamais vue se regarder dans une glace. 你是我所见过的唯一从来不照镜子的女人。

    se regarder dans une glace：照镜子。

12. On préparait mon bain，on me coiffait，on m'habillait. 有人为我准备好洗澡水，给我梳妆，给我穿衣。

13. Je me lève de grand matin. 我早晨起得很早。

    de grand matin：很早，大清早。

14. Il ne l'aidait d'aucune parole. 他不说一句话安慰她。

15. Elle eut le sentiment qu'il s'éloignait，qu'il était déjà trop loin pour qu'il entendît sa voix. 她突然觉得他在离开她，已经走得很远很远，听不见她的声音了。

    avoir le sentiment que：觉得，感到…

    trop ... pour que ... ：太…以至于…

    entendît 是动词 entendre 的虚拟式未完成过去时。这一时态表示在过去某一时刻的同时或以后发生的动作，在当代法语中常以虚拟式现在时代替。

16. Il comprenait bien ce qu'elle éprouvait à ce moment et retenait ses coups. 他非常清楚罗丝此时此刻的心情，咽下了绝情的话。

le coup 在此意为:打击。

17. Dans la glace Rose se vit tout à coup telle qu'elle apparaissait à Robert. 罗丝在镜子中突然看到她在罗贝尔眼中的那副模样。

    tel(le) que: 如同…;像…一样。

18. Rose se pencha vers lui et, pour l'obliger à la regarder, lui prit la tête à deux mains. 罗丝朝罗贝尔欠身用双手捧起他的头,迫使罗贝尔把目光对着她。

    se pencher vers: 俯身,欠身。

    lui prit la tête à deux mains: 用双手捧起他的头。

19. François Mauriac: 弗朗索瓦·莫里亚克(1885—1970),法国小说家、评论家、诗人。曾获 1952 年的诺贝尔文学奖。其代表作有:《和麻疯病人的亲吻》、《爱的荒漠》、《蝮蛇结》等。本文选自他写于 1939 年的小说《海之路》。

LA COMPOSITION

复合构词法

两个或两个以上的词连接在一起,构成新词,表达一个完整的概念,称为复合构词法。例如:l'aide-comptable, la machine à laver, le grand-père. 词与词之间的连接主要有以下几种方法:

1. 以连词符"-"相连

avant-hier *adv.*	(前天)	après-guerre *n. m.*	(战后)
sous-estimer *v. t.*	(低估)	non-violence *n. f.*	(非暴力)
porte-avions *n. m.*	(航空母舰)	nouveau-né *n. m.*	(新生儿)

2. 以介词"à"或"de"相连

machine à laver *n. f.* (洗衣机)

fer à repasser *n. m.* (熨斗)

brosse à dents *n. f.* (牙刷)

bateau à voile *n. m.* (帆船)

pomme de terre *n. f.* (土豆)

chemin de fer *n. m.* (铁路)

pouvoir d'achat *n. m.* (购买力)

homme d'affaires *n. m.* （实业家）

3. **无连接成分**

plein emploi *n. m.*（充分就业） prix plafond *n. m.*（最高价格）
chapeau melon *n. m.* （圆顶礼帽） gris perle *n. m.* （珠灰色）

EXERCICES

I. *Trouvez la bonne réponse*

1. Le quart de six heures avait sonné.
   A. Il était 17h 45.
   B. Il était 18h 15.
   C. Il était 6h 15.
2. Elle arriverait dans un joli état.
   A. Il pensait qu'elle arriverait toute mouillée.
   B. Il pensait qu'elle serait jolie quand elle arriverait.
   C. Il pensait qu'elle serait très bien habillée.
3. Il songea à l'impression que leur ferait Rose.
   A. Il pensa que Rose leur ferait une bonne impression.
   B. Il se demanda quelle impression Rose leur ferait.
   C. Il pensa que Rose leur ferait une mauvaise impression.
4. Je voudrais que tu aies pitié de toi-même.
   A. Je voudrais que tu sois moins égoïste.
   B. Je voudrais que tu sois plus indulgente.
   C. Je voudrais que tu prennes soin de toi-même.
5. Elle était devenue pâle：
   A. parce qu'elle avait peur.
   B. parce qu'elle avait froid.
   C. parce qu'elle se sentait honteuse.
6. 《On faisait tout pour moi depuis mon enfance… maintenant je rentre tard，je me lève de grand matin》signifie：
   A. mon enfance a été heureuse

B. ma vie a changé

C. je suis encore un enfant

II. *Dites* vrai *ou* faux *d'après le texte*

1. La famille de Rose était riche autrefois. ( )
2. La mère de Robert s'opposait au mariage de son fils, parce que Rose n'était pas jolie. ( )
3. Robert décida d'attendre Rose chez le pâtissier jusqu'à ce que Rose arrivât. ( )
4. Rose accepta tous les reproches de Robert parce qu'elle l'aimait et qu'elle avait peur de le quitter. ( )

III. *Trouvez les antonymes des mots suivants* 写出下列词的反义词

Ex：joli → laid　　entrer → sortir

fermer ______　　lourd ______

apporter ______　　baisser ______

s'éloigner ______　　tard ______

le mariage ______　　sur ______

devant ______　　allumer ______

IV. *Formez des mots composés à l'aide des mots ci-dessous*

(timbre, poste) ______　　(lit, wagon) ______

(fleur, chou) ______　　(feu, allume) ______

(né, nouveau) ______　　(ouvre, boîte) ______

(affaire, homme, de) ______　　(main, œuvre, de) ______

(calculer, à, machine) ______　　(lettres, boîte, aux) ______

(vapeur, bateau, à) ______　　(fiction, science) ______

V. *Donnez les adverbes correspondant aux adjectifs*

large ______　　précis ______

profond ______　　évident ______

résolu ______　　énorme ______

doux ______　　attentif ______

VI. *Complétez*

1. Le musicien qui joue du piano est un ____________
2. Le médecin qui soigne les dents est un ____________
3. Le ouvriers qui font grève sont des ____________
4. Le commerçant qui vend des fleurs est un ____________
5. La personne qui écrit des romans est un ____________

VII. *Trouvez les noms correspondant aux adjectifs suivants*

Ex: bon → la bonté, long → la longueur

beau	________	intelligent	________
gai	________	méchant	________
total	________	léger	________
faible	________	tranquille	________

VIII. *Complétez le tableau*

évitable	inévitable	inévitablement
	indiscutable	
		inconfortablement
		inconcevablement
	imparfait	
comparable		

IX. *Traduisez la lecture suivante en chinois*

LECTURE

La cour d'assises[1]

Hier, je suis allé voir un procès en cour d'assises. On jugeait une femme meurtrière de son mari. De nationalité étrangère, elle parlait mal le français.[2] Son avocat répondait pour elle. Il portait une robe noire avec des manches larges. Il faisait de grands gestes.

Le président, dans sa robe rouge, avait l'air sévère, mais il faisait seulement son métier.[3] Il a interrogé un témoin: 《Il faut que nous connaissions la vérité. Puisque vous êtes le voisin de ces gens, répondez à ma question: le mari était-il méchant avec sa femme?》[4]

— Oui, Monsieur le président. Il buvait beaucoup et ne lui donnait jamais d'argent. Les voisins disaient:《Un jour, il la tuera!》

— Pourtant, c'est elle qui l'a tué.

— Ça devait arriver, Monsieur le président. Il la battait, elle a voulu se défendre, c'est tout.

A la fin de l'après-midi, le jury a rapporté son verdict et la Cour a rendu son arrêt.[5] Elle condamnait la femme à trois ans de prison avec sursis.[6] Dans le public, quelques personnes ont applaudi. Le président leur a ordonné de rester tranquilles, mais je crois que tout le monde trouvait l'arrêt assez juste, et les journalistes ont couru au téléphone[7] pour annoncer la nouvelle à leurs journaux.

LEXIQUE

la cour d'assises (法国)重罪法庭
le procès 诉讼,诉讼案件
juger *v. t.* 审判,审理
meurtrier, ère *n.* 凶手,谋杀犯
la nationalité 国籍
le témoin 证人
le jury 陪审团
le verdict (陪审团的)裁决
l'arrêt *n. m.* 判决
condamner *v. t.* 判刑,定罪
le sursis 缓刑
applaudir *v. i.* 鼓掌

NOTES

1. la cour d'assises：重罪法庭。重罪法庭是法国审理重罪的刑事法庭。法国每省设一个重罪法庭，由三名法官组成法庭，九名公民组成陪审团。
2. De nationalité étrangère, elle parlait mal le français. 因为她是外国人，所以法语讲得很差。

   être de nationalité ＋ 国名形容词：是…国籍。

   de nationalité ... 是 étant de nationalité 的省略，起原因状语作用。
3. Le président ... faisait son métier. 庭长身穿红袍，神色严厉。不过，他只是履行他的职责而已。

   faire son métier：做他的工作。
4. Le mari était-il méchant avec sa femme? 丈夫待他的妻子是否很坏？

   être méchant avec *qn*：对某人凶恶。
5. la Cour a rendu son arrêt：法庭作出判决。
6. Elle condamnait la femme à trois ans de prison avec sursis. 法庭判那个妇女三年徒刑，缓期执行。

   condamner *qn* à ... ans de prison：判某人…年徒刑。

   avec sursis [syrsi]：缓期执行。
7. Les journalistes ont couru au téléphone. 记者们纷纷涌到电话机旁。

LEÇON QUARANTE-HUIT

Comment fonctionne une machine à vapeur?

En faisant bouillir de l'eau, nous la transformons en un gaz appelé vapeur. [1] Ce gaz est expansible: il tend à occuper en totalité l'espace dans lequel il se trouve. [2] Une machine à vapeur utilise cette propriété de la vapeur pour fonctionner.

Observons une bouilloire où de l'eau est en ébullition. Nous verrons la vapeur sortie par le bec se propager. [3] Bouchons ce bec, et maintenons le couvercle baissé: le bouchon sera alors éjecté. Une machine à vapeur est assez semblable à une bouilloire bouchée dont le couvercle serait levé et abaissé, mais ne pourrait pas être totalement ôté. Dans une machine, ce couvercle est appelé piston.

A plusieurs reprises, des essais furent tentés pour créer des machines à vapeur, mais certains problèmes (pression irrégulière, protection insuffisante des chaudières, [4] consommation excessive de charbon) étaient difficiles à résoudre.

James Watt en inventa enfin une dans laquelle l'énergie de la vapeur en expansion était directement appliquée au piston. [5] La pression de la vapeur soulevait le piston de 1 mètre dans le cylindre. Son poids et sa tige le faisaient alors redescendre vers le point de départ. Ce système est celui de la machine à effet simple. [6] Dans les machines plus récentes, seule une petite quantité de vapeur pénètre dans le cylindre pour qu'il n'y ait pas de gaspillage.

Plus tard, Watt améliora sa machine en lui ajoutant un condenseur de vapeur, récipient raccordé au cylindre[7] par des tuyaux et des soupapes, qui récupère la vapeur s'échappant de la machine[8] et où elle est liquéfiée (condensée) à nouveau.[9]

La troisième nouveauté fut de trouver un moyen permettant à la vapeur d'actionner le piston dans les deux sens.[10] Dès lors la vapeur, et non plus la pression de l'air, se chargeait de faire redescendre le piston. De cette façon, le piston《travaillait》en montant et en descendant. Ce système est dit à double effet.[11]

Relié à une pompe, un levier ou une manivelle, il permet la mise en marche de n'importe quel mécanisme.[12]

D'après *Tout l'Univers*[13]

LEXIQUE

NOMS

la machine à vapeur 蒸汽机
le gaz 气,气体
la bouilloire 烧开水的壶
l'ébullition *n. f.* 沸腾
le bec 壶嘴
le couvercle 盖子
le bouchon 塞子,堵塞物
le piston 活塞
l'essai *n. m.* 试验
la pression 压力,压强
la chaudière 锅炉
le charbon 煤
l'énergie *n. f.* 能,能量
le cylindre 汽缸
la tige 杆,柄
le point de départ 始点,出发点
le gaspillage 消费
le condenseur 冷凝器
le récipient 容器,器皿
le tuyau 管子,导管
la soupape 阀门,气门
la nouveauté 新型;新生事物
le sens 方向
la pompe 泵
le levier 操纵杆
la manivelle 曲柄,(摇)手柄
la mise en marche 起动
le mécanisme 机械结构

VERBES

fonctionner *v. i.* 运转,运行
bouillir *v. i.* 沸滚,沸腾
transformer (en) *v. t.* 使转变成
tendre (à) *v. i.* 倾向于,趋向
observer *v. t.* 观察
se propager *v. pr.* 传播,蔓延
boucher *v. t.* 堵住

éjecter *v.t.* 喷射,弹出
abaisser *v.t.* 放低,下降
ôter *v.t.* 拿掉,去除
tenter *v.t.* 尝试
appliquer *v.t.* 运用,应用
soulever *v.t.* 提起,托起
redescendre *v.t.* 再落下
améliorer *v.t.* 改善
raccorder *v.t.* 接合,连接
récupérer *v.t.* 收回,复得
liquéfier *v.t.* 使成液体
condenser *v.t.* 使凝结
actionner *v.t.* 开动,发动
se charger (de) *v.pr.* 担负,负责
ralier *v.t.* 连接,连通

ADJECTIFS

expansible 膨胀的
semblable 相似的
bouché,e 堵塞的
irrégulier, ère 无规律的,不规则的
excessif, ve 过度的,过多的
récent,e 新近的

AUTRES

en totalité *loc.adv.* 全部地,完全
totalement *adv.* 完全地
à plusieurs reprises *loc.adv.* 多次
dès lors *loc.adv.* 从那时候起
de cette façon *loc.adv.* 这样
n'importe quel 不管什么样的

NOTES SUR LE TEXTE

1. En faisant boullir de l'eau, nous la transformons en un gaz appelé vapeur. 水加热到沸点,就变成一种被称为蒸气的气体。
   transformer *qch.* en ... 把…转变成。
   appeler *qch.* *qch.* 称…为…
2. Il tend à occuper en totalité l'espace dans lequel il se trouve. 这种气体趋于完全占据它所处的空间。
   tendre à: 有…的趋势;以…为目的。
   occuper *qch.* en totalité: 完全地占领…
3. Nous verrons la vapeur sortie par le bec se propager. 我们将看到从壶嘴出来的蒸气向四面扩散。
4. protection insuffisante des chaudières: 缺乏对蒸汽锅炉的足够保护。
5. L'énergie de la vapeur en expansion était directement appliquée au piston. 膨胀的水蒸气所产生的能量直接作用于活塞。

6. la machine à effet simple：单向作用的蒸汽机。
7. récipient raccordé au cylindre：与汽缸相连接的接收器。
8. qui récupère la vapeur s'échappant de la machine：它回收从机器中漏出的蒸气。
9. où elle est liquéfiée à nouveau：蒸气在接收器中重新液化。
   à nouveau：再一次，重新。
10. un moyen permettant à la vapeur d'actionner le piston dans les deux sens：使蒸气推动活塞作往复运动的一种方法。
11. Ce système est dit à double effet. 这种结构称为往复式结构。
12. Il permet la mise en marche de n'importe quel mécanisme. 它能启动任何一种机械装置。
   n'importe quel：任何的；不管怎样的。quel 要和所修饰的名词性、数一致。例如：n'importe quelles difficultés 无论什么样的困难。以动词 importer 构成的类似短语还有：
   n'importe qui　不论是谁
   n'importe quoi　不论什么事情；不论什么东西
   n'importe comment　无论怎样
   n'importe où　不论什么地方
   n'importe quand　不论什么时候
   n'importe lequel (laquelle, lesquels ...)　不论是谁；不论什么东西；任何一个
13. *Tout l'Univers*：《宇宙万象》。七十年代在法国出版的一套青少年百科知识杂志。

L'ABREVIATION

缩略构词法

缩略构词法与前面讲过的几种构词方法不同：它一般不创造新词，而是对人们熟知、常用的词或词组进行缩略，使词汇的表达更加简易、方便。在当代法语中，缩略词大量涌现，广泛应用于政治、经济、科技、文化等各个领域。缩略构词主要有以下几种：

1. **缩减构词**

用原词的首字母、首尾字母或原词的一部分代替原词,例如:

monsieur *n. m.* 先生 → M.

compagnie *n. f.* 公司 → Cie

boulevard *n. m.* 大街 → Bd

professeur *n. m.* 教师 → prof (俗)

sympathique *a.* 热情的 → sympa (俗)

vitesse *n. f.* 速度 → V

docteur *n. m.* 医生,博士 → Dr.

télévision *n. f.* 电视 → télé

2. **首字母构词**

首字母构词只限于词组的缩略,由词组中每个词的首字母组成。例如:

Organisation des Nations Unies → O. N. U. 联合国

Habitation à loyer modéré → H. L. M. 低租金住房

Salaire minimum interprofessionnel de croissance → S. M. I. C. 各行业应增至的最低工资

Organisation du traité de l'Atlantique nord → O. T. A. N. 北大西洋公约组织 →北约

注意: 法语中有些首字母词是延用英语或其他语言首字母的排列次序,例如:

United Nations Educational Scientific and Cultural Organization → UNESCO 联合国教育、科学及文化组织→教科文

Central Intelligence Agency → CIA 中央情报局

3. **合成构词**

取词组中每个词的一部分构成缩略词,称为合成构词。例如:

Benelux [be-ne-lyks] (**Bel**gique, **Ne**derland et **Lux**embourg)比荷卢经济联盟

Eurovision (Europe + télévision)欧洲电视联播

franglais (français + anglais)夹杂英语的法语

EXERCICES

I. *Relevez, dans le texte, les verbes marquant un processus* 挑选出课文中表示发展过程的动词

Ex：bouillir，transformer，occuper

________ ________ ________

________ ________ ________

________ ________ ________

________ ________ ________

II. *Les définitions suivantes sont-elles correctes?* 下面的定义是否准确？

1. **Un gaz expansible est** un gaz qui tend à occuper en totalité l'espace dans lequel il se trouve. (   )
2. **Un piston est** une sorte de couvercle qui empêche la vapeur de s'échapper. (   )
3. **Une machine à vapeur à double effet est** une machine à vapeur où la vapeur se charge de faire redescendre le piston. (   )

III. *Définissez les mots suivants à l'aide du texte* 借助课文，写出下列词的定义

1. La vapeur est ____.
2. Une machine à vapeur est ____.
3. Une machine à vapeur à effet simple est ____.
4. Un condenseur de vapeur est ____.

IV. *Donnez les termes abrégés des mots suivants*

Ex：une automobile — une auto

un stylographe ________ une motocyclette ________

le cinématographe ________ une photographie ________

un professeur ________ une faculté ________

le baccalauréat ________ sympathique ________

V. *Donnez le nom correspondant au verbe ou le verbe correspondant au nom*

Ex：le coût — coûter durer — la durée

regarder __________ arriver __________

le conseil ________ la marche ________

rencontrer ________ un appel ________

une écoute ________ un déjeuner ________

VI. *Complétez le tableau*

diriger	direction	directeur
rédiger		
	édition	
		imprimeur
		voleur
	visite	
agresser		
	indication	

VII. *Complétez les phrases suivantes avec* :

n'importe qui, n'importe quoi, n'importe quand, n'importe comment, n'importe où, n'importe quel, etc.

1. Vous ne pouvez pas faire ________________.
2. A quelle heure puis-je vous voir?
   Vous pouvez venir à ________________ heure.
3. Qui peut faire ce travail, à votre avis?
   ________________ peut le faire.
4. Quand est-ce que je peux te téléphoner?
   Téléphone-moi ________________.
5. Qu'est-ce que vous avez répondu quand on vous a posé cette question bizarre?
   J'ai répondu ________________.
6. Où peut-on trouver de bons restaurants en France?
   On en trouve ________________.
7. Comment dois-je écrire cette lettre?
   Ecrivez-la ________________.
8. Comment doit-on s'habiller pour assister à cette soirée?
   On peut s'habiller ________________.
9. Quels livres peut-on emprunter?

On peut emprunter ______________ livres.

10. Quelles fleurs dois-je acheter?

Vous pouvez acheter ________ fleurs, mais à condition qu'elles ne soient pas trop chères.

VIII. *Version*

L'énergie solaire

Directement ou indirectement, le Soleil constitue la plus importante des sources d'énergie dont dispose la Terre. Directement, il donne de la chaleur et de la lumière; indirectement, il fournit l'énergie nécessaire à la photosynthèse dont dépend la vie végétale.

L'énergie solaire est renouvelable et, pratiquement inépuisable. Utilisée directement, elle n'a qu'un minimum d'effet sur l'environnement. La quantité de cette énergie《gratuite》et《propre》disponible en un point quelconque de la surface de la Terre varie selon la latitude, l'altitude et le climat.

Les plus gros problèmes que pose l'utilisation de l'énergie solaire, sont ceux de son captage et de sa conservation. Quand nous disons que c'est une énergie《gratuite》et《propre》, cela signifie qu'elle est disponible, et que sa conversion ne provoque pas de pollution comme les hydrocarbures.

____

____

____

____

____

____

____

____

Lexique

l'énergie solaire *n. f.* 太阳能

la photosynthèse 光合作用

renouvelable *a.* 可更新的，可重新获得的

inépuisable *a.* 用之不竭的
quelconque *a. indéf.* 任何一个
la latitude 纬度
l'altitude *n. f.* 海拔,高度
le captage 截取,获取
la conversion 变换,转化
la pollution 污染
l'hydrocarbure *n. m.* 碳氢化合物

LECTURE

L'énergie atomique

En brûlant, un morceau de bois produit de la chaleur et de la lumière. Les savants disent que lumière et chaleur sont deux formes d'énergie. [1] De lui-même, un morceau de bois ne produit ni l'une ni l'autre. [2] Il faut que nous allumions le feu et que l'air contienne assez d'oxygène pour que cette énergie se dégage. [3] De même pour le charbon et les autres combustibles. [4] Mais il existe des substances qui se composent tout différemment. Elles émettent de l'énergie sans que personne n'ait à les allumer. Les plus connues sont le radium et l'uranium. Leurs atomes ont des propriétés très particulières.

Vous savez qu'un atome est la plus petite partie d'une substance. En général, les atomes ont une forme bien définie et ne se transforment pas, sauf ceux du radium et de l'uranium. [5] L'un d'eux peut soudainement se séparer des autres. Il s'échappe en produisant une petite étincelle et un peu de chaleur. Nous donnons à cette chaleur le nom d'énergie atomique, parce qu'elle provient d'atomes qui se séparent des autres.

Les atomes de l'uranium se dispersent les uns après les autres, assez lentement, et l'énergie se perd. Pour l'utilliser, les savants ont inventé un moyen de la capter. Dans une usine atomique, cette énergie est utilisée pour faire de la vapeur qui entraîne les turbines et produit de l'électricité.

Dans une bombe atomique, l'énergie d'un grand nombre d'atomes est libérée très rapidement: un millionième de seconde environ. Cela donne une violente explosion. Avec la chaleur, les atomes libèrent des particules d'électricité et des radiations très puissantes, très dangereuses. Les hommes qui s'occupent d'énergie atomique prennent de grandes précautions pour s'en protéger. [6] Ils conservent l'uranium et tous les produits radioactifs dans des récipients spéciaux qui empêchent les radiations de s'échapper.

LEXIQUE

l'oxygène *n. m.* 氧
le combustible 燃料
l'uranium *n. m.* 铀
l'atome *n. m.* 原子
l'étincelle *n. f.* 火花,火星
se disperser *v. pr.* 分散,散开
la turbine 涡轮机
l'électricité *n. f.* 电
la bombe 炸弹
le millionième 百万分之一
violent, e *a.* 猛烈的
la particule 微粒,粒子
la radiation 辐射,放射

NOTES

1. Lumière et chaleur sont deux formes d'énergie. 光和热是能的两种形式。
   lumière 和 chaleur 前省略冠词,是因两词成对并列。
2. De lui-même, un morceau de bois ne produit ni l'une ni l'autre. 一块木头本身既不产生光也不产生热。
   介词 de 引导的状语说明来源,修饰动词 produire. Lui-même 代替 le morceau de bois.
3. Il faut que ... et que ... 只有我们点着火,空气里又有足够的氧气时,能量才会释放出来。
   第二个连词 que 代替 il faut que,所以动词 contienne 是虚拟式。
4. De même pour le charbon et les autres combustibles. 煤和其他燃料也是同样情况。
   这是一个省略句,完整句应是:Il en est de même pour ...
5. Sauf ceux du radium et de l'uranium. 镭和铀的原子除外。
   指示代词 ceux 代替 les atomes.
6. pour s'en protéger: 保护自己,免受原子能的损害。
   en=de l'énergie atomique.
   se protéger de *qch*. 防御…

LEÇON QUARANTE-NEUF

Les problèmes de natalité

La chute de la natalité en France se confirme: la population française n'assure plus le renouvellement des générations, et en 1980 le taux de fécondité est tombé à 1,8[1] (le plus bas que la France ait enregistré depuis la guerre).

Plusieurs facteurs expliquent ce phénomène. L'âge moyen du mariage s'élève; d'autre part, une fois mariés, les couples retardent l'arrivée de leur premier enfant:[2] il semble qu'ils préfèrent privilégier la vie à deux,[3] du moins pendant quelques années, ainsi que les loisirs, les relations sociales, et surtout la poursuite d'une double activité professionnelle.[4]

Ce recul de la natalité a des conséquences irréversibles sur la vie du pays, et les pouvoirs publics s'inquiètent: d'après certains hommes politiques, il risque de ne plus y avoir suffisamment de jeunes pour assurer la retraite des personnes âgées.[5] D'autre part une réduction trop forte de la population mettrait l'économie nationale en danger.[6]

Ces arguments ne sont sans doute pas très convaincants, et il faudrait plutôt situer le problème sur le plan individuel et affectif.[7]

Car les Français ne sont pas hostiles à l'idée d'avoir des enfants.[8] Mais entre ce qui est raisonnable et ce qui serait idéal, il y a pour eux une différence, comme le montrent les réponses reçues aux deux questions suivantes:[9]

Compte tenu des difficultés que vous pouvez rencontrer,[10] quel est le nombre d'enfants qu'il vous paraît raisonnable d'avoir?

Aucun	*Un*	*Deux*	*Trois et plus*	*Ne savent pas*
4%	*7%*	*45%*	*40%*	*4%*

Quel est le nombre d'enfants que vous souhaiteriez avoir dans l'idéal, si les contraintes matérielles n'existaient pas?

Aucun	*Un*	*Deux*	*Trois et plus*	*Ne savent pas*
3%	*4%*	*37%*	*50%*	*6%*

Sondage paru dans *France Magazine*[11]

Les problèmes matériels jouent certainement un grand rôle dans les hésitations des couples. Il y a donc des mesures urgentes à prendre en faveur des familles nombreuses:[12] il faudrait augmenter les allocations familiales, construire des crèches, des garderies ...

Mais peut-être faudrait-il aussi une société plus accueillante.[13] Jamais rien — équipements collectifs, espaces verts, loisirs — n'est pensé en fonction de la petite enfance.[14] Alors peut-être certains parents attendent-ils un monde moins indifférent.

LEXIQUE

NOMS

la natalité 出生率
la chute 跌落;下降
le renouvellement 更新;增长
la génération 世代;一代
le taux 比率,率
la fécondité 生殖力,繁殖
le facteur 因素,要素
le couple 夫妇
les loisirs *n. m.* 娱乐
la relation 关系;交往
la poursuite 继续
l'activité *n. f.* 活动,工作
le recul 后退,衰退
la conséquence 后果,结果
l'homme politique *n. m.* 政治家
la réduction 缩减,减少
l'argument *n. m.* 论据,理由
le sondage 测试;民意测验
la mesure 措施
la garderie 幼儿园
l'équipement *n. m.* 设施;配备

VERBES

enregistrer *v. t.* 登记,记载
s'élever *v. pr.* 上升,提高
retarder *v. t.* 推迟
privilégier *v. t.* 给以优惠
risquer *v. t.* 冒…危险
situer *v. t.* 确定位置,置于…

ADJECTIFS

irréversible 不可逆转的

convaincant, e 有说服力的

individuel, le 个人的,个体的

affectif, ve 情感的,感情的

hostile 敌意的,对立的

raisonnable 有理性的,合理的

urgent, e 急迫的,紧急的

accueillant, e 好客的,令人舒适的

indifférent, e 冷淡的,无动于衷的

AUTRES

du moins *loc. adv.* 至少

d'après *loc. prép.* 根据

suffisamment *adv.* 足够的,充分地

compte tenu de *loc. prép.* 考虑到,鉴于

en faveur de *loc. prép.* 为了…利益,有利于

NOTES SUR LE TEXTE

1. En 1980 le taux de fécondité est tombé à 1,8. 1980 年,育龄妇女的生育率降为 1.8。
   1) le taux: 意为:比率,率,百分率。例如: le taux de scolarisation: 入学率; le taux de profit: 利润率。
   2) 法语的小数点用逗号,注意与汉语的区别。
2. Une fois mariés, les couples retardent l'arrivée de leur premier enfant. 人们结婚后并不急于要第一个孩子。
   1) une fois mariés 作主语的同位语,同时起时间状语作用。
   2) retarder l'arrivée de ...: 推迟…的到来。
3. la vie à deux: 两个人的生活。
4. surtout la poursuite d'une double activité: 尤其是双方继续从事各自的事业。
   poursuivre une activité: 继续工作。
5. Il risque de ne plus y avoir suffisamment de jeunes pour assurer la retraite des personnes âgées. (人口出生率的下降)会带来没有足够的年青人保障退休老年人生活的危险。
   il risque 是无人称句,意为: 很可能…,有…危险。
6. d'autre part une réduction trop forte de la population mettrait l'économie nationale en danger. 另一方面,人口的锐减会危及国民经济。

mettre *qch*.（*qn*）en danger：危及；使…处于危险境地。

7. Il faudrait plutôt situer le problème sur le plan individuel et affectif. 恐怕应该从个人和感情的角度来看待这个问题。

   situer *qch*.：确定位置，确定地位。

8. Les Français ne sont pas hostiles à l'idée d'avoir des enfants. 法国人并不反对生儿育女。

   (être) hostile à *qch*.（*qn*）：反对…；对…有敌意。

9. comme le montrent les réponses reçues aux deux questions suivantes：正如就以下两个问题所得到的回答所表明的那样。

   1）本句是一个倒装结构，主语是 les réponses ...，动词是 montrent。

   2）中性代词 le 代替上文所讲的内容。

10. compte tenu des difficultés que vous pouvez rencontrer：鉴于您可能遇到的困难。

    compte tenu de *qch*.：鉴于…，考虑到…

11. Sondage paru dans *France Magazine*：载于《法兰西画报》的民意测验。

    paru 是动词 paraître 的过去分词，在此意为：发表；刊登。

12. Il y a donc des mesures urgentes à prendre en faveur des familles nombreuses. 因此，要采取有利于多子女家庭的紧急措施。

    1）prendre des mesures：采取措施。

    2）des familles nombreuses：多人口的家庭；孩子多的家庭。

13. Peut-être faudrait-il aussi une société plus accueillante. 可能也需要创建一个令人感到更加惬意的社会。

    peut-être 在句首时，主语和动词一般要倒装。

14. Jamais rien — équipements collectifs，espaces verts，loisirs — n'est pensé en fonction de la petite enfance. 公共设施，绿地和娱乐，这些从来都没有根据儿童的需要来考虑。

    rien 在句中作主语，rien ne ... 意为：什么都不…，什么也不…

    例如：Rien ne peut contredire son témoignage. 什么也驳不倒他的证词。

    jamais 放在 rien 之前，起强调作用。

EXPRESSION DES QUANTITES

数 量

1. *Quantités précises* 确切数量

1) Combien d'étudiants y a-t-il dans la classe?

Il y a 20 étudiants.

Il y en a 20.

2) Quelle est **la longueur** de cette pièce?

Elle a **cinq mètres** de long.

3) Quelle est **la largeur** de cette bande?

Elle a 1,5 **centimètres** de large.

4) De quelle **hauteur** est la tour Eiffel?

Elle a **320 mètres** de haut.

5) Quel est **le poids** de cette valise?

Elle pèse **10 kilos.**

2. *Quantités imprécises* 非确切数量

1) 使用部分冠词

J'ai **de l'**argent.

Il veut **du** café.

La grand-mère a acheté **des** légumes au marché.

但表示否定时,使用 de:

Nous n'avons pas **de** fruits.

Marie n'a pas **de** frères ni **de** sœurs.

2) 数量副词 + de

un peu de pain, **beaucoup de** jeunes

assez de temps

3. *Petites quantités* 小数量

1) **Certains** élèves ont mal compris la question.

2) Nous sommes **plusieurs** à dîner.

3) **Plus d'un** restaurant est fermé à 20 heures.

4) J'ai **quelques** remarques à faire.

5) Il en manque **quelques-uns.**

6) Je n'ai **guère** le temps de faire la cuisine.

4. *Grandes quantités* 大数量

1) **Un grand nombre de** jeunes couples ne veulent pas avoir des enfants.

2) **Nombre d'**étudiants ont assisté à la réunion.

3) Il invoque **une foule de** prétextes pour ne pas venir.

4) Elle trouve toujours **un tas d'**excuses pour ne pas venir au rendez-vous.

5) **Beaucoup d'**enfants de 2 à 6 ans vont à l'école maternelle.

6) Ces immigrés ont rencontré **pas mal de** problèmes depuis leur arrivée en Europe.

7) En cette saison, il y a **trop de** monde sur la plage.

5. *Quantités approximatives* 约略数

1) Il nous faut attendre **environ** 20 minutes.

2) Elle gagne **autour de** 3 000 euros par mois.

3) Il y a **près d'**une demi-heure que je suis ici.

4) Nous nous retrouverons **vers** 6 heures.

5) Les professeurs ont **à peu près** 8 heures de cours par semaine.

6) C'est une femme **entre** 30 et 35 ans.

7) Il a **à peine** 20 ans.

8) Les candidats sont **au nombre de** 200 environ.

EXERCICES

I. *Trouvez la bonne réponse d'après le texte*

1. La population française n'assure plus le renouvellement des générations.

《le renouvellement》signifie:

A. le changement

B. le rajeunissement

C. la reproduction

2. Le plus bas que la France ait enregistré depuis la guerre.

《depuis la guerre》signifie:

A. depuis 1940

B. depuis 1945

C. depuis 1918

3. Ils préfèrent privilégier la vie à deux.

A. Ils se contentent de la vie à deux.

B. Ils donnent la priorité à la vie à deux.

C. Ils ont le privilège de la vie à deux.

4. la poursuite d'une double activité professionnelle:

A. le mari et la femme veulent exercer chacun deux métiers

B. le mari et la femme veulent chacun continuer à travailler

C. le mari et la femme veulent tous les deux travailler davantage

5. assurer la retraite des personnes âgées:

A. s'occuper des personnes âgées quand ces dernières sont à la retraite

B. remplacer les personnes âgées quand ces dernières ne pourront plus travailler

C. assurer la vie matérielle des personnes retraitées

6. 《des familles nombreuses》signifie:

A. familles qui ont beaucoup d'enfants

B. un grand nombre de familles

C. familles composées de plusieurs générations

II. *Dites* vrai *ou* faux *d'après le texte*

1. Les Français se marient de plus en plus tard. (   )

2. Une fois mariés, la plupart des couples souhaitent avoir des enfants tout de suite. (   )

3. L'économie de la France serait en danger si le taux de fécondité continuait à baisser. (   )

4. La plupart des couples aimeraient avoir deux enfants s'ils n'avaient aucune difficulté matérielle. (   )

5. Les pouvoirs publics ne s'occupent pas assez des enfants. (   )

III. *Trouvez, dans le texte, les mots ou expressions qui expriment* 《la baisse》*ou* 《la hausse》找出课文中表示"降低"或"提高"的词或句型

_______________ _______________ _______________

_______________ _______________ _______________

IV. *Posez des questions sur les mots en caractères gras*

1. Ce terrain mesure **150 mètres de long.**

____

2. Il y a **32 étudiants** dans ma classe.

____

3. La superficie de la Chine est de **9 600 000 km².**

____

4. Nous sommes **le 5 avril.**

____

5. Il gagne environ **4 500 euros** par mois.

____

6. Cette rivière a **60 mètres de large.**

____

7. La hauteur de cette tour est de **250 mètres.**

____

8. Cette usine compte **800 ouvriers et employés.**

____

V. *Remplacez les mots en caractires gras par des mots équivalents*

1. Il est venu, il y a **quelque** dix jours. ( )
2. Il a posé **quelques** questions. ( )
3. Je l'ai rencontré il y a **quelque** temps. ( )
4. Dans ce centre de recherches, il y a **50 ingénieurs et quelques.** ( )
5. **Quelqu'un** vous a téléphoné ce matin. ( )
6. Attendez-moi **quelques minutes.** ( )

VI. *Vous remplacerez le mot CHOSE par un des mots proposés:*

qualité, instrument, obstacle, nouvelle, aventure, idée

1. C'est la seule **chose** qui peut l'arrêter à présent. (　　)
2. **La chose** a été confirmée ce matin dans les journaux. (　　)
3. Pareille **chose** m'est arrivée dans le voyage. (　　)
4. Une seule et unique **chose** occupe sa pensée. (　　)
5. Une bonne mémoire est une **chose** précieuse. (　　)
6. Le thermomètre est une **chose** indispensable au physicien. (　　)

VII. *Version*

Traduisez la lecture suivante.

LECTURE

Les allocations familiales

Jusqu'en 1940, les Français avaient très peu d'enfants. Beaucoup de familles n'en avaient qu'un seul. Le pays se dépeuplait. Depuis 1940, et surtout depuis 1945, au contraire, le nombre des familles de deux et trois enfants a beaucoup augmenté. Il naît chaque année plus de 800 000 enfants[1] alors qu'il ne meurt que 500 000 Français. Cependant, comme presque partout en Europe, on constate, depuis 1964, une certaine baisse du taux de natalité.

Ce n'est pas parce qu'ils n'aimaient pas les enfants que les Français en avaient si peu, c'est parce qu'ils les aimaient trop.[2] Un enfant a un niveau de vie plus élevé, en effet, quand il est fils unique que lorsqu'il doit partager les ressources de la famille avec des frères et des sœurs.[3]

L'Etat a pris des mesures pour éviter que le niveau de vie des familles ne baisse trop lorsque le nombre des enfants augmente. La France, comme tous les pays de l'Europe, verse des allocations familiales.

Les allocations familiales ne sont pas les seuls avantages dont bénéficient les familles nombreuses. Celles-ci paient aussi moins d'impôts que les ménages sans enfant, et les impôts diminuent avec le nombre d'enfants.[4]

___

___

___

LEXIQUE

se dépeupler *v. pr.* 人口减少
unique *a.* 独一的
partager *v. t.* 分享
éviter *v. t.* 避免
verser *v. t.* 提供
l'avantage *n. m.* 好处
bénéficier (de) *v. t. ind.* 享受
l'impôt *n. m.* 税，捐税

NOTES

1. Il naît chaque année plus de 800 000 enfants. 每年出生八十多万儿童。
   il naît 是无人称结构。
2. Ce n'est pas parce qu'ils ... les aimaient trop. 法国人的子女如此之少，其原因并不是他们不喜欢孩子，而是他们太喜欢孩子了。
   ce n'est pas parce que ... c'est parce que ... 原因不是…而是…
3. Un enfant a un niveau de vie plus élevé ... avec des frères et des sœurs. 确实，当一个儿童是独生子女时，他的生活水平要比与兄弟姐妹分享家庭收入的孩子生活水平高。
4. Celles-ci paient aussi moins d'impôts que les ménagers sans enfant et les impôts diminuent avec le nombre d'enfants. 多子女家庭比无子女家庭纳税要少，税额随子女人数的增加而减少。
   celles-ci=les familles nombreuses

LEÇON CINQUANTE

Satire: dans un ministère

Très vaste et très haut, le cabinet de M. de la Hourmerie recevait le jour par trois grandes fenêtres. [1] Un grand tapis couvrait le parquet. M. de la Hourmerie, assis dans un fauteuil, lisait une lettre d'affaire.

Lahrier s'était avancé.

— Je vous demande pardon, monsieur, dit-il, il y a deux heures que je suis ici, et on vient seulement de me dire que vous m'avez demandé. [2]

Sans regarder Lahrier, M. de la Hourmerie lui dit négligemment.

— Vous n'êtes pas venu hier?

— Non, monsieur, répondit Lahrier.

— Et pourquoi n'êtes-vous pas venu?

— J'ai perdu mon neveu.

Le chef leva le nez:

— Encore!

Il y eut un moment de silence. Puis, tout à coup, M. de la Hourmerie s'écria:

— Alors, monsieur, vous ne voulez plus venir ici? A cette heure vous avez perdu votre neveu, comme déjà, il y a huit jours, vous aviez perdu votre tante, comme vous aviez perdu votre oncle le mois dernier, votre père il y a deux mois, votre mère il y a trois mois! ... Je ne parle pas de tous les cousins, cousines et autres parents éloignés que vous mettez en terre à raison d'un au moins la semaine! [3] Quel massacre! non, mais quel massacre! Peut-on se représenter une famille pareille? ... Et je ne parle pas ici, ne l'oubliez pas, ni de la petite sœur qui se marie deux fois par an, ni de la grande qui accouche tous les trois mois![4] Eh bien, monsieur, en voilà assez; si vous croyez que l'administration vous donne deux mille quatre cents francs pour que vous passiez votre vie à enterrer les uns et à marier les autres, vous vous trompez, j'ose le dire.

Il s'enflammait ... Sur une parole de Lahrier il donna un furieux coup de poing sur la table.

— Eh bien, monsieur, oui ou non, voulez-vous me permettre de placer un mot? Et il reprit:

— Vous êtes ici trois expéditionnaires: vous, M. Soupe et M. Letondu. M. Soupe a trente-sept années de service, il est vieux, et il n'y a plus rien à attendre de lui.[5] Quant à M. Letondu, c'est bien simple: il donne depuis quelques mois des signes d'aliénation mentale.[6] Alors, quoi? Sur trois expéditionnaires, l'un est vieux, le deuxième fou et le troisième à l'enterrement. Ça a l'air d'une opérette! ... Et vous pensez que les choses peuvent continuer ainsi? Non, monsieur, j'en suis fatigué,[7] moi, des enterrements, et des catastrophes soudaines, et de toutes ces maladies, et de toute cette plaisanterie de mauvais goût.[8] C'en est assez, vous dis-je.[9] Désormais, de deux choses l'une:[10] la présence ou la démission, choisissez. Si c'est la démission, je l'accepte;je l'accepte au nom du ministre,[11] est-ce clair? Si c'est le contraire, vous me ferez le plaisir d'être ici chaque jour à onze heures juste, à l'exemple de vos camarades, et ce à compter de demain,[12] est-ce clair? J'ajoute que le jour où la mort vous prendra quelqu'un de votre famille, je vous jetterai à la porte,[13] est-ce clair?

— Tout à fait clair, dit Lahrier d'un ton de raillerie.

— Très bien, dit le chef. Vous voilà prévenu.

D'après Georges Courteline[14]
Messieurs les Ronds-de-Cuir

LEXIQUE

NOMS

la satire 讽刺;讽刺作品

le ministère 内阁;部

le cabinet (个人)工作室,办公室

le tapis 地毯
le parquet 地板,镶木地板
le fauteuil 扶手椅,安乐椅
la lettre d'affaire 公文,公函
le neveu 侄子;外甥
le cousin 堂兄弟;表兄弟
la cousine 堂姐妹;表姐妹
le parent éloigné 远亲
le massacre 大屠杀,残杀
le poing 拳
le coup de poing 一拳
expéditionnaire 办事员;制副本者
l'aliénation *n. f.* 精神错乱,疯癫
l'opérette *n. f.* 轻歌剧
la catastrophe 严重的灾祸
la plaisanterie 笑话,开玩笑
la démission 辞职
le ministre 部长
la raillerie 嘲笑,戏言

VERBES

se représenter *v. pr.* 想象
accoucher *v. i.* 分娩
enterrer *v. t.* 埋葬
se tromper *v. pr.* 搞错,弄错
s'enflammer *v. pr.* 激动;发怒
placer *v. t.* 插入

ADJECTIFS

pareil, le 相同的
furieux, se 疯狂的,狂怒的
mental, e (mentaux) 心理的,精神的
soudain, e 突然的
clair, e 清楚的,明确的

AUTRES

tout à coup *loc. adv.* 突然
à raison de *loc. prép.* 根据,按照
désormais *adv.* 从今以后
au nom de *loc. prép.* 以…的名义
à l'exemple de *loc. prép.* 以…为榜样
à compter de *loc. prép.* 从…算起

NOTES SUR LE TEXTE

1. Le cabinet de M. de la Hourmerie recevait le jour par trois grandes fenêtres. 阳光从三个宽敞的窗子照进德·拉·乌尔摩里先生的办公室。

   le jour 在此指"阳光","光线"。

2. On vient seulement de me dire que vous m'avez demandé. 有人刚刚告诉我,说您找过我。

   demander *qn* :唤某人,找某人。

3. ... que vous mettez en terre à raison d'un au moins la semaine：你每星期至少要为一位（表哥、表姐或其他远亲）送葬。

   à raison de：根据，按照。

   au moins：至少，起码。

   la semaine = chaque semaine

4. Et je ne parle pas ici, ne l'oubliez pas, ni de la petite sœur qui se marie deux fois par an, ni de la grande qui accouche tous les trois mois. 请你别忘记，我还没有说你那位一年就结两次婚的妹妹和那位每三个月就生一次孩子的姐姐呢！

   ne l'oubliez pas 是插入句。le 代替本句所讲的内容。

   deux fois par an：每年两次。

   tous les trois mois：每三个月。

5. Il n'y a plus rien à attendre de lui. 我们对他已不抱任何希望。

   ne ... plus rien：再也没有任何…

   attendre *qch*. de *qn*：对某人指望某事。

6. des signes d'aliénation mentale：精神失常的兆头。

7. J'en suis fatiqué. 我对这些感到厌烦。

   en 代替下文中的 les enterrements, les catastrophes ...

   être fatigué(e) de *qch*.：对…厌倦。

8. une plaisanterie de mauvais goût：下流低级的玩笑；恶作剧。

9. C'en est assez, vous dis-je. 我告诉你，不必再谈下去了。

10. de deux choses l'une：二者必居其一。

11. Je l'accepte au nom du ministre. 我以部长的名义接受你的辞呈。

12. ce à compter de demain：从明天就开始这么做。

    à compter de：从…开始，从…算起。

13. J'ajoute que le jour où la mort vous prendra quelqu'un de votre famille, je vous jetterai à la porte. 我再补充一句：要是哪一天你家里又有什么人死了，我就把你赶出门去（即：我就解雇你）。

    jeter *qn* à la porte：把某人赶出门。

14. Georges Courteline：乔治·库特林（1858—1929），法国小说家、剧作家，曾在

内务部任职。他的幽默作品对19世纪末中下阶层作了深刻的社会剖析。本文选自他的讽刺小说《机关职员们》。(les ronds-de-cuir 原义是座椅上的圆皮垫,转义指机关职员,含贬义色彩)。

EXPRESSION DU TEMPS

时　间

I. Le temps 时间

1. Le temps précis 确切时间

   Pierre viendra **à trois heures.**

   Pierre viendra **le 10 janvier.**

   Ce stage commencera **lundi prochain.**

   Il est arrivé **au mois de** février (ou: **en** février).

   Marie est née **en** 1955.

   On fera ce voyage **au printemps (en été, en automne, en hiver).**

   Paul est parti **il y a trois jours.**

   Dans trois jours, Paul partira.

   Les cours commenceront à 8h 30 **à partir du** 1er octobre.

2. Le temps indéterminé 非确指时间

   Pierre arrivera **début août. (fin juin)**

   Je finirai ce travail **à la fin du mois.**

   Ce pont a été construit **dans les années 50.**

3. Répétition périodique 重复

   Le dimanche, il y a beaucoup de monde au parc.

   Il rentre dans son pays natal **une fois par an.**

   Le métro passe **toutes les 3 minutes.**

4. Adverbes de temps 时间副词

   Nous n'avons pas de cours **aujourd'hui.**

   Je repasserai **tout à l'heure.**

   Parfois il se montrait très gai.

   Faites cela **tout de suite.**

Je lisais des romans français **de temps en temps.**

Elle se plaint **tout le temps.**

Arrivé à midi, il est reparti **aussitôt.**

Il est arrivé **aussitôt après** votre départ.

II. La durée 期限

1. Par rapport au moment où l'on parle 与"说话时"有关

J'attends le car **depuis** une demi-heure.

Il y a trois jours **que** je suis ici.

Voilà bientôt deux ans **qu**'il va à l'école.

Ça fait une semaine **qu**'ils ne se sont pas revus.

2. Sans rapport avec le moment où l'on parle 与"说话时"无关

Il a été absent **pendant** deux semaines.

Il est parti aux Etats-Unis **pour** deux ans.

Ces armes ont été inventées **durant** la première guerre mondiale.

Ce bâtiment a été construit **en** 10 jours.

En l'espace de 2 heures vous serez à Guangzhou.

III. Les rapports de temps 时间关系

1. La simultanéité 同时性(主句和从句的动作同时发生)

Quand le chat est absent, les souris dansent.

Lorsque ma mère allait au marché, elle me laissait au passage dans la classe de mon père.

Pendant que tu choisis un pantalon, je vais regarder les cravates.

Il est sorti **alors que** j'entrais.

Le paysage s'éloigne **à mesure que** l'avion s'élève.

La petite fille pleurait **chaque fois** que son père partait en mission.

Il vaut mieux voyager **tant qu'**on est jeune.

Ils sont arrivés **tandis que** je m'apprêtais à sortir.

2. L'antériorité 先时性(主句的动作在从句的动作之前发生)

1) avant que + subjonctif

N'entrez pas dans la pièce **avant que** l'enfant (ne) se réveille.

2) avant de + infinitif

Lisez bien ce passage **avant de** faire la traduction.

3) en attendant que + subjonctif

La mère tricote **en attendant que** son enfant revienne.

4) jusqu'à ce que + subjonctif

Le professeur a expliqué le texte **jusqu'à ce que** les élèves l'aient compris.

5) jusqu'au moment où + indicatif

Le jeune couple menait une vie difficile **jusqu'au moment où** le mari a trouvé un nouvel emploi.

3. La postériorité 后时性(主句的动作在从句的动作之后发生)

1) après que + indicatif

Nous détachons nos ceintures seulement **après que** l'avion a atterri.

2) après + infinitif passé

Après avoir lu ce roman, nous connaissons mieux la vie de l'auteur.

3) quand + forme composée

Quand j'ai fini mes études, je me suis engagé dans l'armée.

4) dès que (une fois que, aussitôt que) + forme composée

Dès que je serai arrivé en France, je vous téléphonerai.

5) depuis que + indicatif

Depuis qu'il a rencontré cette jeune fille, il ne pense qu'à la revoir.

EXERCICES

I. *Compréhension du texte*

1. Le cabinet de M. de la Hourmerie recevait le jour par trois grandes fenêtres.

A. Le soleil pénètre par trois grandes fenêtres.

B. Trois grandes fenêtres entouraient le cabinet.

C. M. de la Hourmerie recevait ses visiteurs pendant la journée devant ces trois fenêtres.

2. Il y a deux heures que je suis ici.

   A. Il y a deux heures que je suis dans votre cabinet.

   B. Il y a deux heures que j'attends.

   C. Il y a deux heures que je suis arrivé au travail.

3. ... que vous mettez en terre à raison d'un au moins la semaine:

   A. vous enterrez un parent plus d'une fois par semaine

   B. vous enterrez un parent il y a moins d'une semaine

   C. vous enterrez un parent moins d'une fois par semaine

4. Peut-on se représenter une famille pareille?

   《se représenter》 veut dire:

   A. accepter

   B. imaginer

   C. croire

5. Voulez-vous me permettre de placer un mot?

   A. Voulez-vous me laisser parler?

   B. Voulez-vous me laisser répondre?

   C. Voulez-vous me laisser écrire un mot?

6. Vous me ferez le plaisir d'être ici ...

   A. Si vous venez, je serai content.

   B. Je voudrais que vous veniez ici ...

   C. Je demande que vous veniez ici ...

II. *Relevez, dans le texte, tous les mots qui expriment la parenté* (亲戚关系)

Ex: le neveu, le père

__________ __________ __________

__________ __________ __________

__________ __________ __________

III. *Relevez, dans le texte, les mots et expressions qui marquent la notion de temps* (时间概念)

Ex: deux heures, hier

__________ __________ __________

__________ __________ __________

__________ __________ __________

IV. *Complétez les phrases avec les expressions suivantes*

vers quelle heure, jusqu'à quel âge, pendant combien de temps, combien de temps, en combien de temps, après quelle heure

1. __________ avez-vous mis pour apprendre à nager?
2. __________ doit-il venir vous voir?
3. __________ avez-vous été malade?
4. __________ avez-vous fait l'aller-retour Beijing-Paris?
5. __________ peut-on dire d'un homme que c'est un jeune homme?
6. __________ est-il impoli (不礼貌) de téléphoner chez quelqu'un?

V. *Complétez les phrases suivantes avec les expressions suivantes*

du ... au ..., il y a, après, à peine, depuis, quand

1. J'avais ______ terminé mon travail, lorsque l'émission de télévision a commencé.
2. ______ mon arrivée, il n'a pas cessé de pleuvoir.
3. ______ avoir vu ce film, elle aimait de plus en plus les paysages de Wuxi.
4. J'ai vu ce film ______ au moins cinq ans.
5. On jouera *La Maison de Thé* de Lao She ______ 15 ______ 20 janvier au théâtre de la Jeunesse.
6. ______ le feu sera vert, les voitures pourront passer.

VI. *Vous remplacerez le verbe* AVOIR *par un verbe plus précis*

1. Elle **a eu** un premier prix de chant au conservatoire. (   )
2. Ce professeur **a** une grande influence sur ses élèves. (   )
3. Cet enfant **a** une bonne santé. (   )
4. Ce dictionnaire **a** plus de mille pages. (   )
5. Le Mexique **a** une superficie très largement supérieure à celle de la France. (   )
6. Le refus d'obéir **aurait** les conséquences les plus graves. (   )

VII. *Traduisez la lecture suivante en chinois*

LECTURE

La France au volant[1]

Il faut se méfier des Français en général, mais sur la route en particulier.[2]

Pour un Anglais qui arrive en France, il est indispensable de savoir d'abord qu'il existe deux sortes de Français: les à-pied et les en-voiture.[3] Les à-pied exècrent les en-voiture, et les en-voiture terrorisent les à-pied, les premiers passant instantanément dans le camp des seconds si on leur met un volant entre les mains.[4] (Il en est ainsi au théâtre avec les retardataires qui, après avoir dérangé douze personnes pour s'asseoir, sont les premiers à protester contre ceux qui ont le toupet d'arriver plus tard.)

Les Anglais conduisent plutôt mal mais prudemment. Les Français conduisent plutôt bien mais follement. La proportion des accidents est à peu près la même dans les deux pays.

Les Anglais et les Américains sont depuis longtemps convaincus que l'avion va plus vite que la voiture. Les Français, et la pluparts des Latins,[5] semblent encore vouloir prouver le contraire.

On pourrait croire que l'appétit de vitesse du Français est fonction de la puissance de sa voiture. Erreur. Plus la voiture est petite, plus l'homme veut aller vite. En ce royaume des paradoxes, les automobiles les moins dangereuses sont les plus puissantes; leurs conducteurs blasés étaient les seuls qui se paient le luxe de rouler lentement sans être dépassés par les autres.

Quant aux Françaises, il faut leur rendre justice:[6] elles conduisent plus lentement que les hommes. Un Anglais pourrait donc en toute logique se croire plus en sécurité avec elles. Nouvelle erreur. Dans un pays où tout le monde va vite, cette lenteur constitue le plus terrible des dangers.[7]

D'après P. Daninos

Les Carnets du Major Thompson

LEXIQUE

le volant 方向盘

exécrer *v. t.* 憎恨，厌恶

terroriser *v. t.* 使恐怖

instantanément *adv.* 瞬间地

le camp 阵营，阵线

le toupet 胆量

l'appétit *n. m.* 胃口，欲望

le royaume 王国

le paradoxe 不合常情的事物，反常现象

blasé, e *a.* 感觉麻木的，厌倦的

la logique 逻辑，逻辑性

NOTES

1. La France au volant：驾驶汽车的法国人。la France = les Français.
   (être) au volant：驾驶汽车。
2. Il faut se méfier des Français en général, mais sur la route en particulier. 一般说，对法国人要当心，而对在公路上开车的法国人尤其要当心。
   en général ... en particulier ... ：一般…，尤其…

3. les à-pied et les en-voiture：步行者和驾车者。

这是作者自造的词。当副词短语转化为名词时，无性数变化。

4. Les premiers passant instantanément dans le camp des seconds si on leur met un volant entre les mains. 如果给前者(即步行者)一辆汽车开，他们便马上转到后者(即驾车者)的阵营里去。

les premiers passant ... 是一句绝对分词从句，作为并存状语从句修饰前面的主语。它可以改写为：Pourtant，les premiers passent ...

5. les Latins：拉丁民族，拉丁人。

通常指受拉丁语及罗马文化影响较深、操印欧语系罗曼语族语言的地中海北岸居民，即当今的意大利、法国、西班牙、葡萄牙等国的居民。

6. rendre justice à *qn* ：为某人说公道话。

7. Dans un pays ... le plus terrible des dangers. 在大家都开快车的国家里，开慢车是最危险的。

LEÇON CINQUANTE ET UN

Les pauvres cadres

Si nous parlions un peu de ces hommes de plus en plus nombreux qui sont l'armature de notre société et que l'on nomme《cadres》? Leur situation n'est pas de tout repos[1], et il arrive parfois qu'elle soit dramatique. La décentralisation, la réorganisation, la fusion des entreprises, les bouleversements qu'exige et qu'exigera plus encore le Marché Commun, la récession actuelle: tout cela bouge terriblement, et des cadres se réveillent chômeurs. Or quand il faut licencier, le patron choisit les moins jeunes: la moitié des cadres qui, actuellement, cherchent un emploi, ont plus de 40 ans; et à 45—50 ans, personne n'en veut.[2]

L'ingénieur quadragénaire n'est plus au courant, et cela ne pardonne pas.[3] Tout ce qu'un scientifique ou un technicien de cet âge a besoin de savoir, il doit l'avoir appris depuis sa sortie de l'école.[4] La cybernétique, l'électronique, l'automation,[5] la radiochimie, l'internet, etc., qui en parlait, il y a vingt ans? Au début du siècle dernier, un jeune homme sortant de Polytechnique était armé pour toute la vie;[6] aujourd'hui, en cinq ans, ses connaissances sont périmées. La génération de savants en activité[7] invente chaque jour quelque chose. Et le malheureux《cadre》technique doit lire cinq ou six revues par jour, en plusieurs langues, s'il ne veut pas se laisser enterrer avant l'âge.[8] Comme il n'est pas humainement possible de tenir un tel rythme,[9] on l'enterre.

Quelques très grosses firmes ont l'intelligence, et surtout les moyens, de créer pour leurs collaborateurs une sorte d'école permanente:[10] des cours, des stages, des congrès permettent à ces privilégiés de garder le contact. On s'inquiète ici et là de ce que les hommes feront de leurs loisirs quand nous en serons à la semaine de trente heures.[11] Pour les cadres，inutile de s'inquiéter：ils iront en classe dix heures par semaine.

En attendant，une autre disgrâce accable les cadres：ils perdent toute culture générale. Ils n'ont pas le temps. Ils n'ont plus d'énergie disponible. Mais voici un signe positif：les mêmes firmes commencent à s'aviser qu'il n'est pas admissible qu'un physicien sache tout sur les ordinateurs et rien de l'$histoire du monde，rien du monde où il vit.[12] Leur école permanente va inclure des cours de ce qu'on appelait jadis les humanités.[13]

LEXIQUE

NOMS

l'armature *n. f.* 骨架；支柱；骨干
le cadre （企业、机关）管理人员；干部
le repos 休息，安宁
la réorganisation 重新组织，改组
la fusion 合并，联合
le bouleversement 混乱，动荡
le Marché Commun （欧洲）共同市场
la récession （经济）衰退
la moitié 半，一半
scientifique 科学家，科学工作者
la sortie 离开；出来
la cybernétique 控制论
l'électronique *n. f.* 电子学，电子技术
l'automation *n. f.* （英）自动化
la radiochimie 放射化学
la Polytechnique （法国）综合理工科大学
le rythme 节奏；速度；步伐
la firme 企业，公司
l'intelligence *n. f.* 智慧，才智
collaborateur，trice 合作者
le congrès 会议
privilégié，e 享有特权的人
la disgrâce 失宠；不幸
la culture générale 普通知识
l'ordinateur *n. f.* 电子计算机
l'histoire du monde *n. f.* 世界史
les humanités *n. f.* 人文科学

VERBES

nommer *v. t.* 命名，称…为
bouger *v. i.* 动；变动
se réveiller 醒来，睡醒
licencier *v. t.* 解雇，辞退
armer *v. t.* 武装，配备武器
inventer *v. t.* 发明，创造
se laisser *v. pr.* 被；任凭
accabler *v. t.* 压坏；使难以忍受
inclure *v. t.* 插入，包括

ADJECTIFS

dramatique 严重的;悲惨的

actuel, le 当前的,目前的

quadragénaire 四十多岁的

périmé, e 过时的,陈旧的

malheureux, se 不幸的

tel, le 这样的,如此的

inutile 无用的,无益的

disponible 可自由使用的

admissible 可接受的

AUTRES

actuellement 现时,目前

au début de *loc. prép.* 在…之初

humainement 对人来说

une sorte de 一种…;某种类似的

ici et là 这儿和那儿

en attendant *loc. prép.* 在(等待)期间

NOTES SUR LE TEXTE

1. Leur situation n'est pas de tout repos et il arrive parfois qu'elle soit dramatique. 他们的处境并不是无忧无虑的,有时甚至还很严重呢。

   1) de tout repos: 可靠的,令人放心的。

   2) Il arrive que + subjonctif: 有时发生…,有时会…

2. à 45—50 ans, personne n'en veut: 到了 45 至 50 岁,就再也没人要(他们)了。

   personne ne ...: 无人;没有人…

3. L'ingénieur quadragénaire n'est plus au courant, et cela ne pardonne pas. 四、五十岁的工程师跟不上形势,这是无可挽回的缺陷。

   1) être au courant: 了解情况的,熟知…的。

   2) pardonner *v. i.* 一般用否定式,意为:无可挽回的,致命的。

   C'est une erreur qui ne pardonne pas. 这是一个无法挽回的错误。

4. il doit l'avoir appris depuis sa sortie de l'école: 这些知识他一毕业就应该都已掌握。

5. l'automation 是英文词,五十年代中期开始在法文中使用,因此是法语词汇中的一个新词,规范法语应是 automatisation.

6. un jeune homme sortant de Polytechnique était armé pour toute la vie: 过去,从巴黎综合工科大学毕业的年轻人所学的知识足够他用一辈子。

   l'Ecole Polytechnique 是法国最著名的一所工科大学,培养高级工程师或高级管理人员。

7. la génération de savants en activité：正在发挥作用的一代科学家。

   en activité：在职的，起作用的。

8. Et le malheureux《cadre》technique doit lire cinq ou six revues par jour，en plusieurs langues，s'il ne veut pas se laisser enterrer avant l'âge. 而可怜的技术人员，如果不愿意年纪尚轻便被淘汰的话，每天就得看好几种文字的五、六种杂志。

   se laisser ＋ *inf*.：被…，任凭…

   avant l'âge：未到年纪。例如：Il est vieux avant l'âge. 他未老先衰。

9. tenir un tel rythme：保持这样（快）的节奏。

10. Quelques très grosses firmes ont l'intelligence，et surtout les moyens，de créer pour leurs collaborateurs une sorte d'école permanente. 几家非常大的公司有才智，特别是有财力，为他们的雇员创办一种在职进修学校。

    une école permanente：（或：des cours permanents）指为在职人员的培训和进修而开设的课程。

11. On s'inquiète ici et là de ce que les hommes feront de leurs loisirs quand nous en serons à la semaine de trente heures. 到处都有人担心：当我们实行每周 30 小时工作制后，人们的业余时间怎样度过。

    1）ici et là：这儿和那儿。

    2）faire de *qch*. *qch*.：使用，安排…

    3）la semaine de trente heures：每周 30 小时工作制。

12. Il n'est pas admissible qu'un physicien sache tout sur les ordinateurs et rien de l'histoire du monde，rien du monde où il vit.（如果）一个物理学家对电子计算机了如指掌，而对世界历史，对他所生活的这个社会一无所知，这是不行的。

    1）il n'est pas admissible que ＋ subjonctif：无法接受…

    2）savoir tout sur ...：精通…

    3）ne savoir rien de ...：对…一无所知。

13. Leur école permanente va inclure des cours de ce qu'on appelait jadis les humanités. 进修学校计划把过去被称之为人文科学的课程列入教学安排。

EXPRESSION DE LA COMPARAISON

比 较

I. L'égalité et la ressemblance 相等与相似

1. aussi + *adj*. + que

   aussi + *adv*. + que

   Marie est **aussi gentille que** sa mère.

   Pierre court **aussi vite que** Pascal.

2. autant + que

   autant de + nom + que

   Nicole travaille **autant que** son frère.

   J'ai **autant de difficultés que** toi.

3. comme, comme si

   Comme son professeur l'avait prévu, il a échoué à son examen.

   Ils ne se parlaient plus **comme s'**ils ne s'étaient jamais connus.

4. le même, selon, suivant, conformément à

   Elle porte toujours **le même** manteau.

   Les candidats sont classés **selon** leur âge.

   Suivant son habitude, il arrive à temps.

   Le loyer est de 500 euros, **conformément à** notre accord.

5. tel, tel que

   Tel père, **tel** fils.

   Je l'ai retrouvée **telle que** je l'avais quittée.

6. ainsi que, de même que

   Sa patience **ainsi que** sa modestie étaient connues de tous.

   L'adversité éprouve l'homme courageux, **de même que** le feu éprouve l'or.

7. autant ... autant ...

   Autant j'aime me promener au soleil, **autant** je déteste me promener sous la pluie.

8. on dirait que ...

Les fenêtres sont trop petites; **on dirait que** les architectes veulent mettre les hommes en prison.

II. La supériorité 优于…,高于…

1. plus ... que, plus de ... que

Pierre est **plus** grand **que** Charles.

Tu as **plus de** chance **que** moi.

2. de plus en plus

Il y a **de plus en plus** de Chinois qui s'intéressent au football.

3. davantage

Quand on veut réussir, on doit travailler **davantage.**

4. plus ... plus

Plus on étudie, **plus** on découvre ses lacunes.

5. d'autant plus ... que

Il nous faut **d'autant plus** de temps **que** nous devons traduire cet article en deux langues.

III. L'infériorité 劣于…,低于…

1. moins ... que, moins de ... que

Il pleut **moins** dans le Nord **que** dans le Sud.

Ce livre-ci est **moins** intéressant **que** celui-là.

Il se pose **moins de** questions **que** vous.

2. de moins en moins

Au centre-ville, on trouve **de moins en moins** de maisons individuelles.

3. moins ... moins

Moins on a d'activités, **moins** on a envie d'en avoir.

4. d'autant moins ... que

Elle a **d'autant moins** envie d'aller à cette soirée **qu'**elle ne connaît personne.

(= elle n'a pas envie d'aller à cette soirée; surtout parce qu'elle ne connaît personne.)

EXERCICES

I. *Compréhension du texte*

1. 《qui sont l'armature de la société》:
   A. dont le rôle est de défendre la société
   B. qui dirigent la société
   C. sans qui la société s'effondrerait
2. Tout cela bouge terriblement.
   A. Il y a de profondes transformations.
   B. Les industries se déplacent.
   C. L'industrie ne progresse plus.
3. Des cadres se réveillent chômeurs.
   A. Brusquement ils sont un jour licenciés.
   B. En se réveillant un matin, ils apprennent qu'ils sont licenciés.
   C. Les cadres ne travaillent pas suffisamment, ils ont tendance à 《s'endormir》.
4. L'ingénieur quadragénaire n'est plus au courant, et cela ne pardonne pas.
   A. Les cadres ne s'informent pas suffisamment de la marche de l'entreprise.
   B. Les patrons ne pardonnent pas aux cadres les erreurs qu'ils font.
   C. Ses connaissances étant trop anciennes, il est écarté du monde du travail.
5. Un jeune homme sortant de Polytechnique était armé pour toute la vie.
   A. Sortir de Polytechnique permettait autrefois de devenir colonel ou général.
   B. Il suffisait de sortir de Polytechnique pour avoir un poste toute sa vie.
   C. Sortir de Polytechnique permettait d'avoir une formation suffisante pour toute la vie.
6. S'il ne veut pas se laisser enterrer avant l'âge.

A. S'il ne veut pas mourir jeune

B. S'il veut suivre les progrès scientifiques pour conserver son poste

C. S'il veut changer de poste

II. *Relevez les termes que l'auteur du texte a employés pour désigner les cadres*

Ex: l'armature de notre société

l'ingénieur quadragénaire

______________ ______________

______________ ______________

III. *Complétez les phrases suivantes*

1. Grâce à lui, les travaux ont duré ______ longtemps ______ nous ne l'avions prévu.
2. Ce voyage au Tibet m'a ______ appris ______ tous les livres que l'on a pu écrire sur cette région.
3. ______ on fait du sport, ______ on a envie d'en faire.
4. Je n'ai jamais ______ ri de ma vie ______ ce soir-là.
5. Il aurait fallu ______ de soleil pour que les fruits puissent mûrir.
6. Je vous rapporte ces propos ______ je les ai entendus.

IV. *Transformez les phrases avec* comme si

Ex: Il n'a pas répondu. On dirait qu'il n'a pas entendu la question.

Il n'a pas répondu, comme s'il n'avait pas entendu la question.

1. Il n'a pas protesté. On dirait qu'il n'avait rien à dire.

____

2. Il connaît bien cette ville. On dirait qu'il y est né.

____

3. Il a l'air très fatigué. On croirait qu'il n'a pas bien dormi cette nuit.

____

4. Les élèves ne répondent pas. On dirait qu'ils n'ont rien compris.

____

V. *Transformez avec* d'autant plus ... que

1. Il est bien content d'avoir trouvé cette place. Il n'avait plus d'argent du

tout.

____

2. Il est satisfait de son travail. Il est mieux payé.

____

3. Elle hésite à quitter la France. Sa mère n'est pas en bonne santé.

____

4. Les habitants du quartier protestent contre les conditions de vie. Le loyer est encore augmenté.

____

VI. *Version*

Traduisez le passage de la lecture suivante:《Et pourtant, des hommes ... jusqu'à 30% de moins.》

LECTURE

Les femmes cadres

Les femmes sont entrées dans le monde du travail: le nombre des femmes actives[1] était de 7 123 500 en 1968. Aujourd'hui il a augmenté d'un million et demi, soit de plus de 20%.[2]

Mais il ne faut pas se dissimuler qu'il y a très peu de femmes aux postes de responsabilité.[3] Bien sur, des femmes cadres, on en trouve, mais dans quelle proportion? A l'E. D. F.,[4] aujourd'hui encore, elles n'occupent que 200 postes d'ingénieurs sur un total de 5 000,[5] soit 4%.

Et pourtant, des hommes reconnaissent parfois qu'une femme a des qualités équivalentes aux leurs.[6] L'efficacité des rares femmes patrons est un argument en leur faveur.

Alors? Alors, malgré tout, on reproche aux femmes de ne pas être assez disponibles, d'être trop souvent absentes (en particulier à cause des maternités), et d'hésiter à se déplacer.

Mais ceci n'est vrai que pendant quelques années, le temps d'élever les enfants.[7] A 35 ans, 40 ans, une femme est beaucoup plus libre.

Enfin, même à travail égal, il n'y a pas toujours salaire égal:[8] il est incontestable qu'au même niveau, avec les mêmes diplômes, une femme gagne moins qu'un homme: jusqu'à 30% de moins.

LEXIQUE

se dissimuler *v. pr.* 隐瞒
la proportion 比例
E. D. F. 法国电力公司
l'indice *n. m.* 标志,指数
révélateur, trice *a.* 暴露的,说明问题的
équivalent, e *a.* 相等的,等量的
l'efficacité *n. f.* 效力,效率
la maternité 生育
incontestable *a.* 无可争辩的

NOTES

1. les femmes actives: 就业妇女。
2. Aujourd'hui il a augmenté d'un million et demi, soit de plus de 20%. 今天,就业妇女的人数又增加了一百五十万,即增加了 20%以上。
   augmenter de ＋ 数字,表示"增加了多少"。
3. des femmes aux postes de responsabilité: 担任负责工作的妇女。
4. l'E. D. F. 全称是 l'Electricité de France.
5. Elles n'occupent que 200 postes d'ingénieurs sur un total de 5 000. 在总数 5 000 名工程师中,妇女只占 200 名。
6. une femme a des qualités équivalentes aux leurs: 妇女具有同他们相等的能力。
   les leurs = les qualités des hommes.
7. Mais ceci n'est vrai que pendant quelques années, le temps d'élever les

enfants. 这些情况只是在妇女抚养孩子的几年里存在。

le temps de ... 对 pendant quelques années 作进一步的说明。

8. Même à un travail égal, il n'y a pas toujours salaire égal. 即使做同样的工作,报酬也不总是相同的。

LEÇON CINQUANTE-DEUX

La vaccination

《Si tu veux la paix, prépare la guerre. 》Cette phrase de l'écrivain latin Végèce[1] pourrait parfaitement s'appliquer ... à la vaccination! Il s'agit d'un combat où l'ennemi porte le nom de microbes et les soldats d'anticorps.[2] Nous allons voir en quoi consiste cette《stratégie》médicale.

L'utilité de la vaccination réside dans le fait qu'elle donne à la personne vaccinée une immunité contre une maladie donnée.[3] Qu'est-ce que l'immunité? C'est la possibilité qu'a l'organisme de demeurer sain en se défendant efficacement contre une infection.

La mère peut transmettre à son enfant nouveau-né une immunité contre certaines maladies infectieuses qu'elle a contractées durant sa vie, mais cette immunité congénitale ne protège le nourrisson que jusqu'à l'âge de 6 mois.[4]

L'homme peut obtenir d'une manière《naturelle》une immunité dite《acquise》[5] contre une maladie déterminée après avoir été atteint par cette maladie. Nous savons par expérience personnelle que, si nous avons contracté dans notre enfance la rougeole, la scarlatine, la varicelle, la coqueluche, etc., nous nous trouvons immunisés contre ces maladies et, qu'à de rares exceptions près,[6] nous ne les attraperons plus.

L'immunité peut aussi être acquise artificiellement: c'est l'œuvre des vaccins et des sérums.

Voyons à présent comment cette immunité se produit dans notre organisme; rappelons qu'elle est《spécifique》, c'est-à-dire qu'elle concerne une maladie bien précise, et celle-là seule. Quand des substances organiques, différentes de celles de notre organisme, pénètrent dans notre corps, il réagit en mettant en œuvre de merveilleux instruments de défense:[7] au contact de ces corps étrangers,[8] il fabrique des substances appelées anticorps qui tuent ou affaiblissent les bactéries et parviennent à neutraliser les toxines en supprimant leur poison.

Ce sont les germes des diverses maladies, ou leurs toxines, qui créent l'immunité dans l'organisme; c'est donc vers les germes, ou leurs toxines, qu'il faut se tourner pour provoquer artificiellement l'immunité. Ce fut la grande intuition de Jenner:[9] introduire dans l'organisme des germes tués ou atténués, ou encore des toxines, afin qu'ils ne provoquent pas la maladie proprement dite, mais soient assez actifs pour entraîner l'organisme à réagir et à produire des anticorps. Telle est, en quelques mots, la vaccination. Le médecin, à l'aide d'une incision dans la peau ou d'une piqûre, introduit en nous des germes affaiblis, ou même morts, de la maladie contre laquelle nous devons être immunisés;[10] il peut aussi y introduire de minuscules doses de toxines. Les uns et les autres provoquent une réaction qui nous donne parfois de légers troubles, tels que fièvre ou enflure.[11] Ceci est bon signe[12] et nous aurions tort de nous en plaindre car c'est là la preuve que notre organisme produit des anticorps qui seront capables de nous immuniser pendant des années, ou même pour toute notre vie, contre les maladies visées par la vaccination.

D'après *Tout l'Univers*

LEXIQUE

NOMS

la vaccination 疫苗接种
la paix 和平
le combat 战斗
l'anticorps *n. m.* 抗体
la stratégie 战略
l'utilité *n. f.* 用处,效用
l'immunité *n. f.* 免疫性
l'organisme *n. m.* 人体,生物
l'infection *n. f.* 感染,传染
le nouveau-né 新生儿
le nourrisson 乳儿,婴儿
la rougeole 麻疹
la scarlatine 猩红热
la coqueluche 百日咳
la varicelle 水痘

l'exception *n. f.* 例外
l'œuvre *n. f.* 使命,任务
le vaccin 疫苗
le sérum 血清
l'instrument *n. m.* 工具;手段
la défense 防守,防御
la toxine 毒素
le poison 毒素,毒物
le germe 病原体
l'intuition *n. f.* 直觉,预感
l'incision *n. f.* 切开,切口
la peau 表皮,皮肤
la piqûre 注射,打针
la dose 剂量,含量
la réaction 反应
le trouble 紊乱,不适
la fièvre 发烧
l'enflure *n. f.* 肿胀
le tort 过错

VERBES

s'appliquer *v. pr.* 适合,符合
consister *v. i.* 包括,由…组成
résider *v. i.* 在于…
vacciner *v. t.* 疫苗接种
demeurer *v. i.* 延续,依然是
se défendre *v. pr.* 自卫,抵抗
transmettre *v. t.* 传给后代
contracter *v. t.* 染上,患病
atteindre *v. t.* 触及;伤害
immuniser *v. t.* 使免疫
attraper *v. t.* 得病;受到
rappeler *v. t.* 使想起,提醒
concerner *v. t.* 涉及
réagir *v. i.* 起反应,起作用
tuer *v. t.* 杀死
affaiblir *v. t.* 使衰弱,削弱
neutraliser *v. t.* 中和,抵消
supprimer *v. t.* 消除,消灭
se tourner *v. pr.* 转向
provoquer *v. t.* 引起,诱发
entraîner *v. t.* 引起
se plaindre *v. pr.* 抱怨,叫痛
viser *v. t.* 瞄准,针对

ADJECTIFS

latin, e 拉丁语的
médical, e (médicaux) 医学的
sain, e 健康的;完好的
infectieux, se 传染性的
congénital, e (congénitaux) 先天性的
acquis, e 后天性的
personnel, le 个人的
spécifique 特有的,特定的
précis, e 确定的
organique 有机体的;器官的
merveilleux, se 卓绝的,神奇的
atténué, e 减弱的
minuscule 极小的
léger, ère 轻微的

AUTRES

parfaitement *adv.* 完美的；完全地

efficacement *adv.* 有效地

durant *prép.* 在…期间

artificiellement *adv.* 人工地，人为地

à présent *loc. adv.* 现在

mettre en œuvre 动用，发挥

au contact de 与…接触后

proprement dit, e 就本义而言的

à l'aide de *loc. prép.* 在…帮助下

NOTES SUR LE TEXTE

1. Végèce：韦格提乌斯(即 Vegetius)。公元 4 世纪罗马帝国的作家、军事家。所著《战术论》被视为欧洲的一本军事经典著作。
2. Il s'agit d'un combat où l'ennemi porte le nom de microbes et les soldats d'anticorps. 这是一场战斗，敌人的名字叫微生物，战士叫作抗体。

   les soldats d'anticorps 是 les soldats portent le nom d'anticorps 的省略。
3. L'utilité de la vaccination réside dans le fait qu'elle donne à la personne vaccinée une immunité contre une maladie donnée. 疫苗接种的益处在于它使接种过的人具有抵抗某种特定疾病的免疫力。

   1) résider dans ...：存在于…

   2) une maladie donnée：某种特定的疾病。
4. Cette immunité congénitale ne protège le nourrisson que jusqu'à l'âge de 6 mois. 这种先天性免疫力只能保护新生儿到半岁。
5. une immunité dite《acquise》：一种被称为“后天性”的免疫力。
6. à de rares exceptions près：除极个别情况外；à ... près：除了…
7. Il réagit en mettant en œuvre de merveilleux instruments de défense. 肌体便动用出色的防御手段进行反击。

   mettre en œuvre：使用，动用，发挥。
8. au contact de ces corps étrangers：一接触到这些异体(非己成分)。
9. Jenner：琴纳(1749—1823)，英国医生。1796 年第一次给人接种牛痘成功。
10. Le médecin, à l'aide d'une incision dans la peau ou d'une piqûre, introduit en nous des germes affaiblis, ou même morts, de la maladie contre laquelle nous devons être immunisés. 医生借助皮下切口或注射，把我们应当获得免疫

力的那种疾病的疫苗注入我们的身体，这是一些衰弱的或已死的疫苗。

(être) immunisé contre une maladie：对某种疾病产生免疫力。

11. Les uns et les autres provoquent une réaction qui nous donne parfois de légers troubles，tels que frèvre ou enflure. 这些疫苗或毒素会引起反应，这种反应有时会给我们带来诸如发烧或红肿之类的轻度不适。

    les uns et les autres：是泛指代词，代替上文提到的 les germes，les toxines.

12. ceci est bon signe：这是好的征兆。

    ceci 代替 fièvre ou enflure.

    c'est bon (mauvais) signe：这是吉(凶)兆。

L'HYPOTHESE，LA CONDITION

假设，条件

I. Si ＋ indicatif Si ＋ 直陈式

1. si ＋ présent — futur

   Si je **vais** à Londres cet été，je **me perfectionnerai** en anglais.

2. si ＋ imparfait — conditionnel présent

   Si j'**allais** à Londres cet été，je **me perfectionnerais** en anglais.

3. si ＋ plus-que-parfait — conditionnel passé

   Si j'**étais allé** à Londres cet été，je **me serais perfectionné** en anglais.

   (注意：从句使用未完成过去时，主句有时也可使用条件式过去时；相反，从句使用愈过去时，主句也可使用条件式现在时。)

   例如：

   Si tu **avais** mieux **étudié**，tu **serais** ingénieur.

   Si j'**étais** vous，je ne l'**aurais** pas **accepté.**

4. double hypothèse (双重假设)

   si ＋ indicatif ... et que ＋ subjonctif

   Si je **vais travailler** à Londres **et que** j'**aie** assez de temps，je m'inscrirai dans une université.

II. Locutions conjonctives ＋ subjonctif 连词短语 ＋ 虚拟式

1. à condition que

Vous pouvez prendre un congé, **à condition que** vous **terminiez** ce travail avant.

2. pourvu que

Il ne dira rien **pourvu qu'** on le laisse tranquille.

3. à moins que

Je vous accompagnerai **à moins que** vous préfériez y aller seul.

4. à supposer que

A supposer qu'il ne soit pas d'accord, que feriez-vous?

5. en admettant que

Même **en admettant que** vous soyez très compétent, je pense que vous ne réussirez pas à résoudre ce problème.

6. soit que ... soit que

Il n'est pas venu faire son cours, **soit qu'**il ait été malade, **soit qu'**il ait oublié.

III. Autres procédés 其他方法

1. au cas où (dans le cas où) + conditionnel

Au cas où j'aurais un empêchement, je te passerai un coup de téléphone.

2. en cas de + nom

En cas d'incendie, appelez le 119.

3. à condition de + infinitif

A condition de vous lever tôt, vous pourrez terminer ce travail avant midi.

4. avec + nom

Avec de la ténacité, on arrive à tout.

5. sauf + nom

Je serai au rendez-vous, **sauf** obstacle imprévu.

6. un gérondif (en tête de phrase)

En travaillant sérieusement, vous réussirez.

7. un adverbe: autrement, sinon

Hâtez-vous, **sinon** il sera trop tard.

Obéis, **autrement** tu seras puni.

EXERCICES

I. *Compréhension du texte*

1. Il s'agit d'un combat où l'ennemi porte le nom de microbes et les soldats d'anticorps.

   A. Dans ce combat, l'ennemi protège les microbes et les anticorps les attaquent.

   B. Dans ce combat, les ennemis sont les microbes et les amis sont les anticorps.

   C. Dans ce combat, les ennemis attaquent les microbes défendus par les anticorps.

2. une immunité contre une maladie donnée:

   A. une protection contre telle ou telle maladie

   B. une protection contre une maladie acquise

   C. une protection contre une maladie contagieuse

3. La mère peut transmettre à son enfant nouveau-né une immunité contre certaines maladies infectieuses qu'elle a contractées durant sa vie, mais cette immunité congénitale ne protège le nourrisson que jusqu'à l'âge de 6 mois.

   A. Pendant six mois, le nouveau-né est protégé contre certaines maladies que sa mère a déjà eues.

   B. Pendant six mois, le nouveau-né est protégé contre les maladies de sa mère.

   C. Pendant six mois, le nouveau-né n'a jamais les mêmes maladies infectieuses que sa mère.

4. Si nous avons contracté dans notre enfance la rougeole, la scarlatine, la varicelle, la coqueluche, nous nous trouvons immunisés contre ces maladies et, à de rares exceptions près, nous ne les attraperons plus.

   A. On attrape rarement deux fois la même maladie.

   B. Certaine maladies infantiles protègent contre d'autres maladies.

C. On attrape rarement deux fois certaines maladies infantiles.

5. C'est donc vers les germes, ou leurs toxines, qu'il faut se tourner pour provoquer artificiellement l'immunité.

A. Pour protéger l'organisme, il faut se servir des germes et des toxines.

B. Pour lutter contre les maladies, il faut lutter contre les germes et les toxines.

C. Pour lutter contre les maladies, il faut protéger les germes et les toxines.

6. ... afin qu'ils ne provoquent pas la maladie proprement dite, mais soient assez actifs pour entraîner l'organisme à réagir.

《entraîner l'organisme à régagir》 signifie:

A. donner à l'organisme l'habitude de réagir

B. donner à l'organisme la force de réagir

C. faire réagir l'organisme

II. *Trouvez, dans le texte, les définitions des mots suivants*

1. l'immunité: ______________________

2. les anticorps: ______________________

3. la vaccination: ______________________

III. *Mettez au temps et au mode convenables les infinitifs entre parenthèses*

1. Si vos amis ne (venir) ______ pas, je vous accompagnerais chez eux.

2. Si vous (vouloir) ______ bien vous entendre avec lui, il vous faudra faire des concessions.

3. Si j'avais trouvé votre frère, je l'(amener) ______ ici.

4. Si Pierre (arriver) ______ plus tôt, je ne vous aurais pas rencontré.

5. Si nous (ne pas partir) ______ tout de suite, nous arriverons en retard.

6. Si le temps était douteux et que les routes (être) ______ dangereuses, nous renoncerions à notre voyage.

IV. *Choisissez parmi les mots proposés*

1. ______ tu le verrais, dis-lui que je le cherche.

A. si B. à condition que C. au cas où

2. ______ accident, prévenez son père.

A. en cas de B. à condition de C. sans

3. ______ vous m'aidiez, je veux bien le faire.

A. à condition que B. si C. sauf

4. Mets ton manteau, ______ tu vas attraper froid.

A. à moins que B. autrement C. puisque

V. *Trouvez les antonymes des mots suivants*

ennemi ________ l'enfance ________

naturel ________ actif ________

la sortie ________ continuer ________

VI. *Version*

Traduisez les trois premiers paragraphes de la lecture suivante

LECTURE

Les antibiotiques

C'est au biologiste anglais Alexander Fleming que nous devons la découverte d'une nouvelle substance capable de lutter contre les bactéries. [1]

Pour comprendre comment la découverte fut possible, il faut d'abord savoir ce qu'on entend par《bouillon de culture》. [2] Ce nom désigne une substance spéciale dans laquelle les biologistes parviennent à maintenir en vie les bactéries[3] qu'ils désirent soumettre à des expériences particulières. On conserve ces《bouillons de culture》dans de petites boîtes en verre, munies d'un couvercle.

Un jour de l'année 1929, Fleming, travaillant dans son laboratoire, s'aperçut qu'au milieu d'une boîte où il cultivait des staphylocoques, une moisissure gris verdâtre était apparue,[4] semblable à celle qui se forme à l'humidité sur certains aliments. [5]

Un autre aurait peut-être détruit cette culture, pensant qu'elle ne pouvait plus servir à une expérience. Fleming, lui, nota aussitôt une chose intéressante: autour de la moisissure, il n'y avait pas de bactéries.

Après plusieurs expériences, le savant put constater que cette étrange moisissure avait vraiment le pouvoir extraordinaire d'empêcher les microbes de vivre.[6] Désormais certain qu'il avait trouvé[7] un moyen puissant de combattre l'infection bactérienne, il chercha sans trêve à obtenir un concentré de la moisissure pouvant être utilisée comme remède. C'est ainsi que naquit la pénicilline.

Cette découverte provoqua un grand étonnement chez les médecins;[8] on pensait alors que la lutte contre les bactéries n'était possible qu'au moyen de composés chimiques[9] (les sulfamides), et l'on s'apercevait que la moisissure, substance produite par un organisme vivant,[10] pouvait les détruire!

La pénicilline, et toutes les substances antibactériennes que l'on tira ensuite de différents types de moisissures,[11] reçurent le nom d'antibiotiques, parce qu'ils agissent contre des éléments pathogènes vivants. Très vite, ils se montrèrent beaucoup plus actifs que les sulfamides; en effet ils luttent contre un nombre d'infections bactériennes très supérieur et, de façon générale. la plupart sont peu toxiques pour l'organisme, même administré en grandes quantités.[12]

LEXIQUE

l'antibiotique *n.m.* 抗菌素	soumettre *v.t.* 使经受
biologiste *n.* 生物学家	muni, e (de) *a.* 备有…
la substance 物质	le staphylocoque 葡萄球菌
la bactérie 细菌	la moisissure 霉
le bouillon de culture 培养液	verdâtre *a.* 暗绿色的
désigner *v.t.* 表示;指	l'aliment *n.m.* 食品

le microbe 微生物
combattre *v. t.* 与…斗争
bactérien, ne *a.* 细菌的
sans trêve *loc. adv.* 不间歇地
le concentré 浓缩物
la pénicilline 青霉素
au moyen de *loc. prép.* 用；通过…
le composé 化合物
la sulfamide 磺胺
le type 类型
pathogène *a.* 致病的
toxique *a.* 有毒的
administrer *v. t.* 下药

NOTES

1. C'est au biologiste ... contre les bactéries. 一种具有抗菌能力的新物质的发现要归功于英国生物学家亚历山大·弗莱明。
   devoir *qch.* à *qn* ：把…归功于。
2. Il faut d'abord savoir ce qu'on entend par《bouillon de culture》. 首先必须弄清楚"培养液"是什么东西。
   entendre par：…是什么意思。
3. maintenir en vie les bactéries：培养细菌。
   maintenir ... en vie：维持…的生命。
4. une moisissure gris verdâtre était apparue：出现一种灰绿色的霉。
   表示颜色的复合形容词(形容词 + 形容词；形容词 + 名词)没有性数变化。
5. semblable à celle qui se forme à l'humidité sur certains aliments：(它)与在潮湿环境中某些食物上长出的霉相似。
   celle＝la moisissure
6. Le savant put constater que ... d'empêcher les microbes de vivre. 科学家发现这种奇特的霉确有阻止细菌生存的非凡本领。
   avoir le pouvoir de：有…能力。
7. Désormais certain qu'il avait trouvé ... 从此，他确信找到了…
   (être) certain (e) que：确信，肯定。
8. chez les médecins：在医学界。
9. On pensait alors que la lutte ... au moyen de composés chimiques. 当时，人们认为唯一的抗菌药物只能是化学化合物。

alors：那时候；当时。

10. un organisme vivant：生物；有机体。
11. toutes les substances antibactériennes que l'on tira ensuite de différents types de moisissures：后来从不同类型的霉中提取的各种抗菌物质。

    tirer *qch*. de *qch*.：从…提取…
12. même administrés en grandes quantités：即使大量用药。

    administrés 修饰 la plupart des antibiotiques.

LEÇON CINQUANTE-TROIS

La mort de M. Grandet

Cinq ans se passèrent sans qu'aucun événement marquât la vie d'Eugénie et de son père.[1] La profonde mélancolie de Mlle Grandet n'était un secret pour personne; mais, si chacun put en deviner la cause, jamais un mot d'elle ne permit de la connaître ...[2]

Dans l'année 1827, le père fut forcé de lui apprendre les secrets de sa fortune en terres[3] et il lui dit, en cas de difficulté, de demander conseil à Cruchot,[4] l'honnête notaire. Puis, vers la fin de cette année, à l'âge de quatre-vingt-deux ans, le bonhomme tomba malade. En pensant qu'elle allait bientôt se trouver seule dans le monde, Eugénie se tint, pour ainsi dire, plus près de son père.[5]

Elle fut merveilleuse de soins et d'attentions pour le vieil homme.[6] L'intelligence du bonhomme commeçait à baisser mais non son avarice.[7] Dès le matin, le malade se faisait rouler entre la cheminée de sa chambre et la porte de son cabinet plein d'or. Il restait là sans mouvement, mais il regardait tour à tour, avec inquiétude, ceux qui venaient le voir et la porte doublée de fer.[8] Il se faisait rendre compte des moindres bruits et, au grand étonnement du notaire, il entendait son chien marcher dans la cour. Il se réveillait de son rêve apparent, au jour et à l'heure où il fallait recevoir l'argent des fermiers, faire des comptes avec les vignerons, ou signer des reçus. Il roulait, alors, son fauteuil jusqu'à ce qu'il se trouvât en face de la porte du cabinet.[9] Il le faisait ouvrir par sa fille, et veillait à ce qu'elle plaçât, en secret, elle-même, les sacs d'argent les uns sur les autres,[10] à ce qu'elle fermât la porte. Puis, silencieusement, il revenait à sa place aussitôt qu'elle lui avait rendu la précieuse clé, toujours placée dans la poche de son gilet, et qu'il touchait de temps en temps.

Enfin arrivèrent les derniers jours. Le bonhomme voulut rester assis au coin de son feu, devant la porte de son cabinet. Il attirait à lui, et roulait toutes les couvertures que l'on mettait sur lui, et disait à Nanon:[11]

— Serre, serre ça, pour qu'on ne me vole pas.[12]

Quand il pouvait ouvrir les yeux, il les tournait aussitôt vers la porte du cabinet où reposait son or en disant à sa fille:

— Y sont-ils? Y sont-ils? d'une voix qui montrait une sorte de peur désespérée.

— Oui, mon père.

— Veille à l'or, mets de l'or devant moi.

Eugénie posait des pièces sur une table et il restait des heures entières les yeux attachés sur elles, comme un enfant qui, au moment où il commence à voir, regarde avec étonnement le même objet; et, comme à un enfant, il lui échappait un sourire.[13]

— Ça me réchauffe! disait-il quelquefois en laissant sur sa figure une expression de bonheur parfait.

Lorsque le curé vint le voir une dernière fois, ses yeux morts en apparence depuis quelques heures, brillèrent à la vue de la croix d'or et le bouton de son nez remua pour la dernière fois.[14] Quand le prêtre lui approcha des lèvres la croix,[15] il fit un horrible geste pour la saisir et ce dernier effort lui coûta la vie.[16] Il appela Eugénie, qu'il ne voyait pas quoiqu'elle fût à genoux[17] devant lui et qu'elle baignât de ses larmes une main déjà froide.

— Mon père, mon père ... dit-elle.

— Aie bien soin de tout. Tu me rendras compte de ça là-haut, dit-il.

D'après Honoré de BALZAC[18]

Eugénie Grandet

LEXIQUE

NOMS

la mélancolie 忧郁,伤感

la cause 原因

la fortune 财富,财产

le conseil 建议,意见

le notaire 公证人

le bonhomme 老人,人

les soins *n. m.* 护理

les attentions *n. f.* 关怀,关心

l'avarice *n. f.* 吝啬,贪财

la cheminée 壁炉

l'or *n. m.* 黄金

le mouvement 活动,动作

l'inquiétude *n. f.* 焦虑,担心

le fer 铁,铁皮

l'étonnement *n. m.* 惊讶,惊奇

le rêve 梦;幻想

fermier, ère 佃农

vigneron, ne 葡萄种植者

le reçu 收据,收条

le sac 袋,包

le gilet 背心,坎肩

la couverture 覆盖物;被子

la figure 面孔,脸

l'expression *n. f.* 表情

le bonheur 幸福

le curé 神甫

la croix 十字架

le bouton 凸出物;疱

le prêtre 教士

le genou, les genoux 膝,膝盖

la larme 眼泪

VERBES

deviner *v. t.* 猜测,推测

se tenir *v. pr.* 站在,待在

rouler *v. i, v. t.* 推动,转动

signer *v. t.* 签署

veiller (à) *v. t. ind.* 注意

serrer *v. t.* 紧握,紧抱

voler *v. t.* 偷

reposer *v. t.* 放回,安放

échapper *v. t.* 露出,漏出

réchauffer *v. t.* 使暖和

remuer *v. i.* 抖动

saisir *v. t.* 抓住

baigner *v. t.* 浸,弄湿

ADJECTIFS

profond, e 深深,极度的

forcé, e 被迫的

honnête 诚实的,正真的

apparent, e 表面的,表象的

précieux, se 珍贵的,贵重的

désespéré, e 绝望的,失望的

horrible 可怕的,吓人的

AUTRES

en cas de *loc. prép.* 在…情况下
pour ainsi dire *loc. adv.* 可以说
tour à tour *loc. adv.* 依次
en secret *loc. adv.* 悄悄地,秘密地
silencieusement *adv.* 默默地
aussitôt que *loc. conj.* 刚…就…
一旦…就…

NOTES SUR LE TEXTE

1. Cinq ans se passèrent sans qu'aucun événement marquât la vie d'Eugénie et de son père. 五年过去了,而欧也妮和她父亲的生活一直平淡无奇。
   sans que + subjonctif 没有,不…
   marquât 是 marquer 的虚拟式未完成时。
2. Si chacun put en deviner la cause, jamais un mot d'elle ne permit de la connaître. 尽管每个人都可以猜出她忧伤的原因,但休想从她口中得到一句能了解原委的话。
   si 在此表示对立:尽管;虽然。
   jamais ... ne ... : 从来没有;决不。
3. sa fortune en terres: 土地财产,田产。
4. Il lui dit, en cas de difficulté, de demander conseil à Cruchot. 他要求女儿在遇到困难时,找克罗旭公证人商量。
   demander conseil à *qn* : 向某人请教。
5. Eugénie se tint, pour ainsi dire, plus près de son père. 可以这样说,欧也妮与父亲更接近一些了。
6. Elle fut merveilleuse de soins et d'attentions pour le vieil homme. 她对老人精心护理,关怀备至。
   soins 与 attentions 作形容词 merveilleuse 的补语。
7. L'intelligence du bonhomme commençait à baisser mais non son avarice. 老头的头脑开始有些迟钝,但吝啬的本性却丝毫未减。
   non son avarice = son avarice ne baisse pas
8. Il regardait tour à tour, avec inquiétude, ceux qui venaient le voir et la porte doublée de fer. 他极不放心地瞧瞧来探望他的人又瞧瞧包了铁皮的门。
   (être) doublé de: 加上…的。

9. Il roulait, alors, son fauteuil jusqu'à ce qu'il se trouvât en face de la porte du cabinet. 于是他推动轮椅,直到密室门口。
   jusqu'à ce que + subjonctif:一直到…
   se trouvât 是虚拟式未完成过去时。
10. Il le faisait ouvrir par sa fille, et veillait à ce qu'elle plaçât en secret, elle-même, les sacs d'argent les uns sur les autres. 他叫女儿把门打开,监督她亲自把一袋袋的钱秘密地堆放好。
    veiller à ce que + subjonctif: 务必使,注意使…
11. Nanon: 拿侬,葛朗台家的女佣人。
12. Serre, serre ça, pour qu'on ne me vole pas. 裹紧,把被子给我裹紧,别让人偷了去。
13. comme à un enfant, il lui échappait un sourire. 他不禁像孩子一般露出微笑。
    il échappe ... 是无人称句,例如:
    Il lui échappe un cri. 他不禁叫了一声。
14. Ses yeux morts en apparence depuis quelques heures, brillèrent à la vue de la croix d'or et le bouton de son nez remua pour la dernière fois. 他那双几个小时以来看上去已僵滞不动的眼睛,一看到金十字架就又发亮了,他鼻子上那颗小肉瘤也最后一次抽动起来。
    en apparence: 表面上,表面上看来。
    à la vue de: 一看见,一看到…
    pour la dernière fois: 最后一次。
15. quand le prêtre lui approcha des lèvres la croix: 当神甫把十字架送到他的唇边时。
    le prêtre 泛指天主教的"教士,神甫",le curé 指负责某一教区(以乡村等为单位)的神甫。这里用 curé 代替上文的 prêtre,以避免重复使用同一个词。
16. Ce dernier effort lui coûta la vie. 这最后的努力送了他的命。
    coûter la vie à *qn* : 使…付出生命代价。
17. à genoux: 跪在地上。
18. Balzac: 巴尔扎克(1799—1850),法国著名作家。本文选自他的小说《欧也妮·葛朗台》。

EXPRESSION DU BUT

目　的

I. Locutions ＋ subjonctif 短语 ＋ 虚拟式

1. pour que, afin que

Le professeur parle lentement **pour que** les étudiants puissent le comprendre et **qu'**ils aient le temps de prendre des notes.

La poule couvre ses poussins de ses ailes, **afin qu'**ils n'aient pas froid.

2. de peur que (ne), de crainte que (ne)

L'avare enfouit son trésor **de peur qu'**on ne le lui dérobe.

Il refuse que sa thèse soit diffusée sur Internet **de crainté que** son travail ne donne lieu à des débats sans fin.

II. Prépositions (ou *loc. prép.*) ＋ infinitif 介词(或介词短语) ＋ 不定式

1. pour, pour ne pas

Je vais à l'hôpital **pour** me faire faire une radio.

Il ferme doucement la porte **pour ne pas** déranger les autres.

2. afin de, afin de ne pas

Il s'installe au premier rang **afin de** mieux suivre le cours.

Il a pris un taxi **afin de ne pas** manquer le rendez-vous.

3. de peur de, de crainte de

Ils sont partis de bonne heure **de peur de** manquer le train.

Le petit garçon a caché le vase cassé **de crainte d'**être puni.

4. en vue de

Les ouvriers se sont mis en grève **en vue d'**obtenir une nouvelle augmentation de salaire.

5. de manière à, de façon à

Le voleur s'est caché dans une cave **de manière à** ne pas être rattrapé par la police.

Il s'est tourné **de façon à** laisser le docteur examiner son foie.

III. Prépositions (ou *loc. prép.*) ＋ nom 介词(或介词短语) ＋ 名词

1. pour

   Ils luttent **pour** la paix dans le monde.

2. de crainte de, de peur de

   Ils négocient **de crainte d'** une reprise des hostilités.

   Elle est partie à temps de peur d'arriver trop tard.

3. en vue de

   Le patron, qui avait fait faillite, a arrangé ses biens **en vue d'** une vente aux enchères.

IV. Autres procédés 其他方法

1. Impératif ... + que + subjonctif 命令式 + que + 虚拟式

   Montrez-moi vos mains **que** je **voie** si elles sont propres.

   Viens me voir, **que** nous **passions** ensemble la soirée.

2. Verbes de mouvement + infinitif 表示运动的动词 + 不定式

   Je **viens** vous **demander** un conseil.

   Elle **descend** à la cave **prendre** une bouteille de champagne.

EXERCICES

I. *Choisissez la bonne réponse d'après le texte*

1. ... jamais un mot d'elle ne permit de la connaître.

   《la connaître》signifie:

   A. connaître Eugénie

   B. connaître la mélancolie d'Eugénie

   C. connaître la cause de la mélancolie d'Eugénie

2. L'intelligence du bonhomme commençait à baisser mais non son avarice.

   《mais non son avarice》signifie:

   A. il était toujours aussi avare

   B. il était de plus en plus avare

   C. il était de moins en moins avare

3. Il se faisait rendre compte des moindres bruits.

   A. Il se plaignait de chaque bruit.

B. Il voulait une explication pour chaque bruit.

C. Il se préoccupait de sa réputation.

4. ... comme à un enfant, il lui échappait un sourire:

A. il souriait comme on sourit à un enfant

B. il souriait comme un enfant souriait

C. il souriait à Eugénie comme à un enfant

5. Le prêtre lui approcha des lèvres la croix.

A. Le prêtre mit sa croix près des lèvres de Grandet.

B. Le prêtre mit sa croix près de ses propres lèvres.

C. Le prêtre s'approcha de lui avec sa croix.

II. *Faites le portrait de Mlle Grandet à l'aide du texte* 借助课文,勾画出葛朗台小姐的肖像

____

____

____

____

III. *Faites le portrait de son père* 勾画出她父亲的肖像

____

____

____

____

____

____

IV. *Complétez les phrases suivantes*

1. Automobilistes, ______ il y ait moins d'accidents, il faut que vous conduisiez moins vite.

2. Les vendeurs font tout ______ les clients soient contents.

3. ______ éviter des erreurs, il vaut mieux relire votre texte.

4. Emmenez-le au cinéma ______ lui faire plaisir.

5. Ils parlent tout bas ______ être entendus.

6. Le directeur insiste sur l'importance de ce projet ______ tout le monde réfléchisse à l'avance et ______ une réunion se tienne comme prévue.

V. *Complétez les phrases avec les mots proposés*

le plan　le projet　l'intention　des fins　le but　l'objectif

1. Ce plan s'est fixé pour ______ l'augmentation de la production agricole.
2. L'énergie atomique ne doit être utilisée qu'à ______ pacifiques.
3. Mon ______ est simple：amener nos concurrents à baisser leur prix，puis racheter le stock et imposer nos produits.
4. J'avais conçu ______ de vous réunir tous，mais cela n'a pas été possible.
5. Ce voyage leur a tellement plu qu'ils ont ______ de le refaire l'année prochaine.
6. On dirait qu'avec tous ces règlements l'administration à pour ______ de nous compliquer la tâche.

VI. *Choisissez la bonne solution*

1. Prévenez-le ______ le faire attendre.
   A. pour ne pas　B. afin que　C. de peur de
2. Ils se préparent ______ l'examen.
   A. de façon à　B. en vue de　C. afin de
3. J'ai préféré ne pas le faire ______ me tromper.
   A. de peur que　B. de peur de　C. de manière à
4. Je ne suis pas allé le voir ______ il puisse se reposer.
   A. pour　B. de façon à ce que　C. de façon que

VII. *Donnez les synonymes des mots en caractères gras*

1. Si **chacun** put en **deviner la cause**，jamais **un mot** d'elle ne permit de la
   (　　)　(　　)　(　　)
   connaître.
2. Le père **fut forcé de** lui **apprendre** les secrets de **sa fortune** en terres.
   (　　)　(　　)　(　　)
3. **au grand étonnement du** notaire
   (　　)

4. **Aussitôt qu'**elle lui avait rendu la précieuse clé.

( )

5. Il reste là **sans mouvement.**

( )

VIII. *Version*

Traduisez en chinois la lecture suivante

LECTURE

Eugénie Grandet

Dans la ville de Saumur,[1] le père Grandet a réussi, grâce à une série de spéculations,[2] à amasser une fortune considérable qu'il rêve jour et nuit d'augmenter.

Le soir de l'anniversaire d'Eugénie, la fille unique des Grandet, arrive charles, fils d'un frère de Grandet qui s'est suicidé après avoir fait faillite. Charles reste quelques jours chez les Grandet; Eugénie se prend de passion pour lui.[3] Charles, qui part pour les Indes, lui promet de revenir l'épouser une fois fortune faite.[4]

Quand Grandet apprend qu'Eugénie a prêté à son cousin tout l'or qu'elle avait, il se met en colère et enferme la jeune fille dans sa chambre, avec interdiction d'en sortir ...

Les années passent. Charles n'écrit pas, alors qu'Eugénie pense toujours à lui. Progressivement, le père Grandet, qui se fait vieux, fait passer dans les mains de sa fille son immense fortune.[5] Avant de mourir, il se résout à confier son or à sa fille, non sans lui dire:[6]《Aie bien soin de tout. Tu me rendras compte de ça là-haut.》

Mais voilà que Charles revient, enrichi par l'usure, la contrebande, la spéculation et la traite des Noirs. Il est devenu aussi cynique et âpre au gain que son oncle. Eugénie, dont il ignore l'énorme fortune, n'est pour lui qu'une petite fille de province, incapable de lui procurer la position sociale élevée qu'il convoite. Poussé par l'ambition, il refuse de payer les dettes de son père et épouse une aristocrate. Eugénie, qui l'aime toujours, paie ces dettes et se résigne à en épouser un autre.

Veuve à 33 ans, Eugénie consacre alors une partie de sa fortune à des œuvres de bienfaisance.

LEXIQUE

la spéculation 投机

unique *a.* 唯一的

la faillite 破产

se suicider *v. pr.* 自杀

épouser *v. t.* 娶,嫁

l'interdiction *n. f.* 禁令,禁止

l'usure *n. f.* 高利贷

la contrebande 走私,偷运

la traite des Noirs 贩卖黑人

cynique *a.* 厚颜无耻的

(être) âpre au gain 唯利是图

convoiter *v. t.* 垂涎

l'ambition *n. f.* 野心

la dette 债,债务

aristocrate *n.* 贵族

se résigner (à) 顺从,听任

la veuve 寡妇　　　l'œuvre de bienfaisance *n. f.* 慈善机构

NOTES

1. Saumur：索谬尔，地名。
2. grâce à une série de spéculations：靠着一系列的投机倒把。
3. Eugénie se prend de passion pour lui. 欧也妮爱上了他。
   se prendre de：开始有；产生。
4. Charles, qui part pour les Indes, lui promet de revenir l'épouser une fois fortune faite. 夏尔要去印度，行前答应欧也妮，等他发了财后回国娶她为妻。
5. Progressivement, le père Grandet, qui se fait vieux, fait passer dans les mains de sa fille son immense fortune. 葛朗台老头渐渐地衰老了，便把他的巨额财富转到女儿手中。
   passer *qch*. dans les mains de *qn*：把…交给某人。
6. Avant de mourir, il se résout à confier son or à sa fille, non sans lui dire：临死前，他决定把所有的黄金交给女儿，但仍向她叮嘱说：…
   se résoudre à：决定；决心。

LEÇON CINQUANTE-QUATRE

Les chemins de la fuite

La société française compte quelque douze millions de jeunes, âgés de douze à vingt-cinq ans. Si la majorité de ces jeunes disent se sentir《plutôt bien》dans leur famille, beaucoup recourent néanmoins à des conduites déviantes qui ont quelques raisons d'alarmer leurs aînés.

Par sa gravité et sa fréquence, le suicide est évidemment en tête.[1] C'est, après les accidents de la circulation, l'une des premières causes de mortalité pour l'adolescence. Mais les épidémiologistes notent un contraste important entre les suicides《réussis》et les tentatives. Ces dernières sont, à cet âge de la vie, étonnamment fréquentes puisqu'elles dépassent trois cent cinquante pour cent mille, alors que, dans la population générale, ce taux est inférieur à deux cents pour cent mille.[2] En revanche, les suicides《achevés》, donc les décès, sont moins nombreux à cet âge (deux fois moins) que dans la population générale. Plus inquiétante encore est l'augmentation, récente, de la gravité de ces tentatives et de leur nombre.[3] En outre, la tentative de suicide de l'adolescent est fréquemment suivie de récidive. Les filles qui tentent de se donner la mort[4] sont deux fois plus nombreuses que les garçons, mais ces derniers meurent deux fois plus qu'elles des suites de leur geste.

Quels sont les antécédents de ces adolescents? Les épidémiologistes notent une fréquence élevée des changements brutaux survenus dans leur vie: des séparations, des deuils, des dissociations familiales, de l'émigration, des échecs de la scolarité et de la première insertion professionnelle.[5] Le statut économique de la famille semble être un facteur moins déterminant. Les médecins insistent sur l'importance considérable de l'absorption de drogue dans les moments qui ont précédé le geste, puisqu'on la retrouve avec une fréquence écrasante, peu soulignée jusqu'à présent.

D'autres comportements, pour être plus bénins, n'en suscitent pas moins l'inquiétude de l'entourage ... [6] ou les foudres de la justice. La fugue de l'adolescent, décrite depuis longtemps, augmente considérablement depuis vingt ans. Aux Etats-Unis, les spécialistes estiment qu'elle affecte — au moins une fois — plus de 10% des garçons et près de 9% des filles. Dans les antécédents des fugueurs, la dissociation du couple parental est retrouvée dans près d'un cas sur deux. [7] Le phénomène est très certainement sous-estimé: en France par exemple, seulement trente mille fugues environ sont déclarées chaque année, alors que le nombre réel voisine probablement les cent mille.

Reste enfin le recours aux《drogues licites》, qui, pour être autorisées, n'en sont pas moins l'expression d'un malaise: le tabac, l'alcool et les médicaments psychotropes, utilisés avec une fréquence insoupçonnée, notamment chez les filles. Presque vingt pour cent d'entre elles, dans la classe d'âge quinze-vingt ans, [8] utilisent des psychotropes, comportement, semble-t-il, fort bien admis par l'entourage puisque ces médicaments ne se délivrent que sur ordonnance ... [9]

D'après *Le Monde du Dimanche* [10]

LEXIQUE

NOMS

la fuite 逃跑,逃避

la majorité 大多数,大部分

la conduite 举止,操作

aîné, e 长辈,前辈

la gravité 严重性

la fréquence 频繁,经常性

le suicide 自杀

la mortalité 死亡,死亡率

l'adolescence *n. f.* 青少年

épidémiologiste 流行病学者

le contraste 对照,对比

la tentative 试图,企图

le décès 死亡

l'augmentation *n. f.* 增加,增长

la récidive 复发,重犯

la suite 后果,结果

l'antécédent *n. m.* 前事,经历

le deuil 丧事

la dissociation 分裂

l'émigration *n. f.* 移居国外

l'échec *n. m.* 失败

l'insertion *n. f.* 插入,进入

le statut 身份,地位

la drogue 麻醉品,毒品

le comportement 行为,举止

les foudres *n. f. pl.* 怒斥,严惩

la justice 司法部门

la fugue 离家出走,逃跑

spécialiste 专家

le recours 求助,运用

le malaise 不适,苦恼

l'absorption *n. f.* 吞服,吸入

VERBES

recourir (à) *v. t. ind.* 求助于…

alarmer *v. t.* 使惊慌,使不安

noter *v. t.* 注意到

souligner *v. t.* 强调指出

susciter *v. t.* 引起,激起

affecter *v. t.* 表现,具有

sous-estimer *v. t.* 低估

voisiner *v. i.* 与…靠近,接近

se délivrer *v. pr.* 被交付

ADJECTIFS

déviant, e 偏离的,有偏差的

achevé, e 结束的,完成的

inquiétant, e 令人担忧的

brutal, e(brutaux) 突然的,意外的

écrasant, e 过分的

bénin, bénigne 轻微的,不严重的

parental, e (parentaux) 父母亲的

licite 法律许可的

psychotrope 作用于精神的

insoupçonné, e 意想不到的

AUTRES

néanmoins *adv.* 然而,仍然

évidemment *adv.* 明显地,肯定地

étonnamment *adv.* 令人惊讶地

en revanche *loc. adv.* 相反地

en outre *loc. adv.* 而且,还

NOTES SUR LE TEXTE

1. Par sa gravité et sa fréquence, le suicide est évidemment en tête. 自杀以其严重性和频繁程度最令人注目。

   par 在此处表示原因。

   en tête 在此意为:处在首位,名列前茅。

2. Alors que dans la population générale, ce taux est inférieur à deux cents pour cent mille. 而在总人口中,企图自杀的人的比率低于十万分之二百。
alors que 在此表示转折。
(être) inférieur à:低于…的。
3. Plus inquiétante encore est l'augmentation, récente, de la gravité de ces tentatives et de leur nombre. 更令人担忧的是,这些自杀未遂行为的严重性和数量最近又有增加。
这是一个倒装句,主语是 l'augmentation ...
4. se donner la mort:自杀,寻死。
5. la première insertion professionnelle:首次进入就业行列。
6. D'autres comportements, pour être plus bénins, n'en suscitent pas moins l'inquiétude de l'entourage. 其他行为,尽管危害性较小,也同样是令亲朋好友们忧心忡忡的。pour 在此表示"对立",意为:尽管,虽然;n'en ... pas moins ... 仍然是,同样地;两组词常在一起配合作用。见下文:《drogues licites, qui, pour être autorisées ...》
7. La dissociation du couple parental est retrouvée dans près d'un cas sur deux. 在离家出走的孩子中,(我们)发现双亲离异的几乎占二分之一。
8. dans la classe d'âge quinze-vingt ans:在 15 至 20 岁这一年龄段。
9. puisque ces médicamets ne se délivrent que sur ordonnance:因为这些药品只有凭医生的处方才能购得。
10. *Le Monde du Dimanche*:《世界报》星期日版。

EXPRESSION DE L'OPPOSITION

对　立

I. La coordination 并列连词

1. mais

Il est pauvre, **mais** honnête.

2. pourtant

Cette broderie semble faite à la main, et **pourtant** elle est faite à la machine.

3. cependant

Cette ville est très étendue, et **cependant** je la connais comme le fond de ma poche.

4. néanmoins

Malgré tous ses malheurs, il reste **néanmoins** heureux.

5. toutefois

C'est un garçon paresseux; **toutefois**, il est intelligent.

6. or

Il devait venir à huit heures; **or** il n'est pas venu.

7. par contre

Sa maison est trop petite; **par contre** elle est bien située.

8. en revanche

Le nouveau directeur est sévère, mais **en revanche** on le dit juste.

II. Locutions + subjonctif 短语 + 虚拟式

1. bien que, quoique

Je lui confierai ce travail **quoiqu'**il soit bien jeune.

2. qui que, quoi que, où que, quel que

Homme, **qui que** tu sois, tu n'es qu'un homme.

Quoi que vous puissiez dire, je ne vous quitterai pas dans un moment pareil.

Où que vous soyez, restez digne.

Une profession, **quelle qu'**elle soit, a sa noblesse.

3. quelque ... que

Quelque instruit **qu'**on soit, on a toujours quelque chose à apprendre.

4. pour ... que, si ... que

Pour brillant **que** soit le soleil, il a des taches.

Si jeune **qu'**elle soit, elle a décidé d'être indépendante.

III. Locutions + indicatif 短语 + 直陈式

1. même si

Même s'ils sont riches, ils n'ont pas le droit de jeter l'argent par la fenêtre.

2. alors que

   Il est sorti **alors que** je le lui avais interdit.

3. tandis que

   Tandis que la femme était occupée à faire le ménage, le mari restait sans rien faire.

4. tout ... que

   Tout bavard **qu'**il était, il ne parlait pas de ses projets avant d'être certain de leur réussite.

IV. Autres procédés 其他方法

1. malgré (en dépit de) + nom

   Malgré son jeune âge, il a de l'expérience.

2. au lieu de + infinitif

   Au lieu de vous plaindre, vous feriez mieux de vous taire.

3. loin de + infinitif

   Loin de vous faire du bien, le tabac nuit à votre santé.

4. avoir beau

   On **a beau** être savant, on ne peut tout savoir.

5. si

   Dans la vie, **s'il y a** des roses, il y a aussi des épines.

6. inversion au subjonctif ou au conditionnel (littéraire)

   Dût-il m'en coûter la vie, je n'y renoncerai pas.

   L'aurait-il su, il ne l'aurait pas épousée.

   Serait-il malade, il viendrait quand même travailler.

EXERCICES

I. *Dites* vrai *ou* faux *d'après le texte*

1. La plupart des jeunes disent qu'ils se sentent très heureux dans leur famille. (   )
2. Le suicide est la première cause de mortalité pour l'adolescence. (   )
3. Les décès par suicide sont plus nombreux chez la population générale que

chez les jeunes. ( )

4. Quand les jeunes n'ont pas réussi à se tuer, ils ne recommencent plus cette bêtise. ( )

5. Il y a plus de jeunes filles que de garçons qui tentent de se suicider. ( )

6. Aux Etats-Unis, il y a plus de 10% des garçons qui font une fugue. ( )

7. En France, il y a plus de cent mille fugues déclarées chaque année. ( )

8. Les parents ne permettent pas à leurs enfants de recourir aux《drogues licites》, ni aux médicaments psychotropes, parce qu'ils pensent que c'est aussi dangereux que la drogue. ( )

II. *Répondez aux questions suivantes*

1. Quelles sont les causes des suicides des jeunes?

______

______

______

2. Est-ce que la situation économique de la famille y joue un rôle important?

______

3. Quelle est la cause principale de la fugue des jeunes?

______

4. Quelles sont les《drogues licites》?

______

5. Combien de jeunes filles de quinze à vingt ans utilisent-elles des psychotropes?

______

III. *Remplacez les mots en caractères gras par des mots ou expressions équivalents* 用同义词或词组代替黑体字的词

1. La société française **compte quelque** douze millions de jeunes.

( )( )

2. Beaucoup **recourent néanmoins à** des **conduites** déviantes qui ont quelques
( ) ( ) ( )
raisons d'alarmer leurs aînés.

3. **En revanche**, les suicides《**achevés**》sont moins nombreux à cet âge que
( ) ( )
dans la population générale.
( )

4. Le tabac, l'alcool et les médicaments psychotropes, **utilisés** avec une
( )
fréquence **insoupçonnée**, notamment chez les filles.
( )

IV. *Complétez les phrases avec les mots proposés*

bien que   malgré   mais   quel que   si ... que   et pourtant
quelque   si

1. ______ sa vie soit dure, elle ne se plaint jamais.
2. ______ occupé ______ vous soyez, n'oubliez pas d'écrire à vos parents.
3. Quand vous serez en voyage, envoyez-moi un petit mot de temps à autre: ______ court soit-il, il me fera toujours plaisir.
4. ______ amoureux de Paris ______ il soit, il habite cependant la province.
5. ______ soit ma fatigue, j'assisterai à cette réunion.
6. Mes souliers neufs me font mal aux pieds, ______ je les mets chaque jour.
7. Le marchand a l'air honnête, ______ ce n'est qu'une apparence.
8. ______ sa patience, il n'est pas arrivé à convaincre son frère.

V. *Transformez les phrases suivantes en employant d'autres moyens d'opposition*

1. Il a refusé notre aide; mais je sais qu'il en a besoin.

____

2. J'ai téléphoné, mais ça ne répondait pas.

____

3. Elle demande un interprète d'espagnol et pourtant elle connaît l'espagnol.

____

4. J'ai lu ce livre en français et pourtant il a été traduit en chinois.

____

5. Le soleil est une source inépuisable d'énergie et pourtant on ne l'utilise guère.

____

6. Il ouvre la fenêtre et pourtant il fait froid.

____

VI. *Composez des phrases d'opposition avec les mots suggérés ci-dessous*

1. relire un article/ne pas comprendre

____

2. difficultés financières/continuer le programme

____

3. dépenser beaucoup d'argent/ ne pas être riche

____

4. arriver en retard/se lever tôt

____

5. écrire/ ne pas obtenir de réponse

____

VII. *Version*

Traduisez les deux premiers paragraphes de la lecture suivante

LECTURE

La violence dans la société moderne

Il semble qu'en France, comme partout dans le monde, la violence soit en train de devenir un phénomène de la vie de tous les jours. Le gouvernement français a récemment nommé une commission pour étudier le problème de la violence en France. Son diagnostic est grave.

Dans les usines, dans la rue, dans les conflits sociaux, dans les relations personnelles et sociales, il existe une agressivité nouvelle. Les insultes, la violence physique, le vandalisme font partie des moyens d'expression personnelle tout comme les enlèvements et les explosifs font partie de l'arsenal des terroristes.[1] Cette violence vient souvent du besoin d'affirmer qu'on existe, du besoin d'être entendu dans un monde qu'on croit sourd. C'est quand il n'est plus possible de parler ni de comprendre qu'on a recours à la violence.

La violence n'est pas une maladie nouvelle de notre société, mais il semble que nous soyons de moins en moins capables de tolérer le sentiment d'insécurité qu'elle provoque. Mais pourquoi cette panique? Et de quoi a-t-on peur?

Des jeunes d'abord.[2] Trois personnes sur quatre pensent que les jeunes sont plus facilement tentés par la violence que les adultes. Et beaucoup de gens citent la délinquance des jeunes comme un problème majeur de notre société. Parmi les facteurs sociaux qui sont responsables de la délinquance juvénile on cite souvent la ville. Dans les villes de moins de 3 000 habitants la délinquance des mineurs est de 2,2 pour cent. Dans celles de 50 000 à 100 000 habitants, elle est de 10,5 pour cent. Il semble aussi que la criminalité augmente avec la hauteur des immeubles.[3] Dans les grandes villes les enfants sont non seulement condamnés à vivre dans la stérilité du béton, mais ils sont souvent exilés de leur propre maison.[4] En effet, il est généralement interdit de laisser les enfants jouer dans les escaliers ou marcher sur les pelouses.

Souvent les enfants n'ont rien à faire et ils s'ennuient. 《Ils devraient faire du sport, ça les occuperait》, dit-on souvent. Oui, mais le sport est devenu, lui aussi, une activité très organisée et très compétitive. Il existe une obsession de la victoire et du succès qui contamine tous les aspects de la vie, même les loisirs. Et cette obsession du succès est peut-être, elle aussi, une forme de violence contre les individus ...[5] tout comme le matraquage publicitaire et la tyrannie de l'argent.

Il semble que toutes les restrictions imposées aux habitants des villes les rendent encore plus agressifs. Il suffit de conduire dans Paris à six heures du soir pour s'en apercevoir.[6] Dans les grandes villes on tue, on viole et on vole plus que dans les petites villes. En France, par exemple, les 3/5 des crimes graves sont commis dans les sept grandes régions urbaines.

Pour lutter contre l'anonymat de la ville, certains membres de la commission ont proposé qu'on encourage les camelots et les artistes de la rue. 《Camelots, musiciens, chanteurs et mimes méritent de retrouver leur place dans la rue, disent-ils. Leur présence rassure et elle apporte une animation, une spontanéité et une joie dont les habitants des villes ont bien besoin. 》

LEXIQUE

la violence 暴力,暴力行为
le diagnostic 诊断;判断
le conflit 冲突,争端
l'agressivité *v. f.* 挑衅性,好斗性
l'insulte *n. m.* 侮辱,辱骂
le vandalisme 破坏文物,破坏艺术
l'enlèvement *n. m.* 绑架
l'explosif *n. m.* 炸药,爆炸物
l'arsenal *n. m.* 武器库,宝库
terroriste *n.* 恐怖主义分子
sourd, e *a.* 聋的
tolérer *v. t.* 容忍,宽容
la panique 恐慌
la délinquance 犯罪,违法
juvénile *a.* 青少年的
mineur *n.* 未成年的人
la criminalité 犯罪行为
la stérilité 枯燥无味
le béton 混凝土
exilé, e *a.* 被放逐的
la pelouse 草坪
l'obsession *n. f.* 绕在脑际的念头
contaminer *n. t.* 污染,玷污
le matraquage 大规模灌输
la tyrannie 专横,束缚
la restriction 限制,约束

l'anonymat *n. m.* 无特征,无特色　mime *n.* 哑剧演员
le camelot 小贩

NOTES

1. Les insultes ... de l'arsenal des terroristes. 辱骂、斗殴、毁坏文物成为个人感情的表达手段,就像绑架、爆炸成为恐怖主义者的武器一样。
2. Des jeunes d'abord. 首先是怕年轻人。
   这是一个省略句,它与上段问句有联系。完整句应该是:On a peur des jeunes d'abord.
3. Il semble que la criminalité augmente avec la hauteur des immeubles. 犯罪行为好像和楼房的高度成正比。
   qch. augmente avec *qch*. …与…一起增长。
4. Dans les grandes villes ... exilés de leur propre maison. 在大城市里,孩子们不仅被迫生活在枯燥乏味的大楼里,而且还常常被逐出自己的家门。
   non seulement ... mais ... : 不仅…而且…
5. Et cette obsession du succès est peut-être, elle aussi, une forme de violence contre les individus. 也许,这种不成功不罢休的强烈念头也是针对个人的一种暴力形式。
6. Il suffit de conduire dans Paris à six heures du soir pour s'en apercevoir. 只要傍晚六点钟在巴黎市内开车转转就能发现这一点。
   en = de cela, 即上文提到的内容。

LEÇON CINQUANTE-CINQ

La conquête des marchés

Dans le commerce international, ce n'est pas encore vraiment la guerre. Mais la guérilla se développe et prend des proportions alarmantes. Sur les cinq continents, les frontières se hérissent d'obstacles de toute sorte.[1] Des procédés déloyaux sont employés pour arracher les gros contrats. On se bat au couteau[2] pour vendre des tee-shirts, des céréales, des locomotives ou des usines clefs en main.[3]

Pourtant, chaque fois que les dirigeants du monde occidental se rencontrent, ils font le serment solennel de maintenir la liberté des échanges. Au《sommet》des pays《riches》, au dernier conseil du Marché commun et à l'assemblée annuelle de l'O. C. D. E.,[4] les chefs de gouvernement et les ministres des Finances des grandes puissances industrielles ont promis de ne pas céder à la tentation du protectionnisme.[5] Ils se sont même engagés à franchir une nouvelle étape du désarmement douanier.

A peine rentrés chez eux, ces mêmes dirigeants promulguent des mesures qui sont en contradiction formelle avec leurs promesses. A cela une seule raison:[6] la reprise économique est très lente à l'échelle de la planète.[7] En conséquence, il y a plus de quinze millions de chômeurs sur les deux rives de l'Atlantique. Sous l'effet de la concurrence《sauvage》des pays à bas salaire ou qui ont des charges sociales et fiscales anormalement faibles,[8] des branches entières d'industrie sont en péril sur le vieux continent:[9] sidérurgie, constructions navales, textiles, chaussures, composants électroniques, équipement, etc. Pour maintenir les carnets de commandes et préserver l'emploi, les organisations patronales et les syndicats, pour une fois d'accord, réclament des mesures de sauvegarde aux pouvoirs publics.[10] Partout, qu'il s'agisse des Etats-Unis, de l'Allemagne, de la Grande-Bretagne ou de la France, le processus est le même ...[11]

On fait l'analyse suivante:《Le patronat reste favorable au libre-échange. Mais la liberté du commerce repose sur le respect de certaines règles.[12] Or ces règles sont transgressées par quelques pays qui se livrent à de véritables《agressions》dont sont victimes certains secteurs plus vulnérables que les autres. Il faut donc prendre des mesures de sauvegarde et refuser toute concession douanière.》

Si les industriels français redoutent la concurrence《sauvage》et réclament la mise en place d'un dispositif protectionniste,[13] ils ne sont pas les seuls. Les organismes de Bruxelles du Marché commun ont emboîté le pas au gouvernement français.[14] Ils ont contingenté certaines importations textiles en provenance des pays tiers. Aux Etats-Unis, c'est contre les chaussures de Corée du Sud, l'acier européen, les motocyclettes et les téléviseurs japonais que les industriels veulent élever des barrages.[15]

Partout, c'est la même antienne: on veut bouter dehors les produits étrangers.[16] Mais jouer avec le nationalisme, même pour défendre des intérêts commerciaux, n'est-ce pas jouer avec le feu?[17]

LEXIQUE

NOMS

la conquête 征服,赢得
la guérilla 游击战争
la proportion 比例,规模
le continent 大陆
l'obstacle *n. m.* 障碍,壁垒
le contrat 合同
le couteau 刀
la céréale 谷物,粮食
la locomotive 机车
le serment 誓言,宣誓
l'échange *n. m.* 交易,贸易
le sommet 顶峰;首脑会议
le conseil 议会,理事会
le chef de gouvernement 政府首脑
le ministre des Finances 财政部长
la tentation 诱惑,欲望
le protectionnisme (贸易)保护主义
le désarmement 解除武装;裁军
la contradiction 矛盾

la promesse 许诺,诺言
la reprise économique 经济复苏
la rive 岸,海岸
la charge 负担,开支
la branche 分支,部门
le péril 危险,危难
la construction navale 造船业
les chaussures *n. f. pl.* 制鞋业
le composant 元件
le carnet 小本子,小册子
la commande 订货
le syndicat 工会
la sauvegarde 保护,维护
le processus 过程,进程
le libre-échange 自由贸易
la règle 准则,标准
l'agression *n. f.* 侵略,侵犯
le secteur 部门,领域
la concession 让步
la mise en place 建立
le dispositif 设置,机构
l'importation *n. f.* 进口
l'acier *n. m.* 钢铁
la motocyclette 摩托车
le téléviseur 电视机
le barrage 障碍,坝
l'antienne *n. f.* 反复谈论的事情
le nationalisme 民族主义,国家主义

VERBES

se hérisser *v. pr.* 竖起,林立
arracher *v. t.* 夺取,争得
se battre *v. pr.* 交战,战斗
promettre *v. t.* 答应,保证
céder (à) *v. t.* 屈服,让步
s'engager (à) *v. pr.* 保证
franchir *v. t.* 越过,跨过
promulguer *v. t.* 颁布
préserver *v. t.* 保护
réclamer *v. t.* 要求,请求
reposer (sur) *v. i.* 建立于,基于
transgresser *v. t.* 违犯
se livrer (à) *v. pr.* 致力,从事
redouter *v. t.* 惧怕,担心
contingenter *v. t.* 规定限额
bouter *v. t.* (古)驱逐

ADJECTIFS

déloyal, e (déloyaux) 不诚实的,不正大光明的
annuel, le 每年的,年度的
douanier, ère 海关的,关税的
formel, le 明显的,确切的
lent, e 缓慢的
sauvage 野蛮的
fiscal, e (fiscaux) 财政的;税收的
faible 弱的,微小的
électronique 电子的
patronal, e (patronaux) 雇主的
favorable 有利的,有好感的
vulnérable 脆弱的
protectionniste (贸易)保护主义的

tiers, ce 第三的

européen, ne 欧洲的

sous l'effet de 在…影响下

anormalement *adv.* 异常地,反常地

AUTRES

à l'échelle de *loc. prép.* 在…范围内

en conséquence *loc. adv.* 因此,依此

en provenance de 来自

dehors *adv.* 在外边,在外面

NOTES SUR LE TEXTE

1. Les frontières se hérissent d'obstacles de toute sorte. 边境上设置起各式各样的障碍(关卡)。

   se hérisser de *qch.*:布满…

   de toute sorte:各类的,各种各样的。

2. on se bat au couteau:人们拔刀相见。

3. des usines clefs en main:"交钥匙工厂";即可投产的工厂。此处指对工厂的设计,施工、试产全部承包的合同项目。

4. Au《sommet》des pays《riches》, au dernier conseil du Marché Commun et à l'assemblée annuelle de l'O. C. D. E. 在"富国"首脑会议上,在最近一次共同市场理事会上以及经济发展与合作组织的年会上。

5. ne pas céder à la tentation du protectionnisme:不向贸易保护主义的势头让步。

   céder à:让步,屈服。

6. à cela une seule raison:对此只有一个理由可以加以解释。

7. à l'échelle de la planète:全球范围内。

   à l'échelle de ...:在…范围内。

8. des pays à bas salaire ou qui ont des charges sociales et fiscales anormalement faibles:低工资国家或那些社会保险及税务负担非常轻的国家。

   à bas salaire:低工资的,在句中作 pays 的补语。

9. des branches entières d'industrie sont en péril sur le vieux continent:在欧洲,一些工业部门完全濒临关闭的危险。

   (être) en péril:处在危难之中。

   le vieux continent:旧大陆,一般指欧、亚、非三洲,与美洲(le nouveau continent

新大陆)相对应。在此指欧洲。

10. Les organisations patronales et les syndicats, pour une fois d'accord, réclament des mesures de sauvegarde aux pouvoirs publics. 雇主组织和工会这一次也取得一致意见,要求政府采取保护措施。

pour une fois: 一次,这一次。

réclamer *qch*. à *qn* : 向…要求…

11. Partout, qu'il s'agisse des Etats-Unis, de l'Allemagne, de la Grande-Bretagne ou de la France, le processus est le même. 不管是美国、德国,还是英国或法国,到处都是同样的演变过程。(即从口头上的贸易自由,转变为实际上的贸易保护主义)

que ... ou que ... 无论…还是;…也罢…也罢。从句中的动词用虚拟式。

本句 ou de la France 是省略结构,完整结构为:ou qu'il s'agisse de la France ...

12. La liberté du commerce repose sur le respect de certaines règles. 贸易自由建立在遵守某些规则的基础之上。

reposer sur: 基于;取决于。

13. ... réclament la mise en place d'un dispositif protectionniste: 要求设置一个贸易保护主义的机构。

14. Les organismes de Bruxelles du Marché commun ont emboîté le pas au gouvernement français. 布鲁塞尔的欧共体机构效法法国政府。

emboîter le pas à *qn* : 步某人后尘,效法某人。

15. C'est contre les chaussures de Corée du Sud, l'acier européen, les motocyclettes et les téléviseurs japonais que les industriels veulent élever des barrages. (美国的)企业家们正是要对韩国的鞋,欧洲的钢材,日本的摩托车和电视机设置障碍。

élever des barrages contre: 对…设置障碍。

16. On veut bouter dehors les produits étrangers. 人们要拒外国产品于门外。

17. Mais jouer avec le nationalisme, même pour défendre des intérêts commerciaux, n'est-ce pas jouer avec le feu? 然而,即便是出于保护贸易利益的目的而在民族主义上作文章,难道不也是在玩火吗?

jouer avec le feu: 玩火。

EXPRESSION DE LA CAUSE

原　因

I. Conjonction (ou *loc. conj.*) + indicatif 连词(连词短语)+直陈式

1. parce que

   Ne te fie pas aux apparences, **parce qu'**elles sont souvent trompeuses.

2. puisque

   Puisque le temps est court, mettons à profit chaque jour qui passe. (**注意:** parce que 所陈述的原因可能是对话者已知的或未知的,它可用于回答以 pourquoi 提出的问题;puisque 一般是强调对话者已知的原因,不能用于回答以 pourquoi 提出的问题。以 parce que 引导的从句一般置于主句后;而以 puisque 引导的从句一般放在主句前。)

3. comme (在句首)

   Comme vous refusez de m'aider, j'abandonne mon projet.

4. si … c'est que

   Si j'aime ce pays, **c'est que** j'y suis né.

5. vu que

   Vu que les coureurs avaient suivi un entraînement intensif, ils avaient confiance en eux-mêmes.

6. étant donné que

   Etant donné que son fils n'avait pas de travail, le père était obligé de lui donner de l'argent de temps en temps.

7. sous prétexte que

   Il a quitté sa femme, **sous prétexte qu'**elle était trop bavarde.

II. La coordination 并列连词

car

Ne sors pas sans te couvrir, **car** tu prendras froid.

III. Prépositions (*loc. prép.*) + nom 介词(介词短语)+名词

1. pour

   Il a été condamné **pour** vol.

2. de

Il est mort **de** faim.

3. à cause de

A cause de la pluie, le vol 5542 a été annulé.

4. grâce à

Grâce à la police, il a pu éviter un accident.

5. à force de

A force de persévérance, il est arrivé à ses fins.

6. en raison de

La séance a été prolongée jusqu'à une heure tardive, **en raison du** nombre de problèmes à traiter.

7. du fait de

Du fait de sa maladie, il a manqué plusieurs cours.

8. faute de

Le professeur n'a pas pu expliquer ce passage, **faute de** temps.

9. par

Par bonheur, il a eu son visa tout de suite.

IV. Prépositions (ou *loc. prép.*) + infinitif 介词(介词短语)+不定式

1. de

Je vous remercie **de** m'avoir appelé.

2. pour (+ *inf.* passé)

Il a été arrêté **pour** avoir tué sa fiancée.

3. à force de

A force de répéter ces mots, vous finirez par les retenir par cœur.

4. sous prétexte de

Il est allé la voir **sous prétexte de** lui demander une adresse.

V. Autres procédés 其他方法

1. Participe (présent ou passé) et gérondif

Vivant dans la misère, il connaît bien la souffrance d'autrui.

En descendant trop vite l'escalier, il est tombé par terre.

Construit au bord de la mer, cet hôtel est toujours plein.

2. le signe de ponctuation《:》

Je m'ennuie ici: il pleut sans cesse.

EXERCICES

I. *Compréhension du texte*

1. Ce n'est pas encore vraiment la guerre, mais la guérilla se développe et prend des proportions alarmantes.

   A. La guérilla conduira un jour ou l'autre à la guerre.

   B. La guérilla a remplacé la guerre.

   C. C'est presque la guerre.

2. Les frontières se hérissent d'obstacles de toute sorte.

   A. On renforce la surveillence des frontières.

   B. Les véritables obstacles sont les frontières.

   C. Le protectionnisme se développe.

3. Ils se sont mêmes engagés à franchir une nouvelle étape du désarmement douanier.

   A. Il ont promis de diminuer les obstacles au commerce international.

   B. Ils ont promis de diminuer le nombre des douaniers.

   C. Ils ont promis d'ouvrir leurs frontières.

4. Il y a plus de quinze millions de chômeurs sur les deux rives de l'Atlantique.

   《les deux rives de l'Atlantique》veut dire:

   A. en Amérique du nord, en Amérique du sud et en Europe

   B. en Amérique du nord et en Europe occidentale

   C. en Amérique, en Europe et en Afrique

5. Les organisations patronales et les syndicats, pour une fois d'accord, réclament des mesures de sauvegarde aux pouvoirs publics.

   《pour une fois d'accord》signifie que:

   A. les patrons et les ouvriers sont toujours d'accord

B. les patrons et les ouvriers sont d'accord une fois de plus

C. les patrons et les ouvriers ont le même avis, contrairement à l'habitude

6. 《réclament des mesures de sauvegarde aux pouvoirs publics》 signifie:

A. demandent que les pouvoirs publics soient protégés

B. demandent de l'argent au gouvernement

C. demandent que les pouvoirs publics les protègent

7. refuser toute concession douanière:

A. ne pas autoriser l'importation de produits étrangers

B. ne pas baisser les taxes sur les produits importés

C. renforcer la surveillance des frontières

8. Mais jouer avec le nationalisme, même pour défendre des intérêts commerciaux, n'est-ce pas jouer avec le feu?

A. Le nationalisme est très dangereux même quand il s'agit d'intérêts économiques.

B. Le nationalisme est la meilleure arme contre les produits étrangers.

C. Le nationalisme commercial est très dangereux.

II. *Relevez les mots et expressions qui appartiennent au vocabulaire de la guerre*

Ex: la guerre, la guérilla, les frontières se hérissent d'obstacles, ...

____________________ ____________________

____________________ ____________________

____________________ ____________________

III. *Relevez les mots et expressions qu'on emploie généralement dans le commerce*

Ex: un contrat, vendre, des usines clefs en main

____________________ ____________________

____________________ ____________________

____________________ ____________________

____________________ ____________________

IV. *Reliez les deux propositions par une locution causale* (原因的)

(**Attention**: la même locution ne peut être utilisée qu'une seule fois.)

1. Tu n'es pas raisonnable; tu seras puni.

____

2. Ces gens-là sont malheureux; rien ne saurait les satisfaire.

____

3. Il n'a pas reçu ma lettre; il n'est pas venu.

____

4. Il pleut sans cesse; je ne peux pas sortir, j'en profite pour lire.

____

V. *Choisissez le terme qui convient le mieux aux phrases ci-dessous.*

l'origine	la raison	le pourquoi
la cause	la source	le prétexte

1. Les écoliers demandent sans cesse ________ de toutes choses, et l'institutrice est à court d'explication.
2. Quelle est ________ de votre voyage?
3. Quel ________ pourrions-nous trouver pour ne pas accepter cette invitation?
4. Quelle est ________ de cette information?
5. Je voudrais savoir ________ de cette maladie.
6. Connaissez-vous ________ de cette fête?

VI. *Complétez les phrases avec* à cause de *ou* grâce à

1. ________ de sa santé, il est obligé de se reposer.
2. ________ ses efforts, elle a réussi aux concours.
3. Le malade va mieux ________ les soins du médecin.
4. ________ les ordinateurs, on peut traiter ces données en 20 minutes.
5. C'est ________ de toi que j'ai été puni.
6. La voiture va lentement ________ la neige.

VII. *Complétez avec* parce que *ou* puisque

1. Pourquoi est-ce que tu ne sors pas?

__________ je n'ai pas envie de sortir, tout simplement.

2. Il ne regarde pas la télévision, __________ il a des devoirs à faire.
3. Achète cette robe __________ elle te plaît!
4. Venez à la maison __________ vous n'avez rien à faire.
5. __________ le tabac est dangereux, arrêtez de fumer.
6. Elle est allée consulter le médecin, __________ elle ne se sent pas très bien.

VIII. *Transformez les phrases suivantes en employant* que ... ou que ...

1. Il accepte ou il refuse, je ne changerai pas mon projet.

____

2. Quand elle a du travail, elle refuse de sortir; quand elle est en congé, elle refuse aussi de sortir.

____

____

3. Quand je prends ma voiture, je mets plus d'une heure pour aller à mon travail; quand je prends le métro, c'est à peu près pareil.

____

____

4. Quand il se couche à minuit, il n'arrive pas à se lever, mais quand il se couche à neuf heures, c'est la même chose.

____

____

IX. *Donnez les antonymes des mots suivants*

la guerre __________ vendre __________
occidental __________ fort __________
le protectionnisme __________ lent __________
refuser __________ importation __________

X. *Version*

Traduisez le passage de la lecture suivante: 《Un représentant des Eaux et Forêts prit ... sur la face obscure de la Lune.》

LECTURE

Que faire de la Lune?

《Ce qui reste à savoir, c'est ce qu'on va faire de la Lune maintenant qu'on la tient. 》[1]

Une réunion ultra-secrète s'est tenue à Washington pour discuter de cette question épineuse.

Le général Wilco Andout, le représentant de l'armée de l'air, a dit:《Je ne crois pas qu'il y ait à discuter. [2] La Lune doit être la première base spatiale de nos forces aériennes. Les plans sont déjà faits et pour cinquante milliards de dollars nous pouvons donner aux Etats-Unis une arme superpréventive qui laissera les Russes sur le tapis. [3] Même s'ils détruisent toutes les fusées terrestres, il nous restera encore notre matériel sur la Lune pour le bouquet final!》...

Un représentant des Eaux et Forêts prit la parole:《Je m'oppose. Je pense que nous devrions faire de la Lune un parc naturel où les gens pourraient échapper aux soucis du monde. Nous devrions la laisser juste comme elle est, en y ajoutant seulement quelques débits de boissons et des boîtes pour y déposer les papiers gras et les ordures. 》

Le Département des Transports se manifesta vivement:《Une minute. Nos fonctionnaires des Ponts et Chaussées ont examiné la Lune et nous pensons que la chose à faire est de construire une route d'un bout à l'autre. La seule façon d'attirer les gens sur la Lune est de leur offrir de quoi rouler. 》[4]

Le Département des Affaires urbaines fit opposition:《La Lune devrait être utilisée pour le développement de la construction. Mon département veut lancer un programme pilote avec l'aide de l'industrie privée. Nous proposons de vendre les meilleures vues qu'on a de la Lune sur la Terre[5] à des agents immobiliers pour qu'ils y construisent des appartements de grand standing et des hôtels de luxe, à condition qu'en échange, ils investissent pour l'édification de logements à bon marché sur la face obscure de la Lune. 》...

Le représentant du Département du Commerce intervint:《Une agence projette d'y bâtir le plus large panneau publicitaire du monde pour ses clients du détergent, et non seulement cela ne coûtera pas un centime au gouvernement mais ils sont prêts à payer deux milliards de dollars pour louer l'emplacement. »

Tous ceux qui étaient dans la pièce se mirent aussitôt à crier. Soudain, un chef de la Nasa apparut, le visage blême, et rappela la réunion à l'ordre:

— Messieurs, je viens juste d'être averti que Howard Hughes désire acheter la Lune à n'importe quel prix.

《Que veut-il en faire?》cria quelqu'un.

— Hughes n'a pas l'intention d'en faire quoi que ce soit.[6] Il dit qu'il veut seulement l'acheter comme protection pour le cas où quelqu'un gâcherait sa vue sur la Lune.[7]

LEXIQUE

épineux, se *a.* 棘手的

spatial, e *a.* 空间的,宇宙间的

un milliard 十亿

superpréventif, ve *a.* 超级预防能力的

Russe *n.* 俄国人

la fusée 火箭

le bouquet 最厉害的一手

Eaux et Forêts 水域,森林

le souci 忧虑

le débit 零售店

la boisson 饮料

une boîte 箱,盒
l'ordure *n. f.* 垃圾
gras, se *a.* 油脂的
Ponts et Chaussées 桥梁公路工程局
le programme pilote 试验性计划
l'agent *n. m.* 代理人,经纪人
immobilier, ère *a.* 房产的
le standing 豪华,舒适
l'édification *n. f.* 建筑,建造
à bon marché 便宜的,低廉的
la face obscure 阴面,暗面
projeter *v. t.* 打算,规划
le panneau 牌,板
publicitaire *a.* 广告的
le détergent 洗涤剂,去污剂
l'emplacement *n. m.* 场地
Nasa (美国)国家航空和航天局
blême *a.* 苍白的
Howard Hughes 霍华德·休斯(美国飞机制造商、亿万富翁)
gâcher *v. t.* 扰乱,糟塌

NOTES

1. Ce qui reste à savoir, c'est ce qu'on va faire de la Lune maintenant qu'on la tient. 还有一点要弄清楚:我们现在已经征服了月球,但怎样使用这个月球呢。
2. Je ne crois pas qu'il y ait à discuter. 我不认为有讨论的必要。
3. Les plans sont déjà faits et ... sur le tapis. 图纸都已完成,只要花五百亿美元,我们就能使美国拥有超一流的防御武器,它能把俄国人打趴在地。
   laisser *qn* sur le tapis: 把某人摔倒在地,使他起不来。
4. La seule façon d'attirer les gens sur la Lune est de leur offrir de quoi rouler. 吸引人到月球上去的唯一办法就是向他们提供能开汽车的公路。
   de quoi: 做某事所必需的东西。根据上文,这里指公路。
5. les meilleures vues qu'on a de la Lune sur la Terre: 从月球上观赏地球的最佳点。
6. Hughes n'a pas l'intention d'en faire quoi que ce soit. 休斯没有使用月球的任何打算。
7. Il dit qu'il veut ... sa vue sur la Lune. 他说他购买月球只是为了保证将来无人能影响他对月球的观赏。

LEÇON CINQUANTE-SIX

Pourquoi travaillons-nous?

Une certaine conception du monde place dans le passé l'âge d'or de l'humanité.[1] Tout aurait été donné gratuitement à l'homme dans le paradis terrestre, et tout serait au contraire pénible et vicié de nos jours. Jean-Jacques Rousseau a donné une couleur populaire et révolutionnaire à cette croyance, qui est restée vive au cœur de l'homme moyen:[2] ainsi l'on entend parler de la vertu des produits《naturels》et bien des Français croient que la vie d'autrefois était plus《saine》qu'aujourd'hui.

En réalité, tous les progrès actuels de l'histoire et de la préhistoire confirment que la nature naturelle est une dure marâtre pour l'humanité. Le lait《naturel》des vaches《naturelles》donne la tuberculose et la vie《saine》d'autrefois faisait mourir un enfant sur trois avant son premier anniversaire.[3]

A une humanité sans travail et sans technique, le globe terrestre ne donne qu'une vie limitée et végétative:[4] quelques centaines de millions d'individus subsistent animalement dans quelques régions subtropicales.

Toutes les choses que nous consommons sont en effet des créations du travail humain, et même celles que nous jugeons en général les plus naturelles comme le blé, les pommes de terre ou les fruits. Le blé a été créé par une lente sélection de certaines graminées; il est si peu《naturel》que si nous le livrons à la concurrence des vraies plantes naturelles il est immédiatement battu et chassé;[5] si l'humanité disparaîssait de la surface du sol, le blé disparaitrait moins d'un quart de siècle après elle; et il en serait de même de toutes nos plantes《cultivées》,[6] de nos arbres fruitiers et de nos bêtes de boucherie:[7] toutes créations de l'homme qui ne subsistent que parce que nous les défendons contre la nature; elles valent pour l'homme; mais elles ne valent que par l'homme.[8]

A plus forte raison, les objets manufacturés, des textiles au papier et des montres aux postes de radio,[9] sont des produits artificiels, créés par le seul travail de l'homme. Qu'en conclure sinon que l'homme est un être vivant étrange, dont les besoins sont en total désaccord avec la planète où il vit ?[10] Pour le bien comprendre, il faut d'abord comparer l'homme aux animaux, et même aux plus évolués dans la hiérarchie biologique:[11] un mammifère, cheval, chien ou chat, peut se satisfaire des seuls produits naturels ... Et dès qu'ils sont rassasiés de nourriture, aucun d'eux ne cherchera à se procurer un vêtement, une montre,[12] une pipe ou un poste de radio. L'homme seul a des besoins non naturels et ces besoins sont immenses ...

Cela étant, nous voyons bien pourquoi nous travaillons:[13] nous travaillons pour transformer la nature naturelle qui satisfait mal ou pas du tout les besoins humains, en éléments artificiels qui satisfassent ces besoins;[14] nous travaillons pour transformer l'herbe folle en blé puis en pain, les merises en cerises et les cailloux en acier puis en automobiles.

On appelle économiques toutes les activités humaines qui ont pour objet de rendre la nature ainsi consommable par l'homme. Nous comprenons qu'il s'agit là d'une rude tâche et qui est loin de satisfaire aisément nos besoins: il y a un tel écart entre ce que la nature naturelle nous offre et ce que nous désirerions recevoir!

Jean FOURASTIÉ[15]

LEXIQUE

NOMS

la conception 观念,想法

la conception du monde 世界观

l'âge d'or 黄金时代

le paradis 天堂,极乐世界

la croyance 相信;信仰

l'homme moyen 普通人,一般人

la vertu 美德;效能

la préhistoire 史前,史前史

la marâtre 后母;虐待子女的母亲

la vache 母牛,奶牛
la tuberculose 结核病
l'anniversaire *n. m.* 周年纪念日,生日
le globe terrestre 地球
l'individu *n. m.* 个体,个人
la création 创造
la sélection 选择,淘汰
la graminée 禾本科植物
la bête 兽类,牲口
la boucherie 肉店;鲜肉业
l'objet *n. m.* 物,物体
le poste de radio 收音机
le désaccord 不一致,不协调
la hiérarchie 等级
le mammifère 哺乳动物
le cheval (des chevaux) 马
le chat 猫
la nourriture 食品
la pipe 烟斗
l'herbe *n. f.* 草,草本植物
l'herbe folle 生长茂盛的野草
la merise 野樱桃
la cerise 樱桃
le caillou, x 碎石,小石块
l'automobile *n. f.* 小汽车
la tâche 任务
l'écart *n. m.* 差距,差异

VERBES

subsister *v. i.* 生存,维持生活
juger *v. t.* 认为,判断
chasser *v. t.* 驱逐,赶走
conclure (de) *v. t.* 从…得出结论
se satisfaire (de) *v. pr.* 满足于
rassasier *v. t.* 使吃饱
se procurer *v. pr.* 谋得,弄到

ADJECTIFS

terrestre 陆上的,人间的
pénible 辛苦的,艰难的
vicié, e 污浊的,被污染的
révolutionnaire 革命的,变革的
végétatif, ve 勉强糊口的
subtropical, e (subtropicaux) 副热带的
cultivé, e 被栽培的
fruitier, ère 结果实的
total, e (totaux) 完全的
évolué, e 进化的,发达的
immense 无限的
consommable 可消费的
rude 艰辛的,艰苦的

AUTRES

gratuitement *adv.* 无偿地,免费地
de nos jours 现今,当代
en réalité *loc. adv.* 事实上
animalement *adv.* 像动物般地
à plus forte raison 更何况,尤其
aisément *adv.* 容易地,宽裕地

NOTES SUR LE TEXTE

1. Une certaine conception du monde place dans le passé l'âge d'or de l'humanité. 有一种世界观认为人类的黄金时代已属过去。

   l'âge d'or: 黄金时代,最美好的时期。

2. Jean-Jacques Rousseau a donné une couleur populaire et révolutionnaire à cette croyance, qui est restée vive au cœur de l'homme moyen. 让-雅克·卢梭为这种深深印入普通人心目中的信仰,披上一层群众性和革命性的色彩。

   Jean-Jacques Rousseau: 让-雅克·卢梭(1712—1778),法国启蒙思想家、哲学家、文学家。

3. La vie《saine》d'autrefois faisait mourir un enfant sur trois avant son premier anniversaire. 过去那种"健康"的生活使每三个儿童中有一个在未满周岁时便夭折了。

4. A une humanité sans travail et sans technique, le globe terrestre ne donne qu'une vie limitée et végétative. 对既不劳动又无技术的人类,地球赐予它的只是一种有限的、勉强餬口的生活。

   à une humanité ... 是 donne 的间接宾语: 本句主语是 globe terrestre, 即: le globe terreste ne donne qu'une vie ... à ...

5. Il est si peu《naturel》que si nous le livrons à la concurrence des vraies plantes naturelles il est immédiatement battu et chassé. 它的"自然属性"如此之少,以至于如果我们听任它与真正的自然植物去竞争的话,它立刻就会被击败和驱逐。

   si ... que ... : 如此…以至于。

6. Il en serait de même de toutes nos plantes《cultivées》. 我们所种植的其他各类植物的命运也是如此。

   il en est de même: 对…也是一样。

7. les bêtes de boucherie: 肉用牲畜。

8. Elles valent pour l'homme, mais elles ne valent que par l'homme. 它们对人类有价值,而正是人类才使它们变得有价值。

   valoir pour: 对…有益处;对…有价值。

   valoir par: 通过…而有价值。

9. des textiles au papier et des montres aux postes de radio：从纺织品到纸张，从手表到收音机。

   de ... à ... ：从…到…，用于列举名词。

10. Qu'en conclure sinon que l'homme est un être vivant étrange, dont les besoins sont en total désaccord avec la planète où il vit? 除了认为人类是一种与众不同的生物，它的各种需要与它所生活的星球完全不相吻合外，还能得出什么结论呢？

    conclure de：从…得出结论 en 代替 de cela，即上文提到的内容。

    sinon que：除了…

    être en désaccord avec：与…不一致，与…不协调

11. Il faut d'abord comparer l'homme aux animaux, et même aux plus évolués dans la hiérarchie biologique. 首先应该把人与动物，甚至与生物进化层次中最高级的动物进行比较。

    aux plus évolués ＝ aux animaux les plus évolués

12. Dès qu'ils sont rassasiés de nourriture, aucun d'eux ne cherchera à se procurer un vêtement, une montre ... 它们吃饱之后，没有一个想找件衣服穿，想找块手表戴。

    aucun d'eux ne ... 表示"…中没有一个"。

13. Cela étant, nous voyons bien pourquoi nous travaillons. 这样，我们就明白了为什么我们要劳动。

    cela étant 既然如此。在句首使用。例如：

    Cela étant, il ne faut pas le laisser à la maison. 既然是这样，就不应该把他留在家里。

14. transformer la nature naturelle qui satisfait mal ou pas du tout les besoins humains, en éléments artificiels qui satisfassent ces besoins. 把不能很好地满足或根本不能满足人类需要的自然属性的大自然改造成能够满足这些需要的、人为的环境。

    élément 转义为：生活场所；合适的环境。

    qui satisfassent ... 表示一种愿望，因此用虚拟式；而 qui satisfait mal ... 则表示事实，故用直陈式。

15. Jean Fourastié：让・富拉斯蒂埃，(1907—1990)，法国著名经济学家。

EXPRESSION DE LA CONSEQUENCE

后 果

I. La coordination 并列连词

1. donc

   J'ai refusé; **donc**, inutile d'insister.

2. c'est pourquoi

   Il est très fatigué, **c'est pourquoi** il est resté au lit.

3. en conséquence, par conséquent

   Vous n'avez pas étudié votre leçon. **En conséquence** je suis obligé de vous donner un zéro.

   L'orage éclata brusquement; on dut **par conséquent** se mettre à l'abri.

4. ainsi, aussi

   Ainsi la prudence est nécessaire.

   Il n'avait pas bien appris le code de la route; **aussi** n'a-t-il pas obtenu son permis.

5. et

   La cigale a chanté tout l'été **et** l'hiver elle a crié famine.

6. d'où, de là

   Il a échoué aux examens; **d'où** la colère de sa mère.

   Il n'a pas assez travaillé: de là, son échec.

II. Locutions ＋ proposition subordonnée (à l'indicatif) 短语＋从句(使用直陈式)

1. si ... que

   Il a été **si** malade **qu'**on l'a cru perdu.

2. tant ... que

   Elle a **tant** crié **qu'**elle a maintenant mal à la gorge.

3. tellement ... que

   Il avait **tellement** changé **qu'**elle ne le reconnut pas.

4. tel(＋nom) que

J'ai un **tel** rhume **que** je ne pourrai pas sortir ce soir.

5. si bien que

   Il s'enfermait dans son chagrin **si bien qu'**il restait des heures sans parler.

6. tant de（＋nom）que

   Le directeur a **tant d'**occupations **qu'**il n'écrit plus à ses amis.

7. au point que, à un tel point que

   Il était timide **à un tel point qu'**il n'osait pas parler en public.

   Cette photo me plaît au point que j'en fais mon fond d'écran.

8. de sorte que, de façon que

   Sa montre ne marche pas très bien **de sorte qu'**il a manqué le rendez-vous.

   Je vous relis le texte **de façon que** vous puissiez mieux faire la dictée.

III. Locutions ＋ infinitif 短语＋不定式

1. trop ... pour

   Il est **trop** honnête **pour** exercer un chantage.

2. au point de

   Elle craint le dentiste **au point de** ne jamais se faire soigner les dents.

EXERCICES

I. *Compréhension du texte*

1. L'idée du premier paragraphe est：

   A. le passé est meilleur que le présent

   B. certains pensent que le passé est meilleur que le présent

   C. le présent est meilleur que le passé

2. Quelques centaines de millions d'individus subsistent animalement.

   A. Ils vivent avec les animaux.

   B. Ils vivent sans aliments.

   C. Ils vivent comme les animaux.

3. Et même celles que nous jugeons en général les plus naturelles：

   A. celles que nous croyons naturelles et qui, pourtant, ne sont pas vraiment naturelles

B. celles que nous croyons naturelles et qui sont, en effet, naturelles

C. celles que nous ne croyons pas naturelles et qui sont pourtant naturelles

4. Si l'humanité disparaissait de la surface du sol, le blé disparaîtrait moins d'un quart de siècle après elle.

A. S'il n'y avait plus de blé, il n'y aurait plus d'humanité dans plus de 25 ans.

B. S'il n'y avait plus d'humanité, il n'y aurait plus de blé dans moins de 25 ans.

C. S'il n'y avait plus d'humanité, il y aurait moins de blé dans moins de 25 ans.

5. Elles valent pour l'homme; mais elles ne valent que par l'homme.

A. Elles sont faites pour l'homme et par l'homme.

B. Elles sont importantes pour l'homme, et pour lui seulement.

C. Elles ont la valeur que l'homme leur donne.

6. qu'en conclure sinon que ...

A. on ne peut pas en conclure que ...

B. on peut ne pas en conclure que ...

C. on ne peut pas ne pas conclure que ...

7. Il y a un tel écart entre ce que la nature naturelle nous offre et ce que nous désirerions recevoir.

A. La nature ne peut pas nous satisfaire.

B. La nature ne peut rien nous offrir.

C. Nous demandons trop à la nature.

II. *Dites* vrai *ou* faux *d'après le texte*

1. J.-J. Rousseau partage l'idée que le passé était l'âge d'or de l'humanité. (　　)

2. Le lait《naturel》d'autrefois est meilleur que le lait d'aujourd'hui. (　　)

3. Si l'homme ne travaillait pas, la nature ne lui offrirait pas grand-chose. (　　)

4. Le blé, les arbres fruitiers sont beaucoup plus fragiles que les autres plantes vraiment naturelles. (   )
5. Les chiens et les chats ne peuvent pas se satisfaire des seuls produits naturels. (   )
6. Si nous travaillions beaucoup, nous pourrions obtenir de la nature tout ce que nous désirerions recevoir. (   )

III. *Complétez les phrases avec les expressions proposées*

trop ... pour   si bien que   assez ... pour   si ... que   tellement ... que

1. Tu es ________ grand ________ savoir ce que tu as à faire.
2. Tu es ________ petit ________ voyager seul.
3. Il chante ________ fort ________ les voisins ne peuvent dormir.
4. La rivière est ________ polluée ________ il n'y a plus de poissons.
5. Il est ________ fatigué ________ travailler.
6. Elle est rentrée tard ________ tout le monde était inquiet.

IV. *Complétez avec les mots proposés*

réaction   contre-coup   résultat
influence   portée   conséquence

1. Le milieu où il vit exerce sur l'enfant une ________ profonde dès son plus jeune âge.
2. Etant donné les faibles moyens dont nous disposons, notre action ne pourra avoir qu'une ________ limitée.
3. La violence du discours a provoqué chez l'auditoire une ________ de colère.
4. Il n'est pas prouvé par les statistiques que l'accroissement de la délinquance soit une ________ inévitable de la suppression de la peine de mort(死刑).
5. Les prix agricoles subissent maintenant le ________ des importations massives.
6. Ces précautions n'ont finalement abouti qu'à des ________ décevants.

V. *Complétez les phrases avec le verbe* connaître *ou avec le verbe* savoir, *suivant le contexte*

1. Je ne __________ pas le Sud de la France, mais je __________ que c'est une très belle région.
2. Quand j'étais à Paris, je __________ M. Legrand.
3. __________ -vous l'Angleterre? Nous y sommes allés l'été dernier, je ne __________ pas que c'était un pays si varié.
4. Ces gens __________ beaucoup de misère.
5. Après six mois d'études, nous __________ parler au présent, mais nous ne __________ pas encore parler au passé.
6. Je __________, à l'université de Beijing, des professeurs remarquables.

VI. *Trouvez, parmi les solutions proposées, celle qui se rapproche le plus du mot ou du groupe de mots soulignés dans les phrases*

1. Notre service **est à même de** fournir tous les renseignements nécessaires.
   A. doit B. peut aussi
   C. est capable de D. est obligé de
2. Les circonstances nous ont obligés à **ajourner** le débat.
   A. mettre fin à B. commencer
   C. mettre à jour D. remettre à plus tard
3. Le directeur **est doué d'**une grande capacité de travail.
   A. exige B. souhaite
   C. possède D. reçoit
4. Vous devez **faire en sorte que** nous soyons tenus au courant.
   A. veiller à ce que B. vous attendre à ce que
   C. souhaiter que D. éviter que
5. Les troupes **ont franchi** la ligne de cessez-le-feu hier soir.
   A. ont atteint B. ont changé
   C. ont traversé D. ont tracé
6. Le patron **a licencié** quelques employés.
   A. a donné un diplôme à B. a renvoyé

C. a donné une autorisation à D. a recruté

VII. *Version*

Traduisez le passage de la lecture suivante: 《Monsieur, fit-il avec un sourire ... qui ressemblait aux deux autres.》

LECTURE

Quatre Silex

1928. Au grand étonnement de ses concitoyens,[1] M. Boucher de Perthes, percepteur à Abbeville, explore les gravières de la région et examine avec le plus grand soin les cailloux usés par l'érosion. Que cherche-t-il?

Les historiens avaient divisé l'existence de l'Homme sur terre en deux parties. Ils appelaient la première l'Age du Bronze, parce que les peuples les plus anciens dont ils eussent connaissance fabriquaient leurs outils et leurs armes en bronze.[2] L'autre était l'Age du Fer, époque à laquelle, comme nul ne l'ignorait, les hommes fabriquaient leurs outils et leurs armes en fer.

— Mais, s'interrogeait Boucher de Perthes, quelque chose n'a-t-il pas existé avant l'Age du Bronze? Il y a eu certainement une époque où l'Homme n'avait pas encore découvert le cuivre et appris à le mélanger avec de l'étain pour en faire du bronze. Il doit y avoir eu un Age d'avant les Métaux. En quoi les hommes fabriquaient-ils alors leurs hachettes et leurs couteaux? N'était-ce pas en pierre? Dans ce cas, ne pourrais-je retrouver quelques-unes de ces hachettes, ou de ces couteaux de pierre?

Il y réfléchissait continuellement. Il voulait absolument les découvrir; mais où chercher?

Un soir où il se trouvait auprès d'une gravière fraîchement ouverte il se dit tout à coup que c'était là un bon endroit pour entreprendre ses recherches. Tout excité à cette idée, il y descendit. Il ramassa des centaines, des milliers de cailloux, les uns après les autres. Hélas! Aucun ne semblait avoir été touché par l'Homme. C'était la nature qui, de toute évidence, les avait modelés.

Mais Boucher de Perthes n'était pas homme à se laisser aisément décourager.[3] Il continua à chercher. Il fouilla pendant des années cet endroit et des centaines d'autres. Un jour enfin, dans des couches de sable constituant le gisement de l'Hôpital, à Abbeville, il ramassa — tout près de sa propre maison — un morceau d'une pierre appelée silex, long de 15 centimètres. Il portait exactement les marques qu'il cherchait! Dans l'esprit de Boucher de Perthes, c'était sans aucun doute l'œuvre de l'Homme — de l'Homme qui avait vécu à l'Age d'avant les Métaux.

Il était surexicité; sans attendre, il courut montrer son précieux silex au savant le plus proche. Celui-ci prit le silex, le tourna et le retourna, puis le lui rendit.

— Monsieur, fit-il avec un sourire, ceci est l'œuvre de la Nature, non de l'Homme. La nature, vous savez, fait parfois d'étranges choses.

Boucher de Perthes apporta son silex à un autre savant. 《Ce n'est qu'un hasard》, déclara celui-là.

Boucher de Perthes n'était pas un savant, mais il était le fils d'un homme qui lui avait enseigné à penser par lui-même. Aussi s'entêta-t-il dans son opinion. Et un beau jour, peu après, il sortit de la gravière un deuxième silex, taillé exactement comme le premier. Un troisième suivit, qui ressemblait aux deux autres.

Boucher rapporta les trois silex aux savants. 《Cette similitude de forme n'est-elle pas une preuve en elle-même? interrogea-t-il. Le hasard ne saurait faire trois silex exactement semblables.》

—Mais c'est le hasard, persistèrent à dire les savants.

Boucher de Perthes continuait à croire à son hypothèse; il continuait à chercher. Il réussit même à s'assurer l'aide de quelques ouvriers, leur promettant de bien les payer s'ils trouvaient d'autres silex comme les siens.

Et voilà que l'un des hommes lui apporta un silex, une hachette de pierre.[4] Sa forme était si indiscutable que n'importe qui pouvait voir que c'était une hachette. Elle sortait du fond de la rivière, un endroit inviolé jusqu'alors, à dix mètres au-dessous de la surface.[5] C'était le meilleur aspect de la découverte; car au même niveau,[6] on avait, peu de temps auparavant, retiré d'énormes os d'animaux. Ceux-ci avaient été envoyés à Paris, où le grand savant français Cuvier les avait identifiés comme des os d'éléphant et de rhinocéros. Cette hachette de pierre avait donc dû être fabriquée par l'Homme qui vivait au temps où des éléphants et des rhinocéros parcouraient la France!

LEXIQUE

le silex 燧石,火石
concitoyen, ne *n.* 同胞
Boucher de Perthes 布歇·德·波尔特
le percepteur 税务官
Abbeville 阿布维尔(法国城市)
explorer *v. t.* 勘探,探索
la gravière 砾坑,砾石采掘场
l'érosion *n. f.* 磨损,侵蚀
l'Age du Bronze 青铜时代
l'Age du fer 铁器时代
le cuivre 铜
mélanger *v. t.* 混合
l'étain *n. m.* 锡
le métal, des métaux 金属
une hachette 小斧
fraîchement *adv.* 刚刚,新近
modeler *v. t.* 塑,使成形
décourager *v. t.* 使泄气
fouiller *v. t.* 挖掘
surexcité, e *a.* 非常兴奋
s'entêter *v. pr.* 固执
la similitude 相似
persister *v. i.* 坚持
indiscutable *a.* 无可争议的
inviolé, e *a.* 未受破坏的
l'os *n. m.* 骨,骨头
Cuvier 居维叶
identifier *v. t.* 鉴定
un éléphant 大象
un rhinocéros 犀牛

NOTES

1. au grand étonnement de ses concitoyens:使他的同胞们十分惊异。
2. Parce que les peuples les plus anciens dont ils eussent connaissance fabri-

quaient leurs outils et leurs armes en bronze. 因为他们所了解的最古老的民族是用青铜制造工具和武器的。

eussent 是动词 avoir 的虚拟式未完成过去时。它之所以用虚拟式,是因为关系从句的先行词(les peuples)受最高级形容词修饰。

3. Boucher de Perthes n'était pas homme à se laisser aisément décourager. 布歇·德·波尔特不是一个容易泄气的人。

   介词 à 引导的词组作名词 homme 的补语,表示特征、特点。

4. Et voilà que l'un des hommes lui apporta un silex, une hachette de pierre. 突然,有一个工人带给他一块燧石,一把石制小斧。

   voilà que 表示突然发生新情况,后跟补语从句。

5. Elle sortait du fond de la rivière, un endroit inviolé jusqu'alors, à dix mètres au-dessous de la surface. 这把小斧是从河底挖出来的,那是一个离地面十米,一直未受破坏的地方。

   jusqu'alors:直到那时(即挖出小斧时)。

6. au même niveau:在同一地层深度。

LEÇON CINQUANTE-SEPT

Publicité

La Plagne :[1] La loi nous interdit de dire que nous sommes les meilleurs. Et pourtant ...

Oui ... la loi aussi bien que la modestie nous interdisent de dire que nous sommes les meilleurs, faute de pouvoir prouver cette affirmation de façon absolument incontestable.[2] Pourtant, lorsque nous analysons en toute conscience[3] la qualité de tous les services que La Plagne propose, nous pensons que lorsqu'une station est très bonne dans tous les domaines, même si elle n'est pas toujours la première dans chacun d'entre eux,[4] c'est sans doute qu'elle est la meilleure!

Le ski d'été sur glaciers: une valorisation de toute la station.

En équipant les glaciers de Bellecôte,[5] La Plagne a valorisé d'une façon exceptionnelle[6] la station et en particulier les immeubles qu'elle y a construits. En effet, le ski d'été est un atout que peu de stations au monde peuvent offrir,[7] aussi bien à l'initiation des débutants qu'au perfectionnement des passionnés du ski.[8]

Un des plus grands domaines skiables d'Europe.

Première station française par le nombre des remontées mécaniques,[9] La Plagne possède désormais l'un des plus vastes domaines skiables d'Europe dont l'immensité permet toutes les formes de ski et notamment le 《hors piste》 pour lequel elle est une station privilégiée.

Une sécurité exemplaire.

La Plagne s'enorgueillit de son équipe de sécurité:[10] une des plus compétentes et des plus nombreuses d'Europe.

Un ensemble unique de 7 stations dans un site privilégié.

La Plagne comprend 4 stations d'altitude[11] et 3 stations villages[12] reliées entre elles par le réseau des remontées mécaniques.

Le royaume des enfants.

A La Plagne, les enfants ne s'ennuient jamais et, de l'avis de tous ceux qui y vivent, [13] c'est pour eux la station idéale.

En été, La Plagne est également une station pour les non skieurs.

L'été, outre le ski sur glaciers, La Plagne offre de nombreuses autres activités et stages: tennis, équitation, tir à l'arc, natation, ateliers artisanaux, initiation à l'escalade,[14] découverte de la faune et de la flore alpestres dans le parc de la Vanoise ... [15]

Un excellent investissement immobilier.

A La Plagne, les investissements ont enregistré une valorisafion très importante au fil des années.[16] La demande pour la montagne et le ski est en expansion constante alors que le nombre des sites qui peuvent encore s'équiper pour le 《grand ski》 est de plus en plus restreint.[17] Les glaciers de Bellecôte sont peut-être parmi les derniers en Europe à être aménagés en domaines skiables.[18] Parce qu'on peut y skier sur 4 saisons,[19] aucun doute, l'investissement immobilier à La Plagne est plus intéressant que dans une station sans glacier.

La Plagne vous offre plusieurs formules d'investissement:

—Copropriété traditionnelle

—Multipropriété

—Placement financier

LEXIQUE

NOMS

La Plagne 拉普拉尼(滑雪场)

la modestie 谦虚,虚心

l'affirmation *n. f.* 证明,表明

la conscience 意识,良心

la qualité 质量

la station 滑雪场

le glacier 冰川

la valorisation 增值,提高身价

l'atout *n. m.* 王牌

l'initiation *n. f.* 传授基础知识

débutant, e 新手,初学者

le perfectionnement 改善,改进
passionné,e 入迷者,狂热者
la remontée 牵引装置;缆车
l'immensité *n. f.* 无边,广大
la sécurité 安全
le site 风景;位置
l'altitude *n. f.* 海拔,高度
le réseau,x 网,网状系统
le royaume 王国
skieur, euse 滑雪者
le tennis [tɛnis] (英)网球
l'équitation *n. f.* 骑马;骑术
le tir à l'arc 射箭
l'atelier *n. m.* 车间,作坊
l'escalade *n. f.* 攀登,登山
la faune 动物
la flore 植物
la Vanoise 瓦怒兹(地名)
l'investissement *n. m.* 投资
l'expansion *n. f.* 扩展,伸长
la copropriété 双方共有(权)
la multipropriété 多方共有(权)
le placement 投资

VERBES

interdire *v. t.* 禁止
prouver *v. t.* 证明,证实
analyser *v. t.* 分析
équiper *v. t.* 装备,配备
valoriser *v. t.* 使提高身价,更被看重
s'enorgueillir [sɑ̃nɔrgœjiːr] *v. pr.* 以…自豪
s'ennuyer *v. pr.* 感到厌倦
s'équiper *v. pr.* 被装备
aménager *v. t.* 整理,治理
skier *v. i.* 滑雪

ADJECTIFS

immobilier, ère 不动产的
incontestable 无可争辩地,确凿的
exceptionnel, le 例外的,异常的
mécanique 机械装置
skiable 适合滑雪的
privilégié,e *a.* 占特殊地位的
exemplaire 作为榜样的
compétent, e 有能力的
unique 唯一的
idéal, e 理想的
artisanal, le (artisanaux) 手工业的
alpestre 阿尔卑斯山的
constant, e 经常的,不断的
restreint, e 有限的,有限制的
traditionnel, le 传统的
financier, ère 财政的,金钱的

AUTRES

aussi bien que *loc. adj.* 和…一样
faute de *loc. adv.* 由于没有,由于缺乏

NOTES SUR LE TEXTE

1. La Plagne：拉普拉尼。法国著名的滑雪场，海拔 1970—2742 米。位于阿尔卑斯山区的萨瓦省。
2. La loi aussi bien que la modestie ... de façon absolument incontestable. 无论是法律的尊严还是谦虚的美德都不允许我们夸耀自己是天下第一，因为我们无法以完全无可争辩的方式来验证这一点。

   aussi bien que：(连词短语)和…一样。

   interdire à *qn* de + *inf*.：禁止某人做某事。
3. en toute conscience：完全凭良心地。

   en conscience：凭良心，真诚地。
4. même si elle n'est pas toujours la première dans chacun d'entre eux：即使它并非在每一个服务领域内都总是名列第一。

   chacun =chaque domaine
5. Bellecôte：贝尔库特。阿尔卑斯山区地名。
6. d'une façon exceptionnelle：以独特的方式。在句子中作方式状语。
7. Le ski d'été est un atout que peu de stations au monde peuvent offrir. 夏季滑雪是(拉普拉尼的)一张王牌，而世界上能提供夏季滑雪条件的滑雪场太少了。

   peu de：很少的，数量小的。
8. aussi bien à l'initiation des débutants qu'au perfectionnement des passionnés du ski：无论是对初学者启蒙，还是对滑雪迷的技术提高。
9. des remontées mécaniques：机械牵引装置。指把滑雪者送上山坡的缆车。
10. La Plagne s'enorgueillit de son équipe de sécurité. 拉普拉尼滑雪场为它的安全救护队感到自豪。

    s'enorgueillir de：为…而自豪。
11. une station d'altitude：高山滑雪场。
12. une station village：滑雪村。
13. de l'avis de tous ceux qui y vivent：按照所有生活在那儿的人的看法。
14. initiation à l'escalade：登山基础训练。
15. le parc de la Vanoise：瓦怒兹公园。法国著名的国家自然保护公园。

16. au fil des années：逐年地。

17. La demande pour la montagne ... de plus en plus restreint. 要求去山上度假，进行滑雪运动的人越来越多，而能够开辟成“大型滑雪场”的地方却日趋减少。

    être en expansion：正在扩展，处在发展之中。

18. Les glaciers de Bellecôte sont peut-être parmi les derniers en Europe à être aménagés en domaines skiables. 贝尔库特的冰川可能是欧洲仅存的几个能够开辟成滑雪场的冰川之一。

    être le dernier à + *inf.*：做…的最后一个。

19. parce qu'on peut y skier sur 4 saisons：因为在那里四季都能滑雪。

LANGAGE PUBLICITAIRE

广告语言

在现代社会，随着生产和消费的增长，广告的应用日益广泛。为了增强广告的感染力，广告的设计者不仅在插图、色彩、版面编排等表达手段上刻意求精，而且也十分注重词句的选择和加工。这便逐步形成了较有特色的广告语体，同时对语言本身的发展起到了推动作用。在本课里，我们仅对广告语言的某些特点作一般性介绍。

1. **标新立异、鼓动性强**

   绝大多数的广告文字都属于“鼓动性语言”，其目的是激起读者的好奇心，给读者留下深刻印象，力求左右他们的意愿。为此，广告的词句往往标新立异，不同凡响，甚至打破规范语法的约束。

   1）（玩具广告）Voyage extraordinaire sur la planète Jouets.[1]

   2）（《法兰西晚报广告》）Plus c'est généreux,
   Plus c'est français,
   Plus c'est France-Soir.

   3）（招聘广告）Si votre patron est content de vous, changez-en![2]

   4）（尼康相机广告）Le moins cher des Nikon[3] est tellement perfectionné qu'on se demande pourquoi il y en a des plus chers.

2. **生动活泼、趣味性浓**

   为了引起读者的好奇心和兴趣，广告常常采用生动活泼的写法，将宣传寓于趣

味之中,给读者一种轻松愉快的感觉:

1)(衬衣广告)

Un homme en chemise, c'est un play-boy.

Chemise Play-Boy. [4]

2)(钢笔广告)

Un nouveau stylo Dupont.

Tellement beau qu'on a envie d'écrire des deux mains. [5]

3)(汽车广告)

Vacances de rêve, notre Renault[6] nous amène frais et dispos[7] à chaque étape.

4)(电台广告)

J'aime les nouvelles fraîches, j'écoute Europe 1. [8]

5)(银行广告)

Qui penserait aujourd'hui laisser son argent dormir, frileusement, dans un bas de laine?[9]

3. **简明扼要、短小精悍**

由于篇幅所限,广告往往要用尽可能少的词语传递尽可能多的信息。因此广告文章大多短小精悍,重点突出,避免使用空洞冗长的句子。

1)(服装广告)

Daxon,[10]

une robe de fête,

un prix cadeau!

2)(销售圣诞礼物广告)

Le plus beau cadeau de Noël pour vos enfants.

Le Père Noël vient chez vous. [11]

tél: 01 45 91 12 25 Paris-Banlieue[12]

4. **修饰词多、修辞手段丰富**

广告宣传的目的在于促使消费者购买商品,因此要借用修饰词及修辞手段对商品的优点以及与同类产品相竞争的优越性进行渲染。下面的一则滑雪场广告便使用了许多修饰词。

Au cœur de *la plus prestigieuse* des stations françaises, Val d'Isère Village,[13] *authentique* village *à l'ancienne*, *tout* de bois et de granit connaît un succès *sans précédent*. Pour les *nombreux amoureux* de Val d'Isère, *le coup de foudre*[14] a été *immédiat*. Cet hiver, résidences boutiques et placettes vont s'animer ... *Le cœur* de《Val》renaît. 此外，比喻、夸张、拟人、反衬、重复等修辞手段也多见于广告文章。

1)（香槟酒广告）L'amour est un miracle. Comme le champagne.（比喻）

2)（止咳糖浆广告）Comme l'eau éteint le feu, le sirop des Vosges Cazé[15] éteint la toux.（比喻）

3)（菲亚特汽车广告）Les Latins[16] ont beaucoup de défauts, mais ils savent faire les automobiles.（反衬）

4)（旅游广告）La course au soleil, c'est parti![17]（双关）

5)（香槟酒广告）La joie, le rire et le champagne s'entendent[18] pour éclater[19] ensemble.（拟人）

6)（办公场所广告）Nos bureaux, nous les voulons vivants, très vivants.（重复）

7)（飞机广告）L'Airbus.[20] les Européens l'ont voulu ensemble, l'ont fait ensemble, l'ont réussi ensemble. Et ils l'ont vendu ensemble dans le monde entier.（重复）

8)（银行广告）Aujourd'hui, l'argent circule, travaille, fructifie.（拟人）

9)（化妆品广告）La victoire de la science sur le temps.[21]（夸张）

10)（香槟酒广告）Le champagne est unique et rare; lui seul arrête le temps.（夸张）

Notes sur les phrases publicitaires

广告例句注释

1. le jouet：玩具。此句把陈列各类玩具的商店比作星球。
2. 这句话的意思是说：假如老板对你满意，还说明你有才干，那么再换一个老板（找其他工作）你可能干得更加出色。
3. Nikon：（日产）尼康照相机。

4. play-boy 指衣着讲究、讨妇女喜欢的男子。此句 Play-Boy 指衬衣的商标。
5. écrire des deux mains：用双手写字。
6. Renault：雷诺轿车。
7. frais et dispos：精神饱满，体力充沛。
8. Europe 1：欧洲一台。法国广播电台之一。
9. un bas de laine：羊毛长袜。据说，以前法国人习惯于把攒下的钱藏在羊毛袜里。
10. Daxon：达松。服装商标。
11. 指装扮成圣诞老人的售货员上门服务。
12. 指服务范围限于巴黎及巴黎郊区。
13. Val d'Isère Village：瓦尔伊泽尔滑雪村。位于阿尔卑斯山区。
14. le coup de foudre：一见钟情。
15. Vosges Cazé 是一种止咳糖浆的商标。
16. les Latins：拉丁人。参见第 50 课阅读料材注 5。
17. la course au soleil 意为：追着太阳跑；这里实际上是指"去热带旅游"。
    c'est parti 是一句俗语，表示"开始了"；但 parti 也有"微醉"的含义。全句实际含义是：去热带旅游，令人如醉如痴。
18. s'entendre 意为：相互了解；融洽相处。
19. éclater 意为：爆炸；发出巨响。这里指欢笑声和香槟酒启瓶的响声融为一体。
20. l'Airbus：空中客车。
21. le temps 这里指"岁月"。这是一则化妆品广告中的句子，意为：科学的配方，令人青春永驻。

EXERCICES

I. *Questions sur le texte*

1. Quels sont les buts principaux envisagés dans cette publicité?

____

____

____

2. Quel est l'atout dont dispose La Plagne?

____

3. Pour quelle forme de ski La Plagne est-elle une station privilégiée?

____

4. Combien de stations y a-t-il à La Plagne?

____

5. Par quoi ces stations sont-elles reliées?

____

6. A part le ski, qu'est-ce qu'on peut encore faire à La Plagne?

____

____

7. Est-ce que le texte encourage les gens à investir à La Plagne? Et quels sont les arguments utilisés pour l'investissement?

____

____

____

____

____

____

II. *Relevez dans le texte toutes les épithètes*(形容词)*qui qualifient La Plagne*

____

____

III. *Résumez*(简述)*le texte en donnant les principaux renseignements sur La Plagne*

____

____

____

____

____

____

____

IV. *Dites les antonymes des mots suivants* :

1. interdire __________ 5. le débutant __________

2. incontestable ________ 6. vaste ________
3. la première ________ 7. sans ________
4. construire ________ 8. gratuit ________

V. *Traduisez les expressions suivantes en français*

1. 以无可争辩的方式 ____________ 5. 机械牵引装置 ____________
2. 在…的帮助下 ____________ 6. 在…范围内 ____________
3. 贸易保护主义措施 ____________ 7. 以…为自豪 ____________
4. 骑术基础训练 ____________ 8. 与…不协调 ____________

VI. *Vous remplacerez le verbe faire par un des verbes proposés ci-dessous* :

présenter réaliser mener commettre
créer réserver exercer rédiger

1. Le président *fait* une violente campagne contre l'opposition. (   )
2. La publicité *a fait* des mots nouveaux pour attirer les lecteurs. (   )
3. Il *a fait* une grosse faute. (   )
4. Le directeur lui demande de *faire* un rapport d'ici trois jours. (   )
5. Ce journal *fait* une place spéciale au marché d'emploi. (   )
6. Les étudiants *font* leurs meilleurs vœux au professeur à l'occasion du Nouvel An. (   )
7. La science *a fait* de sérieux progrès ces dernières années. (   )
8. La publicité *fait* une forte influence sur les consommateurs. (   )

VII. *Vous remplacerez le verbe* mettre *par un des verbes proposés ci-dessous* :

classer fixer jeter déposer
imposer rétablir employer consacrer

1. Les pouvoirs publics *mettent* une lourde taxe sur des marchandises importées. (   )
2. L'écrivain *a mis* beaucoup de temps à son dernier roman. (   )

3. C'est un animal. On a eu tort de le *mettre* dans les insectes. (   )
4. Fou de colère, il *a mis* tout son ouvrage au feu. (   )
5. Je voudrais *mettre* la paix entre ces adversaires. (   )
6. Il *a mis* un tableau sur le mur. (   )
7. Vous ne devez pas *mettre* ici le subjonctif. (   )
8. Ma mère *mit* ses paquets par terre et m'emporta dans ses bras, en disant: 《Mon Dieu! mon Dieu!》(   )

VIII. *Version*

La publicité en question

Il y a quelques années, c'était le petit commerçant qui aidait ses clients à choisir un produit. Aujourd'hui, la publicité a pris sa place.

Les informations publicitaires sont faciles à lire, à écouter et à comprendre. Et on les trouve partout: à la radio, à la télévision, dans les journaux, et même dans les métros où les panneaux sont toujours couverts d'affiches. Elles ont donc certainement beaucoup d'influence sur les acheteurs, qui sont longtemps restés passifs.

Mais certains consommateurs commencent à réagir: ils réclament une publicité plus saine et veulent qu'on les informe sans leur mentir. Bien sûr, une loi votée en 1972 exige que la composition exacte des produits soit indiquée sur les étiquettes. Malheureusement, ces indications ne sont pas toujours claires et le lecteur moyen a du mal à les comprendre.

Les organisations de consommateurs ont donc pour but d'informer les clients: elles font des essais sur différents produits et publient les résultats dans des revues comme 《50 millions de consommateurs》 ou 《Que choisir?》

____

____

____

____

____

____

LECTURE

Donnez de l'espace à votre vie

Le vrai confort d'une maison individuelle, c'est avant tout l'espace:[1] la dimension généreuse des pièces de séjour, des chambres, des cuisines, des portes-fenêtres, des placards-penderies judicieusement distribués; une chambre des parents conçue comme un appartement privé, plusieurs salles de bains ou salles d'eau; un grand jardin.

L'espace, vous le trouverez dans chacune des gammes de maisons actuellement proposées dans les Domaines Breguet[2] proches de Paris: 107m² pour la plus petite maison de 5 pièces, 275m² pour une 8 pièces.[3]

En réalisant ces vastes et confortables maisons, Breguet a tout mis en œuvre pour être à la hauteur de sa réputation de grand constructeur national de maisons individuelles:[4] construction traditionnelle, effort constant dans la recherche technique, maîtrise architecturale, choix de terrains exceptionnels.

Breguet vous propose de visiter dès ce week-end un de ses 12 domaines choisis pour leur proximité de Paris,[5] leur facilité d'accès,[6] leur beauté naturelle. Partout, halls d'accueil ou maisons-témoins décorées[7] sont ouverts tous les jours de 10 h à 19 h (sauf mardi et mercredi non fériés).

Prix à partir de 520 000 euros.[8]

LEXIQUE

le confort 舒适

la dimension 尺寸

généreux, se *a.* 宽大的

la porte-fenêtre 落地窗

le placard-penderie 壁橱
judicieusement *adv.* 恰如其分地
distribué, e *a.* 被安排的
conçu, e *a.* 被设计的
privé, e *a.* 私有的
la gamme 系列
le domaine 房地产
à la hauteur de 与…相称
la réputation 声望
le constructeur 建筑者
la maîtrise 精通
architectural, e *a.* 建筑术的
la proximité 邻近
la facilité 便利
l'accès *n.m.* 入口
la maison-témoin 样品房
décoré, e *a.* 被装饰的

NOTES

1. C'est avant tout l'espace. 首先是空间(大小)。
   avant tout：首先。
2. Breguet 布雷盖公司。法国经营房产买卖的大公司。
3. une 8 pièces：八居室住房。
4. Breguet a tout mis en œuvre ... maisons individuelles. 布雷盖公司竭尽全力以使自己无愧于法国私人住房大型建造公司的称号。
5. choisis pour leur proximité de Paris：由于距离巴黎近而被选中。
6. la facilité d'accès：交通方便。
7. maisons-témoins décorées：装饰好的样品房。
8. Prix à partir de 520 000 euros. (房屋)最低出售价格为520 000欧元。

LEÇON CINQUANTE-HUIT

Poésie

I. L'homme et la mer

Homme libre, toujours tu chériras la mer!
La mer est ton miroir; tu contemples ton âme
Dans le déroulement infini de sa lame,
Et ton esprit n'est pas un gouffre moins amer. [1]
Tu te plais à plonger au sein de ton image;
Tu l'embrasses des yeux et des bras, [2] et ton cœur,
Se distrait quelquefois de sa propre rumeur
Au bruit de cette plainte indomptable et sauvage. [3]
Vous êtes tous les deux ténébreux et discrets:
Homme, nul n'a sondé le fond de tes abîmes; [4]
Ô mer, nul ne connaît tes richesses intimes,
Tant vous êtes jaloux de garder vos secrets! [5]
Et cependant voilà des siècles innombrables
Que vous vous combattez sans pitié ni remords,
Tellement vous aimez le carnage et la mort,
Ô lutteurs éternels, ô frères implacables!

BAUDELAIRE[6]
Les Fleurs du Mal

II. Le pont Mirabeau[7]

Sous le pont Mirabeau coule la Seine

Et nos amours

Faut-il qu'il m'en souvienne[8]

La joie venait toujours après la peine

Vienne la nuit sonne l'heure[9]

Les jours s'en vont je demeure

Les mains dans les mains restons face à face[10]

Tandis que sous

Le pont de nos bras[11] passe

Des éternels regards l'onde si lasse[12]

Vienne la nuit sonne l'heure

Les jours s'en vont je demeure

L'amour s'en va comme cette eau courante[13]

L'amour s'en va

Comme la vie est lente

Et comme l'Espérance est violente[14]

Vienne la nuit sonne l'heure

Les jours s'en vont je demeure

Passent les jours[15] et passent les semaines

Ni temps passé

Ni les amours reviennent[16]

Sous le pont Mirabeau coule la Seine

Vienne la nuit sonne l'heure

Les jours s'en vont je demeure

APOLLINAIRE[17]

Alcools

LEXIQUE

NOMS

la poésie 诗,诗歌

le miroir 镜子

l'âme *n. f.* 灵魂

le déroulement 展开,伸展

le gouffre 深渊,旋涡

la rumeur 喧哗;浪涛声
la plainte 呻吟;抱怨
le fond 底;水的深度
l'abîme *n.m.* 深渊
le remords 内疚;悔恨
le carnage 杀戮,屠杀
lutteur, euse 好斗者,战斗者
la peine 痛苦,磨难
l'onde *n.f.* 波浪,波纹
l'espérance *n.f.* 希望,愿望

VERBES

chérir *v.t.* 珍爱,依恋
contempler *v.t.* 凝视;沉思
se plaire (à) *v.pr.* 喜爱,喜欢
plonger *v.i.* 跳水,潜水,陷入
embrasser *v.t.* 拥抱;一览无余
se distraire *v.pr.* 消遣,娱乐
sonder *v.t.* 测探,摸底
se combattre *v.pr.* 互相争斗
couler *v.i.* 流,流动
souvenir *v.impers.* 回想,忆及

ADJECTIFS

infini, e 无限的,无穷尽的
amer, amère 苦味的,苦涩的
indomptable 不可驯服的
ténébreux, se 阴郁的;不可思议的
discret, e 审慎的,守口如瓶的
intime 内在的,隐秘的
jaloux, se 嫉妒的;渴望
innombrable 不可胜数的
éternel, le 永恒的;无休止的
implacable 不可缓和的;无情的
las, se 疲倦的
courant, e 流动的
violent, e 剧烈的;强烈的

AUTRES

au sein de *loc. prép.* 在…深处,在…内部
nul *pron. indéf.* 无一人
ô *interj.* 啊
tant *adv.* 如此,那么
face à face *loc. adv.* 面对面

NOTES SUR LE TEXTE

1. Ton esprit n'est pas un gouffre moins amer = Ton esprit est aussi profond, aussi amer que la mer.

   你的心灵也同大海一般深奥、苦涩!

2. Tu l'embrasses des yeux et des bras: 你用臂膀用眼睛将它拥抱。

   句中l'代替上句的image。

   des yeux et des bras 作方式状语。

3. Ton cœur se distrait quelquefois de sa propre rumeur, au bruit de cette plainte indomptable et sauvage：当听到（大海）那粗野而不可遏制的涛声，你心中的烦恼也偶尔得到解脱。
   se distraire de：转移；摆脱。例如：
   Il voulait se distraire de son chagrin. 他想摆脱自己的痛苦。
   au bruit de：听到…的声音。
4. Homme, nul n'a sondé le fond de tes abîmes. 人啊，你的心底深不可测。
   Homme 在此作呼语。
   nul ne ...：没有一个人。
5. Tant vous êtes jaloux de garder vos secrets.（因为）你们是那般地热衷于保守各自的秘密。
   tant = tellement 在此表示原因。
   être jaloux(se) de：渴望，巴不得。
6. Baudelaire：波德莱尔（1821—1867）法国著名诗人。他的诗篇大多采用严格的格律，而表达的内容往往是奇特的，充满丰富的想象和巧妙的隐喻，对现代诗的产生和发展影响很大。本篇选自他的诗集《恶之花》。
7. le pont Mirabeau：米拉博桥。塞纳河桥之一，位于巴黎西部。
8. Faut-il qu'il m'en souvienne：
   1) faut-il que = Pourquoi dois-je ... 难道有必要…
   2) il me souvient de 是无人称句，意为：回想，忆及。例如：
   Il ne me souvient pas de les avoir vus. 我不记得曾经见过他们。
9. Vienne la nuit sonne l'heure. 让黑夜来临，让钟声敲响。
   vienne 和 sonne 是虚拟式，一般表示"祝愿"。
10. les mains dans les mains restons face à face：我们手拉着手，四目相对。
    les mains dans les mains：手挽手，手拉手。
    这一句诗表达的是恋人相会时的情景。
11. le pont de nos bras：我们用臂膀搭起的桥。
12. ... des éternels regards l'onde si lasse：流水却厌倦这永恒的目光。
    des éternels regards 作形容词 lasse 的补语。即：l'onde est lasse des éternels regards.

(être) las (se) de：对…厌倦。

13. l'amour s'en va comme cette eau courante：爱情犹如奔流的河水一样逝去。
eau courante (活水)一般与 eau morte(死水)相对应;在这里强调河水流动得很快。
14. Comme la vie est lente, Et comme l'Espérance est violente.
这是两个感叹句,意为:由于强烈地希望得到新的爱情,因此时光显得格外漫长。
15. passent les jours = les jours passent：时光在流逝。
16. Ni temps passé, Ni les amours reviennent：
过去的时光和失去的爱情都一去不复返。
17. Apollinaire：阿波利奈尔(1880—1918)法国著名现代派诗人。他主张革新诗歌,打破传统的诗歌形式和句法结构。《米拉博桥》被认为是作者诗作中"最动人、最著名"的一首。

NOTIONS ELEMENTAIRES DE VERSIFICATION

诗 法 简 介

I. 诗的结构

1. 法语诗(la poésie, le poème) 一般由若干个意义完整的诗段(la strophe)组成。
2. 每一诗段包含数个诗句(le vers)。每一诗句占一行,每行诗的第一个字母使用大写字母。
3. 诗句由音节组成(la syllabe),每行诗一般由一个到十二个音节组成。常见的有八音节、十音节、十二音节的诗句。十二音节诗句叫做亚历山大诗体(le vers alexandrin)。如本课所选 l'homme et la mer.
4. 跨行(l'enjambement):为了使语音结构整齐或对某一个词进行强调,常常要把结构、意义完整的句子拆开,分别放在两个或几个诗句中,这叫做跨行。例如:

La mer est ton miroir; tu contemples ton âme

Dans le déroulement infini de sa lame.

Ni temps passé

Ni les amours reviennent.

II. 韵(la rime)

诗句最后有重音的音节与前一诗句最后有重音的音节元音相同,叫做韵。韵分为阳韵和阴韵。以哑音 e 结尾的称为阴韵，结尾无哑音 e 的则称为阳韵。诗韵组合有以下五种：

（为方便起见，我们用 A 表示阳韵，B 表示阴韵）

1. **平韵(les rimes plates) AABB 或 BBAA**

Je vous trouve, ma pou**pée**,	B
Bien souvent inoccu**pée.**	B
Il faut vous prendre le br**as**	A
Pour vous faire faire un p**as.**	A

(J. Aicard)

2. **交叉韵(les rimes croisées) ABAB 或 BABA**

Je marcherai les yeux fixés sur mes pens**ées**	B
Sans rien voir au dehors, sans entendre aucun br**uit**,	A
Seul, inconnu, le dos courbé, les mains crois**ées**,	B
Triste, et le jour pour moi sera comme la n**uit.**	A

(V. Hugo)

3. **抱合韵(les rimes embrassées) ABBA 或 BAAB**

Monsieur le présid**ent**	A
Je vous fais une le**ttre**	B
Que vous lirez peut-**être**	B
Si vous avez le t**emps**	A

(B. Vian)

4. **重叠韵(les rimes redoublées)**：一种韵叠用两次以上：

L'amour s'en va comme cette eau cour**ante**	B
L'amour s'en va	A
Comme la vie est **lente**	B
Et comme l'Espérance est viol**ente**	B

5. **混合韵(les rimes mêlées)**：用韵较自由，以上各种韵可以出现在同一首诗中。

III. 现代自由诗(le vers libre moderne)

在现代法语诗歌中，还有一种不受任何形式的约束，段数、行数、音节、诗韵等毫不固定的自由诗。但自由诗仍有一定的节奏，给人以诗的感受。

EXERCICES

I. *Relevez, dans les deux poèmes, les mots ou expressions relatifs à l'eau* 挑选出两首诗中与"水"有关的词或词组

Ex: la mer, un gouffre, plonger

________ ________ ________

________ ________ ________

________ ________ ________

________ ________ ________

II. *Relevez, dans les deux poèmes, les mots ou expressions relatifs à un être humain* 挑选出两首诗中与"人"有关的词或词组

Ex: homme libre, chérir, l'âme

________ ________ ________

________ ________ ________

________ ________ ________

________ ________ ________

________ ________ ________

III. *Comparez les deux poèmes* 对两首诗进行比较

____

____

____

____

____

____

____

____

IV. *Vous remplacerez les mots* gens, personne *par des termes plus précis donnés ci-dessous*

les spécialistes　　les clients　　les spectateurs

les locataires　　les passagers　　les musiciens

1. **Les gens** qui ont assisté à ce drame ont été bouleversés. (　　)
2. **Les personnes** qui voyagent à bord doivent respecter les consignes de sécurité. (　　)
3. **Ces gens** ont joué la 3ᵉ symphonie de Beethoven au festival d'Aix. (　　)
4. **Les personnes** qui sont chargées de ces questions pourront sans doute vous renseigner mieux que moi. (　　)
5. **Les gens** qui habitent dans cet immeuble sont très sympathiques. (　　)
6. Le garçon s'empresse de servir **ces gens**: ils sont pressés. (　　)

V. *Vous exprimerez les oppositions suivantes sous d'autres formes* 用其他形式表达下列句子的对立

1. Bien que ma femme soit un peu souffrante, elle accepte avec plaisir votre invitation.

____

____

2. Le téléphone a beau sonné, personne ne se dérange.

____

3. Ses explications paraissent invraisemblables: je n'en suis pas moins convaincu qu'il dit la vérité.

____

____

4. Malgré toute sa bonne volonté, loin de clarifier la situation, il a contribué à la compliquer.

____

____

5. Pour être sérieuse, la situation n'est cependant pas désespérée.

____

6. Si minces que soient les résultats, on doit poursuivre dans cette voie.

____

7. J'ai fini par accepter ce compromis, encore qu'il ne soit guère satisfaisant.

____

____

8. Fût-il le plus grand des écrivains, il doit avant tout se faire comprendre de ses lecteurs.

____

____

VI. *Complétez les phrases avec des mots proposés*

1. Notre ami a été ________ éprouvé par la mort de son père.
   A. souvent B. amicalement
   C. durement D. rapidement
2. Cet homme a toujours su ________ aux épreuves.
   A. trancher B. faire face
   C. s'acharner D. s'opposer
3. Le peuple devrait être tenu ________ des activités de ses représentants.
   A. à l'écart B. en marge
   C. au courant D. en vigueur
4. Grâce à une aide accrue, ces pays ________ de s'industrialiser.
   A. sont à même B. évitent
   C. craignent D. souhaitent
5. Il est indispensable que l'on étudie les problèmes qui ________ des progrès de la science et de la technique.
   A. découlent B. traitent
   C. se chargent D. s'éloignent
6. J'ai lu un recueil de poèmes ________ du russe.
   A. écrits B. venu
   C. composés D. traduits

LECTURE

Poésie

I. Déjeuner du matin

Il a mis le café
Dans la tasse
Il a mis le lait
Dans la tasse de café
Il a mis le sucre
Dans le café au lait
Avec la petite cuiller
Il a tourné
Il a bu le café au lait
Et il a reposé la tasse
Sans me parler
Il a allumé
Une cigarette
Il a fait des ronds
Avec la fumée
Il a mis les cendres
Dans le cendrier
Sans me parler
Sans me regarder
Il s'est levé
Il a mis
Son chapeau sur sa tête
Il a mis
Son manteau de pluie
Parce qu'il pleuvait

Et il est parti
Sous la pluie
Sans une parole
Sans me regarder
Et moi j'ai pris
Ma tête dans ma main[1]
Et j'ai pleuré.

Jacques Prévert[2]

II. Bonne justice

C'est la chaude loi des hommes
Du raisin ils font du vin[3]
Du charbon ils font du feu
Des baisers ils font des hommes.
C'est la dure loi des hommes
Se garder intacts malgré
Les guerres et la misère
Malgré les dangers de mort.
C'est la douce loi des hommes
De changer l'eau en lumière
Le rêve en réalité
Et les ennemis en frères.
Une loi vieille et nouvelle
Qui va se perfectionnant
Du fond du cœur de l'enfant
Jusqu'à la raison suprême.

Paul Eluard[4]

III. Les feuilles mortes[5]

Oh, je voudrais tant que tu te souviennes

Des jours heureux où nous étions amis.
En ce temps là, la vie était plus belle
Et le soleil plus brûlant qu'aujourd'hui.
Les feuilles mortes se ramassent à la pelle.
Tu vois, je n'ai pas oublié
Les feuilles mortes se ramassent à la pelle.[6]
Les souvenirs et les regrets aussi
Et le vent du nord les emporte
Dans la nuit froide de l'oubli.
Tu vois, je n'ai pas oublié
La chanson que tu me chantais
C'est une chanson qui nous ressemble
Toi qui m'aimais, et je t'aimais
Nous vivions tous les deux ensemble
Toi qui m'aimais, moi qui t'aimais.
Mais la vie sépare ceux qui s'aiment
Tout doucement sans faire de bruit
Et la mer efface sur le sable
Les pas des amants désunis. Là ...
Mais la vie sépare ceux qui s'aiment
Tout doucement sans faire de bruit
Et la mer efface sur le sable
Les pas des amants désunis.

Jacques Prévert

LEXIQUE

la cuiller (ou: cuillère) 匙
la cendre 灰
le cendrier 烟灰缸
le raisin 葡萄
le baiser 接吻
intact, e *a.* 未受损伤的,完整的
se perfectionner *v. pr.* 得到改进,臻于完善

suprême *a.* 最高的,至高无上的
brûlant, e *a.* 灼热的
la feuille 叶
la pelle 铲,锹
effacer *v. t.* 擦去,刮去
le sable 沙;沙滩
le pas 脚步
amant, e *n.* 情人
désuni, e *a.* 分开的,拆开的

NOTES

1. J'ai pris ma tête dans ma main. 我用手捧着头。
2. Jacques Prévert:雅克·普雷韦尔(1900—1977)。法国著名诗人。
3. du raisin ils font du vin:他们把葡萄变成美酒。
4. Paul Eluard:保尔·艾吕雅(1895—1952)。法国著名诗人。
5. les feuilles mortes:落叶。
6. se ramasser à la pelle:(落叶)俯拾即是。
   se ramasser 表示被动意义。à la pelle:(转义)大量。

EXERCICES DE SYNTHESE

I. *Complétez avec les mots convenables*

1. Nathalie et Pierre ______ en Suisse.

   A. aller　　B. va

   C. allons　　D. vont

2. Elles sont ______.

   A. Allemande　　B. Allemandes

   C. Allemands　　D. Allemand

3. Vous ______ appelez Philippe?

   A. s'　　B. t'

   C. vous　　D. nous

4. ______ avons faim.

   A. Tu　　B. Ils

   C. Nous　　D. J'

5. M. Dupont va venir ______ Beijing ______ septembre.

   A. à; en　　B. à; à

   C. en; à　　D. en; en

6. Nous avons ______ amis français.

   A. un　　B. des

   C. une　　D. les

7. Elle va à ______ aéroport.

   A. la　　B. l'

   C. les　　D. le

8. Posez ______ livres sur ______ table, s'il vous plaît.

   A. ce; ces　　B. cette; cette

C. ces; cette D. cet; cette

9. J'aime bien les robes ______ sont en vitrine.

A. que B. qui

C. quelles D. où

10. Il n'écoute pas ______ elle dit.

A. que B. qu'

C. ce que D. ce qu'

11. ______ attention à ce qu'ils ______.

A. Faire; fait B. Font; font

C. Fais; font D. Fais; faites

12. ______ films préférez-vous?

A. Quelle B. Quels

C. Quel D. Quelles

13. Le professeur parle ______ étudiants.

A. au B. à les

C. aux D. à l'

14. ______ va chercher le pain?

A. Qui est-ce qui B. Qui est-ce que

C. Qui est-ce D. Qu'est-ce

15. Je pense ______ la machine à laver ne marche pas.

A. que B. qu'

C. qui D. à

16. ______ votre travail avant d'aller au restaurant.

A. Finis B. Finissons

C. Finir D. Finissez

17. Je ne ______ pas lui dire ce qu'elle ______ faire.

A. peut; doit B. peux; doivent

C. peux; devoir D. peux; doit

18. Demande leur ce qu'ils ______.

A. veut B. voulons

C. veulent D. voulez

19. Qui a pris ______ ces photos?

A. tout B. toute

C. toutes D. tous

20. Elles ne nous ______ pas attendre.

A. feront B. ferons

C. fera D. ferez

21. Est-ce que tu as du café? Non, ______.

A. je n'ai pas B. je n'y ai pas

C. je n'en ai pas D. je ne l'ai pas.

22. Nous ______ en train de parler du film d'hier quand il a appelé.

A. étais B. étaient

C. étions D. était

23. Je ______ contente quand tu ______ ton diplôme.

A. sera; aura B. serai; auras

C. serez; aurez D. serons; auras

24. Si tu rencontrais Marie, tu ______ l'inviter à venir.

A. pourras B. peux

C. pourrais D. pouvais

25. Si j' ______, je ne ______ pas venu.

A. savais; serai B. avais su; serais

C. savais; aurai D. ai su; ai été

26. Il faut que tu ______ à l'heure.

A. être B. sois

C. soyez D. es

27. Ne montre pas ce roman à Pascal. Ne ______ pas.

A. le lui montre B. lui le montre

C. montre le lui D. montre lui le

28. Nous attendrons jusqu'à ce que le spectacle ______.

A. finir B. finit

C. finisse D. finissent

29. Pourquoi lui envoies-tu cet e-mail? Pour qu'elle ______ où je suis.

A. savoir B. sait

C. savait D. sache

30. Il est reparti sans ______ une minute.

A. perd B. perdez

C. perdre D. perdant

II. *Traduisez les expressions suivantes en chinois*

1. accorder une grande importance à quelque chose

____

2. attirer l'attention à quelqu'un

____

3. avoir l'air

____

4. faire signe à quelqu'un

____

5. faire partie de

____

6. suivre l'exemple de quelqu'un

____

7. il vaut mieux + infinitif

____

8. se mettre à faire quelque chose

____

9. être en désaccord avec ...

____

10. tenir à la main quelque chose

____

III. *Choisissez les expressions appropriées*

1. du/des

   A. La hausse ______ salaires ne dépasse pas 5%.

   B. Ne prenez pas ce médicament, car il nons faut l'avis ______ médecin.

2. des/les

   A. Elle garde ______ enfants le week-end.

   B. Elle garde ______ enfants de son voisin qui est à l'hôpital.

3. beaucoup de/assez de

   A. Nous avons ______ argent pour acheter une voiture.

   B. ______ livres qui sont ici ont été offerts par un grand écrivain.

4. certain(e)(s)/aucun(e)

   A. J'ai relevé ______ fautes dans votre dictée.

   B. Vous n'avez ______ intérêt à dire cela.

5. lors/lorsque

   A. Les gens dormaient ______ le tremblement de terre a eu lieu.

   B. Il s'est blessé ______ du dernier match de football.

6. quelque/quelques

   A. Cet été, j'ai gagné ______ argent en donnant des cours particuliers.

   B. Nous reparlerons de tout cela dans ______ années.

7. gros(se)/long(ue)

   A. J'ai de ______ ennuis en ce moment!

   B. C'est une ______ histoire.

8. que/dont

   A. On m'a indiqué un médecin ______ je ne connais pas.

   B. Le médecin ______ on m'a parlé est un spécialiste de cancer.

9. dont/ce dont

   A. Les personnes ______ le nom commence par B doivent se présenter à la porte N°10.

   B. Je fais tout ______ il ne veut pas s'occuper.

10. qui/ce qui

A. Je reste avec Marie ______ est malade.

B. Garde ______ te plaît.

11. auquel/avec lequel

A. C'est un professeur ______ le dialogue est impossible.

B. Je n'ai jamais revu l'étudiant ______ j'ai prêté plusieurs livres.

12. en/le

A. J'aime bien les films. Je ______ vois un par semaine.

B. Je souhaite rester ici. Je ______ souhaite.

13. en/y

A. Vous ne parlez jamais de votre collaboratrice. Vous ______ êtes satisfait?

B. Vous pensez un peu aux vacances? Oui, je ______ pense.

14. viendra/vienne

A. Je souhaite qu'il ______.

B. J'espère qu'il ______.

15. pour/à

A. Il faut une bonne heure de voiture ______ y aller.

B. Nous avons passé tout l'après-midi ______ chercher le chien.

16. que ... ou que/que ... ou non

A. ______ vous acceptiez ______ vous refusiez de participer, nous allons faire une excursion la semaine prochaine.

B. ______ vous veniez ______, peu importe!

17. qui que/quoi que

A. ______ vous interrogiez, vous entendez la même plainte.

B. ______ vous fassiez, il sera mécontent.

18. pendant/depuis

A. Nous habitons ce quartier ______ cinq ans.

B. On a interrogé chaque étudiant ______ une heure.

19. soit ... soit/ni ... ni

A. Je partirai ______ en avion, ______ en train mais pas en voiture!

B. Ce livre est introuvable: il n'est ______ chez moi ______ chez mes parents.

20. avant/avant de

A. N'oubliez pas d'éteindre votre ordinateur ______ partir.

B. Je vous donnerai ma réponse ______ la fin de la semaine.

IV. *Complétez avec les modes et temps convenables des verbes entre parenthèses*

1. Nous allons à la campagne à condition qu'il (faire) ______ beau.
2. Il a fait froid hier. Il (faire) ______ encore plus froid demain.
3. Aucune décision ne (être prise) ______ avant la semaine prochaine.
4. Il agit comme s'il (avoir) ______ toujours vingt ans.
5. Qu'il (partir) ______ immédiatement.
6. Il faudrait que vous (lire) ______ davantage.
7. Le professeur oblige les enfants à (travailler) ______ le samedi.
8. Elle passera (prendre) ______ ses affaires demain.
9. Ils protestent une mesure (limiter) ______ les droits des salariés.
10. Ils se sont quittés (pleurer) ______.
11. Tu sortiras quand tu (ranger) ______ tes affaires.
12. Il est revenu de vacances parce qu'il ne (avoir) ______ plus d'argent.
13. Elle (traverser) ______ la rue quand la voiture a démarré.
14. Je l'ai retenue par le bras, sinon elle (tomber) ______.
15. Nous changeons d'appartement afin que les enfants (avoir) ______ chacun leur chambre.
16. J'ai vu deux religieuses (partir) ______ par là.
17. Hier, le match (être suivi) ______ par plusieurs millions de téléspectateurs.
18. Il (manger) ______ déjà quand je suis arrivé.
19. Elle a pris un congé de six mois pour (terminer) ______ sa thèse.
20. Je (regarder) ______ la télévision quand j'ai entendu des cris dans la rue. Je (se mettre) ______ à la fenêtre et je (voir) ______ deux hommes qui (partir) ______ en courant. Ils (prendre) ______ la première rue à

droite et ils (disparaître) ______.

V. *Traduisez les expressions suivantes en chinois*

1. Doux comme un agneau. ______
2. Il est bête comme un âne. ______
3. Il a un caractère de cochon. ______
4. C'est une peau de vache. ______
5. C'est une langue de vipère. ______
6. Vivre comme chien et chat. ______
7. Comme un poisson dans l'eau. ______
8. Rouge comme un coq. ______
9. Trempé comme un canard. ______
10. Enfermer le loup dans la bergerie. ______

VI. *Thème*

法语水平测试

DELF 和 DALF 是由法国教育部颁发的，验证外国学生法语水平的两个重要的文凭。目前，很多法国大学在招收外国学生时，均要求学生提供 DELF 或 DALF 文凭，没有这两个文凭就不能入学。

DELF 的法语全称为 Diplôme d'Études en Langue Française（法语学习文凭），DALF 的法语全称为 Diplôme Approfondi de Langue Française（法语深入学习文凭）。法国教育部于 1985 年设立了这两个文凭，并在法国本土和许多国家举办专门的考试，对考试合格的外国人授予文凭。考试是面对所有非法语国家的人员，年龄、职业不限。

以前，由于法国没有像美国的 TOFEL、GRE 等针对留学生的统一语言水平考试，各个大学为了保证外国学生具有一定的法语能力，都自己组织法语水平测试。即使在教育部设立了 DELF 和 DALF 文凭后的相当一段时间内，由于持有这两个文凭的学生数量有限，各大学仍保持着原有的语言测试。

近年来，来自欧洲各国的留学生开始重视 DELF 和 DALF 文凭，很多留学生在本国学习法语时就拿到了这两个文凭。法国驻各国的使馆也把这两个文凭作为给外国留学生颁发签证的重要依据。目前，一些法国高等院校在招收外国学生时，首先要求他们出示 DELF 或 DALF 文凭。

VII. *Version*

Le niveau de vie des Français en hausse

Entre 1996—2001, le niveau de vie moyen des Français a progressé de 10% hors inflation, selon l'INSEE. Une amélioration plus marquée encore pour les deux extrémités de l'échelle de revenus.

Entre 1996 et 2001, le revenu moyen des Français résidant en métropole est passé, en euros constants, c'est-à-dire sans tenir compte de l'inflation, de 15 000 euros en 1996 à 16 500 euros en 2001.

Cette hausse a surtout profité aux 10% des personnes les plus modestes, avec une hausse du niveau de vie moyen de 16%, contre 8% pour les catégories de revenus médians. Elle a également profité plus largement aux 10% de Français les plus riches, avec une hausse de 13% du niveau de vie moyen sur la période. Selon l'INSEE, les plus hauts revenus, tirés d'une activité d'indépendant ou de cadre supérieur, ont mieux profité de la reprise économique amorcée en 1998.

Pour les revenus les plus modestes, l'INSEE explique ces《évolutions positives》principalement par les revalorisations des prestations sociales et des revenus de remplacement, qui constituent les deux tiers des revenus de cette catégorie. Ainsi, l'INESS rappelle par exemple que l'allocation de rentrée scolaire est passée de 1 000 à 1 600 euros en 1997. L'INSEE note enfin que ce sont les 18—29 ans qui ont le plus profité de la progression du niveau de vie, avec une hausse de 12%, contre 6% pour les plus de 60 ans.

VIII. *Lisez les textes suivants à l'aide d'un dictionnaire*

Paris sans voiture, un rêve d'un jour

Il est 9 heures, Paris respire. Du moins, c'est ce que laissent croire les rues quasi désertes du centre de la capitale. Les quatre premiers arrondissements faisaient partie, hier, du périmètre fermé aux automobilistes pour la journée sans voiture.

A l'heure où débute l'opération, 140 kilomètres de bouchons sont enregistrés en Ile de France, autant qu'un jour normal. Mais la tension est plus vive aux abords des secteurs concernés. Place de la République, les embouteillages sont plus nombreux qu'à l'accoutumée. Si les barrages filtrant laissent passer les conducteurs les plus déterminés, les Parisiens peuvent globalement goûter, le temps d'une journée, à une ville sans bruit de moteur, ni fumée de pots d'échappement. Le rêve, un rêve que tente de réaliser la municipalité à coups de couloirs de bus protégés ou en libérant ponctuellement les voies sur berges. En attendant que les pistes cyclables soient bientôt rallongées de manière significative. En deux ans, le trafic automobile a ainsi baissé de 7%, mais l'air est encore loin d'être pur. Selon les mesures réalisées par Airparif dans la capitale pour la journée sans voiture de l'année dernière, la pollution avait certes baissé dans les zones bouclées (47% de gaz carbonique). Cependant, l'impact était resté marginal sur la pollution de fond.

*D'après **20 Minutes**, 23 septembre 2003*

L'euro n'a pas changé les habitudes des Français

L'arrivée de l'euro n'a rien changé: les Français ont conservé leurs bonnes vieilles habitudes de paiement, rempli leurs bas de laine de gros billets et gardé les petites coupures pour les achats courants.

Certains s'attendaient à ce que la mort du franc entraîne celle des《bas de laine》et des《lessiveuses》, du nom des bacs à lessive dans lesquels les Français dissimulaient leurs économies. Selon la Banque de France, près de 154 milliards de francs dormaient ainsi dans les placards des Français en 2000.

Dès les derniers mois de 2001, la Fédération bancaire française a de fait constaté un《effet lessiveuse》avec l'afflux de billets de 200 et 500 francs arrivant en provenance de trésors cachés.

Ce reflux a réduit la masse monétaire en circulation：elle a décru de 46,1 milliards d'euros de billets en circulation fin 2000 à 31,5 milliards fin 2001，selon une étude de la Banque de France. Après le changement de monnaie le 1er janvier 2002，les Français ont regarni leurs bas de laine，amassant des billets de 200 et 500 euros. Ils ont ainsi renoué avec un phénomène déjà ancien，qui fait de la France le pays d'Europe où les grosses coupures circulent le moins. Les billets de 10 et 20 euros représentent 75% de la circulation en France，contre seulement 44% dans l'ensemble de l'eurozone，selon la Banque de France. L'euro n'a pas non plus bouleversé les habitudes des Français au distributeur automatique：ils continuent à effectuer des retraits d'une valeur de 60 euros en moyenne.

La stabilité prévaut également pour les moyens de paiement.《On s'était demandé l'an dernier si l'arrivée de l'euro ne bénéficierait pas plus au paiement par carte qu'au paiement par chèque. Or，rien n'a changé》dans ce domaine，souligne-t-on la Banque de France.

D'après AFP

TABLEAUE DE CONJUGAISON 附录

动词变位表

AVOIR

INDICATIF						
Présent	*Imparfait*	*Futur*	*Passé composé*	*Plus-que-parfait*	*Futur antérieur*	*Passé simple*
j'ai	j'avais	j'aurai	j'ai eu	j'avais eu	j'aurai eu	*j'eus
tu as	tu avais	tu auras	tu as eu	tu avais eu	tu auras eu	*tu eus
il a	il avait	il aura	il a eu	il avait eu	il aura eu	il eut
nous avons	nous avions	nous aurons	nous avons eu	nous avions eu	nous aurons eu	*nous eûmes
vous avez	vous aviez	vous aurez	vous avez eu	vous aviez eu	vous aurez eu	*vous eûtes
ils ont	ils avaient	ils auront	ils ont eu	ils avaient eu	ils auront eu	ils eurent

CONDITIONNEL		SUJBONCTIF	IMPERATIF	PARTICIPE
Présent	*Passé*	*Présent*	*Présent*	*Présent*
j'aurais	j'aurais eu	que j'aie	aie	ayant
tu aurais	tu aurais eu	que tu aies	ayons	*Passé*
il aurait	il aurait eu	qu'il ait	ayez	(j'ai) eu
nous aurions	nous aurions eu	que nous ayons		
vous auriez	vous auriez eu	que vous ayez		
ils auraient	ils auraient eu	qu'ils aient		

ETRE

INDICATIF

Présent	*Imparfait*	*Futur*	*Passé composé*	*Plus-que-parfait*	*Futur antérieur*	*Passé simple*
je suis	j'étais	je serai	j'ai été	j'avais été	j'aurai été	*je fus
tu es	tu étais	tu seras	tu as été	tu avais été	tu auras été	*tu fus
il est	il était	il sera	il a été	il avait été	il aura été	il fut
nous sommes	nous étions	nous serons	nous avons été	nous avions été	nous aurons été	*nous fûmes
vous êtes	vous étiez	vous serez	vous avez été	vous aviez été	vous aurez été	*vous fûtes
ils sont	ils étaient	ils seront	ils ont été	ils avaient été	ils auront été	ils furent

CONDITIONNEL		SUBJONCTIF	IMPERATIF	PARTICIPE
Présent	*Passé*	*Présent*		
je serais	j'aurais été	que je sois		
tu serais	tu aurais été	que tu sois	*Présent*	*Présent*
il serait	il aurait été	qu'il soit	sois	étant
nous serions	nous aurions été	que nous soyons	soyons	*Passé*
vous seriez	vous auriez été	que vous soyez	soyez	(j'ai) été
ils seraient	ils auraient été	qu'ils soient		

(*) Rare en français parlé.

PARLER

INDICATIF				CONDITIONNEL	SUBJONCTIF	IMPERATIF
Présent	*Imparfait*	*Futur*	*Passé simple*	*Présent*	*Présent*	*Présent*
je parle	je parlais	je parlerai	*je parlai	je parlerais	que je parle	parle
tu parles	tu parlais	tu parleras	*tu parlas	tu parlerais	que tu parles	parlons
il parle	il parlait	il parlera	il parla	il parlerait	qu'il parle	parlez
nous parlons	nous parlions	nous parlerons	*nous parlâmes	nous parlerions	que nous parlions	
vous parlez	vous parliez	vous parlerez	*vous parlâtes	vous parleriez	que vous parliez	
ils parlent	ils parlaient	ils parleront	ils parlèrent	ils parleraient	qu'ils parlent	
Passé composé	*Plus-que-parfait*	*Futur antérieur*		*Passé*		PARTICIPE
j'ai parlé	j'avais parlé	j'aurai parlé		j'aurais parlé		
tu as parlé	tu avais parlé	tu auras parlé		tu aurais parlé		*Présent*
il a parlé	il avait parlé	il aura parlé		il aurait parlé		
nous avons parlé	nous avions parlé	nous aurons parlé		nous aurions parlé		parlant
vous avez parlé	vous aviez parlé	vous aurez parlé		vous auriez parlé		*Passé*
ils ont parlé	ils avaient parlé	ils auront parlé		ils auraient parlé		parlé

FINIR

INDICATIF				CONDITIONNEL	SUBJONCTIF	IMPERATIF
Présent	*Imparfait*	*Futur*	*Passé simple*	*Présent*	*Présent*	*Présent*
je finis	je finissais	je finirai	*je finis	je finirais	que je finisse	finis
tu finis	tu finissais	tu finiras	*tu finis	tu finirais	que tu finisses	finissez
il finit	il finissait	il finira	il finit	il finirait	qu'il finisse	finissons
nous finissons	nous finissions	nous finirons	*nous finîmes	nous finirions	que nous finissions	
vous finissez	vous finissiez	vous finirez	*vous finîtes	vous finiriez	que vous finissiez	
ils finissent	il finissaient	ils finiront	ils finirent	ils finiraient	qu'ils finiss*ent*	
Passé composé	*Plus-que-parfait*	*Futur antérieur*		*Passé*		PARTICIPE
j'ai fini	j'avais fini	j'aurai fini		j'aurais fini		*Présent*
tu as fini	tu avais fini	tu auras fini		tu aurais fini		finissant
il a fini	il avait fini	il aura fini		il aurait fini		*Passé*
nous avons fini	nous avions fini	nous aurons fini		nous aurions fini		fini
vous avez fini	vous aviez fini	vous aurez fini		vous auriez fini		
ils ont fini	ils avaient fini	ils auront fini		ils auraient fini		

(*) Rare en français parlé.

AFFIRMATION-NEGATION-INTERROGATION

PARLER		**SE LAVER**	
AFFIRMATION	NEGATION	AFFIRMATION	NEGATION
Présent		*Présent*	
je parle	je ne parle pas	je me lave	je ne me lave pas
tu parles	tu ne parles pas	tu te laves	tu ne te laves pas
il parle	il ne parle pas	il se lave	il ne se lave pas
nous parlons	nous ne parlons pas	nous nous lavons	nous ne nous lavons pas
vous parlez	vous ne parlez pas	vous vous lavez	vous ne vous lavez pas
ils parlent	ils ne parlent pas	ils se lavent	ils ne se lavent pas
Passé composé		*Passé composé*	
j'ai parlé	je n'ai pas parlé	je me suis lavé	je ne me suis pas lavé
tu as parlé	tu n'as pas parlé	tu t'es lavé	tu ne t'es pas lavé
il a parlé	il n'a pas parlé	il s'est lavé	il ne s'est pas lavé
nous avons parlé	nous n'avons pas parlé	nous nous sommes lavés	nous ne nous sommes pas lavés
vous avez parlé	vous n'avez pas parlé	vous vous êtes lavés	vous ne vous êtes pas lavés
ils ont parlé	ils n'ont pas parlé	ils se sont lavés	ils ne se sont pas lavés

续表

AFFIRMATION	NEGATION	AFFIRMATION	NEGATION
Impératif		*Impératif*	
parle	ne parle pas	lave-toi	ne te lave pas
parlons	ne parlons pas	lavons-nous	ne nous lavons pas
parlez	ne parlez pas	lavez-vous	ne vous lavez pas
INTERROGATION		INTERROGATION	
Est-ce que je parle?	Ai-je parlé?	Est-ce que je me lave?	Me suis-je lavé?
Parles-tu?	As-tu parlé?	Te laves-tu?	T'es-tu lavé?
Parle-t-il?	A-t-il parlé?	Se lave-t-il?	S'est-il lavé?
Parlons-nous?	Avons-nous parlé?	Nous lavons-nous?	Nous sommes-nous lavés?
Parlez-vous?	Avez-vous parlé?	Vous lavez-vous?	Vous êtes-vous lavés?
Parlent-ils?	Ont-ils parlé?	Se lavent-ils?	Se sont-ils lavés?

I. CONJUGAISON DE QUELQUES VERBES PARTICULIERS EN-ER

	Indicatif présent		*Imparfait*	*Futur*	*Passé composé*	*Passé simple*	*Impératif*
mener	je mène	nous menons	je menais	je mènerai	j'ai mené	il mena	mène
	tu mènes	vous menez					menons
	il mène	ils mènent					menez
acheter	j'achète	nous achetons	j'achetais	j'achèterais	j'ai acheté	il acheta	achète
	tu achètes	vous achetez					achetons
	il achète	ils achètent					achetez
peler	je pèle	nous pelons	je pelais	je pèlerai	j'ai pelé	il pela	pèle
	tu pèles	vous pelez					pelons
	il pèle	ils pèlent					pelez
jeter	je jette	nous jetons	je jetais	je jetterai	j'ai jété	il jeta	jette
	tu jettes	vous jetez					jetons
	il jette	ils jettent					jetez
appeler	j'appelle	nous appelons	j'appelais	j'appellerai	j'ai appelé	il appela	appelle
	tu appelles	vous appelez					appelons
	il appelle	ils appellent					appelez

	Indicatif présent		*Imparfait*	*Futur*	*Passé composé*	*Passé simple*	*Impératif*
balayer	je balaie ou	je balaye	je balayais	je balaierai	j'ai balayé	il balaya	balaie ou balaye
	tu balaies ou	tu balayes		ou			balayons
	il balaie ou	il balaye		je balayerai			balayez
	nous balayons						
	vous balayez						
	ils balaient ou	ils balayent					
nettoyer	je nettoie	nous nettoyons	je nettoyais	je nettoierai	j'ai nettoyé	il nettoya	nettoie
	tu nettoies	vous nettoyez					nettoyons
	il nettoie	ils nettoient					nettoyez
essuyer	j'essuie	nous essuyons	j'essuyais	j'essuierai	j'ai essuyé	il essuya	essuie
	tu essuies	vous essuyez					essuyons
	il essuie	ils essuient					essuyez
commencer	je commence	nous	je commençais	je commencerai	j'ai commencé	il commença	commence
	tu commences	commençons					commençons
	il commence	vous commencez					commencez
		ils commencent					
manger	je mange	nous mangeons	je mangeais	je mangerai	j'ai mangé	il mangea	mange
	tu manges	vous mangez					mangeons
	il mange	ils mangent					mangez

II. PRINCIPAUX VERBES IRREGULIERS

	Indicatif présent	*Imparfait*	*Futur*	*Passé composé*	*Passé simple*	*Subjonctif présent*	*Participe présent*
aller	je vais tu vas il va nous allons vous allez ils vont	j'allais	j'irai(1)	je suis allé	il alla (2)	que j'aille que nous allions que vous alliez qu'ils aillent	allant
apercevoir	j'aperçois ... nous apercevons vous apercevez ils aperçoivent	j'apercevais	j'apercevrai	j'ai aperçu	il aperçut	que j'aperçoive que nous apercevions que vous aperceviez qu'ils aper çoivent	apercevant
apprendre	j'apprends ... nous apprenons vous apprenez ils apprennent	j'apprenais	j'apprendrai	j'ai appris	il apprit	que j'apprenne	apprenant
s'asseoir	je m'assieds tu t'assieds il s'assied nous nous asseyons	je m'asseyais	je m'assiérai	je me suis assis	il s'assit	que je m'asseye	m'asseyant

(1) donc conditionnel: J'irais. (2) donc pluriel: ils allèrent.

	Indicatif présent	*Imparfait*	*Futur*	*Passé composé*	*Passé simple*	*Subjonctif présent*	*Participe présent*
	vous vous asseyez						
	ils s'asseyent						
	ou:						
	je m'assois	je m'assoyais	je m'assoirai	je me suis assis	il s'assit	que je m'assoie	m'assoyant
	tu t'assois						
	il s'assoit						
	nous nous assoyons						
	vous vous assoyez						
	ils s'assoient						
attendre	j'attends ...	j'attendais	j'attendrai	j'ai attendu	il attendit	que j'attende	attendant
	nous attendons						
battre	je bats ...	je battais	je battrai	j'ai battu	il battit	que je batte	battant
	nous battons						
boire	je bois ...	je buvais	je boirai	j'ai bu	il but	que je boive	buvant
	nous buvons						
	vous buvez						
	ils boivent						
comprendre (comme apprendre)							

	Indicatif présent	*Imparfait*	*Futur*	*Passé composé*	*Passé simple*	*Subjonctif présent*	*Participe présent*
conduire	je conduis nous conduisons	je conduisais	je conduirai	j'ai conduit	il conduisit	que je conduise	conduisant
connaître	je connais nous connaissons	je connaissais	je connaîtrai	j'ai connu	il connut	que je connaisse	connaissant
construire (comme conduire)	je construis						
coudre	je couds ... il coud nous cousons vous cousez ils cousent	je cousais	je coudrai ...	j'ai cousu	il cousit	que je couse ...	cousant
courir	je cours ... il court nous courons	je courais	je courrai	j'ai couru	il courut	que je coure	courant
couvrir	je couvre nous couvrons	je couvrais	je couvrirai	j'ai couvert	il couvrit	que je couvre	couvrant
croire	je crois ... nous croyons vous croyez ils croient	je croyais ... nous croyions	je croirai	j'ai cru	il crut	que je croie ... que nous croyions	croyant
défendre (comme attendre)	je défends ...						

	Indicatif présent	*Imparfait*	*Futur*	*Passé composé*	*Passé simple*	*Subjonctif présent*	*Participe présent*
descendre (comme attendre)	je descends						
devenir (comme venir)	je deviens						
devoir	je dois ...	je devais	je devrai	j'ai dû	il dut	que je doive	devant
	nous devons						
	vous devez						
	ils doivent						
dire	je dis ...	je disais	je dirai	j'ai dit	il dit	que je dise	disant
	nous disons						
	vous dites						
	ils disent						
dormir	je dors ...	je dormais	je dormirai	j'ai dormi	il dormit	que je dorme	dormant
	nous dormons						
	vous dormez						
	ils dorment						
écrire	j'écris ...	j'écrivais	j'écrirai	j'ai écrit	il écrivit	que j'écrive	écrivant
	nous écrivons						
	vous écrivez						
	ils écrivent						

	Indicatif présent	*Imparfait*	*Futur*	*Passé composé*	*Passé simple*	*Subjonctif présent*	*Participe présent*
élire (comme lire)	j'élis						
entendre (comme attendre)	j'entends						
envoyer	j'envoie tu envoies il envoie nous envoyons vous envoyez ils envoient	j'envoyais	j'enverrai	j'ai envoyé	il envoya	que j'envoie	envoyant
éteindre	j'éteins tu éteins il éteint nous éteignons vous éteignez ils éteignent	j'éteignais	j'éteindrai	j'ai éteint	il éteignit	que j'éteigne	éteignant
faire	je fais tu fais il fait nous faisons vous faites ils font	je faisais	je ferai	j'ai fait	il fit	que je fasse	faisant
falloir	il faut	il fallait	il faudra	il a fallu	il fallut	qu'il faille	

	Indicatif présent	*Imparfait*	*Futur*	*Passé composé*	*Passé simple*	*Subjonctif présent*	*Participe présent*
lire	je lis	je lisais	je lirai	j'ai lu	il lut	que je lise	lisant
	tu lis						
	il lit						
	nous lisons						
	vous lisez						
	ils lisent						
mettre	je mets	je mettais	je mettrai	j'ai mis	il mit	que je mette	mettant
	tu mets						
	il met						
	nous mettons						
	vous mettez						
	ils mettent						
mordre	je mords	je mordais	je mordrai	j'ai mordu	il mordit	que je morde	mordant
	tu mords						
	il mord						
	nous mordons						
	vous mordez						
	ils mordent						
mourir	je meurs	je mourais	je mourrai	je suis mort	il mourut	que je meure	mourant
	tu meurs						
	il meurt						

	Indicatif présent	*Imparfait*	*Futur*	*Passé composé*	*Passé simple*	*Subjonctif présent*	*Participe présent*
	nous mourons						
	vous mourez						
	ils meurent						
offrir (comme couvrir)	j'offre						
ouvrir (comme couvrir)	j'ouvre						
paraître (comme connaître)	je parais						
partir	je pars	je partais	je partirai	je suis parti	il partit	que je parte	partant
	tu pars						
	il part						
	nous partons						
	vous partez						
	ils partent						
peindre (comme éteindre)	je peins						
perdre (comme mordre)	je perds						
permettre (comme mettre)	je permets						

	Indicatif présent	*Imparfait*	*Futur*	*Passé composé*	*Passé simple*	*Subjonctif présent*	*Participe présent*
plaire	je plais	je plaisais	je plairai	j'ai plu	il plut	que je plaise	plaisant
	tu plais						
	il plaît						
	nous plaisons						
	vous plaisez						
	ils plaisent						
pleuvoir	il pleut	il pleuvait	il pleuvra	il a plu	il plut	qu'il pleuve	pleuvant
pouvoir	je peux	je pouvais	je pourrai	j'ai pu	il put	que je puisse	pouvant
	tu peux						
	il peut						
	nous pouvons						
	vous pouvez						
	ils peuvent						
prendre (comme apprendre)	je prends						
promettre (comme mettre)	je promets						
recevoir (comme apercevoir)	je reçois						

	Indicatif présent	*Imparfait*	*Futur*	*Passé composé*	*Passé simple*	*Subjonctif présent*	*Participe présent*
reconnaître (comme connaître)	je reconnais						
remettre (comme mettre)	je remets						
rendre (comme attendre)	je rends						
répondre (comme attendre)	je réponds						
rire	je ris	je riais	je rirai	j'ai ri	il rit	que je rie	riant
	tu ris						
	il rit						
	nous rions						
	vous riez						
	ils rient						
savoir	je sais	je savais	je saurai	j'ai su	il sut	que je sache	sachant
	tu sais						
	il sait						
	nous savons						
	vous savez	(*Impératif* : sache, sachons, sachez)					
	ils savent						
sentir (comme partir)	je sens			j'ai senti			

	Indicatif présent	*Imparfait*	*Futur*	*Passé composé*	*Passé simple*	*Subjonctif présent*	*Participe présent*
sourire (comme rire)	je souris						
suivre	je suis	je suivais	je suivrai	j'ai suivi	il suivit	que je suive	suivant
	tu suis						
	il suit						
	nous suivons						
	vous suivez						
	ils suivent						
se taire	je me tais	je me taisais	je me tairai	je me suis tu	il se tut	que je me taise	me taisant
	tu te tais						
	il se tait						
	nous nous taisons						
	vous vous taisez						
	ils se taisent						
tenir	je tiens	je tenais	je tiendrai	j'ai tenu	il tint	que je tienne	tenant
	tu tiens						
	il tient						
	nous tenons						
	vous tenez						
	ils tiennent						

	Indicatif présent	*Imparfait*	*Futur*	*Passé composé*	*Passé simple*	*Subjonctif présent*	*Participe présent*
vendre (comme attendre)	je vends						
venir	je viens tu viens il vient nous venons vous venez ils viennent	je venais	je viendrai	je suis venu	il vint	que je vienne	venant
vivre	je vis tu vis il vit nous vivons vous vivez ils vivent	je vivais	je vivrai	j'ai vécu	il vécut	que je vive	vivant
voir	je vois tu vois il voit nous voyons vous voyez ils voient	je voyais	je verrai	j'ai vu	il vit	que je voie	voyant
vouloir	je veux tu veux il veut nous voulons vous voulez ils veulent	je voulais	je voudrai	j'ai voulu	il voulut	que je veuille	voulant

(*Impératif* : veuille, veuillons, veuillez. Les deux premières formes sont rares.)

VOCABULAIRE 总词汇表

说明:1. 本词汇表不包括专有名词和阅读材料中出现的单词。
2. 单词后括号内的数字表示单词在该课次首次出现。

A

abaisser *v.t.* (48) 下降
s'abaisser *v.pr.* (34) 放低,落下
abandonner *v.t.* (33) 抛弃
abandonner *v.t.* (34) 放弃,抛弃
abécédaire *n.m.* (44) 识字课本
abîme *n.m.* (58) 深渊
aboutir *v.t.* (43) 通向,导致
à l'abri de (41) 在…遮蔽下
s'abriter *v.pr.* (40) 躲避
absence *n.f.* (45) 缺少
absent, e *a.* (33) 缺席
absorber *v.t.* (41) 吸收
absorption *n.f.* (54) 吸收,吸入
accabler *v.t.* (51) 使难以忍受
accompagner *v.t.* (32) 陪同
accorder *v.t.* (38) 授予;使一致
accoucher *v.i.* (50) 分娩
accueillant, e *a.* (49) 好客的
accueillir *v.t.* (38) 迎接,招待
à ce moment-là (32) 此刻
acheteur, se *n.* (36) 买主,顾客
achevé, e *a.* (54) 结束的,完成的
acier *n.m.* (13) 钢铁
à compter de (50) 从…算起
à condition que (38) 以…为条件,只要…
acquis, e *a.* (52) 后天(性)的
acrobatie *n.f.* (40) 杂技
actionner *v.t.* (48) 开动,发动
actuel, le *a.* (51) 目前的
addition *n.f.* (32) 账单;增加
administrateur, trice *n.* (42) 董事,理事
administration *n.f.* (45) 政府部门
admissible *a.* (51) 可接受的
adolescence *n.f.* (54) 青少年
adopter *v.t.* (38) 采纳,通过
adulte *n.,a.* (40) 成年人;成年的
affaiblir *v.t.* (52) 使衰弱,削弱
affecter *v.t.* (54) 表现,具有
affectif, ve *a.* (49) 感情的
affection *n.f.* (33) 友爱,爱

affirmation *n. f.* (57) 证明,肯定
affirmer *v. t.* (2) 断定,肯定
affolé, e *a.* (46) 疯狂的,发疯的
âge d'or *n. m.* (56) 黄金时代
agent de police *n. m.* (34) 警察,交通警
s'agir *v. impers.* (35) 关于…
agression *n. f.* (55) 侵略,侵犯
aide-comptable *n.* (45) 助理会计
aîné, e *n.* (54) 长辈,前辈
ainsi *adv.* (33) 这样,如此
air *n. m.* (33) 神情;空气;空中
aisément *adv.* (56) 容易地,宽裕地
à l'aide de (52) 借助于…
ajouter *v. t.* (37) 增加,补充
à la fin de (36) 在…结束时
à la légère (37) 草率地,轻率地
alarmer *v. t.* (54) 使惊慌,使不安
à l'arrivée de (45) 在…到来之际
à l'avance (36) 提前,预先
alcool *n. m.* (40) 酒精
à l'avant de (34) 在…前部
à l'échelle de (55) 在…范围内
alerter *v. t.* (42) 报警
à l'exemple de (50) 以…为榜样
aliénation *n. f.* (50) 精神错乱,疯癫
alléger *v. t.* (43) 减轻
allocation *n. f.* (45) 津贴,补助
allumer *v. t.* (47) 点燃
alors que (36) 而,却;当…时
alpestre *a.* (57) 阿尔卑斯山的
alterné, e *a.* (38) 交替的,轮流的
altitude *n. f.* (57) 海拔,高度
âme *n. f.* (58) 灵魂
aménager *v. t.* (57) 整理,治理
amener *v. t.* (36) 带来,引来
amer, amère *a.* (58) 苦涩的
amour *n. m.* (33) 爱,爱情
analyse *n. f.* (43) 分析
analyser *v. t.* (57) 分析
anesthésie *n. f.* (35) 麻醉
animalement *adv.* (56) 像动物般地
anniversaire *n. m.* (56) 生日
annoncer *v. t.* (31) 宣告,宣布
annuel, le *a.* (55) 每年的,年度的
anormal, e *a.* (43) 不正常的,异常的
anormalement *adv.* (55) 异常的,反常地
antécédent *n. m.* (54) 前事,经历
anticorps *n. m.* (52) 抗体
antidopage *a.* (43) 反对使用兴奋剂的
antienne *n. f.* (55) 陈词滥调
août *n. m.* (39) 八月
à peine (41) 刚刚,才,勉强
apercevoir *v. t.* (40) 发现

s'apercevoir *v. pr.* (33) 发觉
à plein temps (45) 全日制的
à plus forte raison (56) 更何况,尤其
à plusieurs reprises (48) 多次
apparent, e *a.* (53) 表面的,表象的
appliquer *v. t.* (48) 运用,应用
s'appliquer *v. pr.* (52) 适合,符合
apporter *v. t.* (32) 带来,拿来
approbation *n. f.* (37) 赞同
à présent (52) 现在
après tout (36) 总之
à quel point (38) 至…程度
à raison de (50) 根据,按照
argument *n. m.* (49) 论据,理由
armature *n. f.* (51) 支柱,骨干
arithmétique *n. f.* (33) 算术
arme *n. f.* (46) 武器
armer *v. t.* (51) 武装
arracher *v. t.* (55) 夺取,争得
arrêter *v. t.* (31) 逮捕,捉住
arrondir *v. t.* (44) 使成圆形
articulé, e *a.* (34) 用关节连接的
artificiel, le *a.* (35) 人工的,人造的
artificiellement *adv.* (52) 人为地
artisanal, e *a.* (57) 手工业者的
Assemblée nationale *n. f.* (46) 国民议会
assembler *v. t.* (46) 集中,聚集
assurer *v. t.* (44) 肯定,使相信
s'assurer (de) *v. pr.* (37) 取得,保险 (42) 查明
astucieux, se *a.* (42) 诡谲的
atelier *n. m.* (57) 作坊,车间
athlète *n.* (43) 运动员,田径运动员
atout *n. m.* (57) 王牌
attaché, e *a.* (39) 喜爱的,依恋的
attaquer *v. t.* (31) 攻击,袭击
atteindre *v. t.* (34) 到达,达到 (52) 触及,伤害
attention *n. f.* (53) 关怀,关心
attentivement *adv.* (37) 专心地
atténué, e *a.* (52) 减弱的
attraper *v. t.* (52) 得病,受到
au bout de (46) 在…端部
au contact de (52) 与…接触后
au contraire (36) 相反地
aucun, e *a.* (36) 任何的,某种的
au début de (51) 在…之初
au-delà de (43) 在…以外,超出
augmentation *n. f.* (54) 增长,增加
au nom de (50) 以…的名义
auparavant *adv.* (31) 以前,先前
au plus (35) 至多
au sein de (58) 在…深处,在…内部
aussi bien que (57) 和…一样,无论…还是

aussitôt que (53) 刚一…就
autant *adv.* (41) 同样
auteur *n.m.* (31) 作者,作案的人
auto *n.f.* (35) 小轿车
automation *n.f.* (51) 自动化
automobile *n.f.* (56) 小汽车
automobiliste *n.* (31) 驾驶汽车的人
auto-stop *n.m.* (31) 拦车搭乘
auto-stoppeur, se *n.* (31) 拦车搭乘者
autour de (33) 在…周围
autrement *adv.* (45) 别样,不同
s'avancer *v.pr.* (44) 向前移动
avantage *n.m.* (37) 利益,好处
avant que (38) 在…之前
avarice *n.f.* (53) 吝啬
avenue *n.f.* (34) 林阴道,大街
avril *n.m.* (40) 四月

B

baguette *n.f.* (44) 小棒,筷子
baigner *v.t.* (53) 浸,弄湿
bain *n.m.* (47) 洗澡,洗澡水
baisser *v.t.* (36) 降低,降(价)
balance *n.f.* (41) 天平,秤
bambou *n.m.* (44) 竹子
banal, e *a.* (33) 平凡的,一般的
bancaire *a.* (42) 银行的
bande *n.f.* (46) 群,伙
bandit *n.m.* (31) 强盗,匪徒
baptême *n.m.* (39) 洗礼
barbarie *n.f.* (46) 野蛮,残忍
barrage *n.m.* (55) 障碍
bas, se *a.* (41) 低的
bas *n.m.* (34) 下部,底部 (47) 长袜
basculer *v.i.* (34) 翻倒,摇摆
bataille *n.f.* (32) 战斗,战役
se battre *v.pr.* (55) 交战,战斗
bébé *n.m.* (45) 婴儿
bec *n.m.* (48) 壶嘴
bénin, bénigne *a.* (54) 轻微的,不严重的
berceau *n.m.* (44) 摇篮
bête *n.f.* (56) 兽类,牲口
bien que (38) 尽管,虽然
bijou, x *n.m.* (42) 首饰
billet *n.m.* (39) 票,票证 (42) 纸币
bizarre *a.* (31) 奇怪的
blanc, che *a.* (35) 白色的
blanchir *v.t.* (40) 使变白
bonheur *n.m.* (53) 幸福
bonhomme *n.m.* (53) 老人
bottine *n.f.* (47) 高帮皮鞋
bouché, e *a.* (48) 堵塞的
boucher *v.t.* (48) 堵住
boucherie *n.f.* (56) 肉店
bouchon *n.m.* (48) 塞子,堵塞物

bouger v. i. (51) 动,变动
bouillir v. i. (48) 沸滚,沸腾
bouilloire n. f. (48) 烧水壶
boulanger, ère n. (36) 面包商
bouleversement n. m. (51) 混乱,动荡
bouleverser v. t. (45) 打乱
bouter v. t. (55) 驱逐
bouton n. m. (53) 凸出物
branche n. f. (41) 枝,树枝 (55) 分支,部门
bras n. m. (40) 胳膊
brevet n. m. (37) 专利
breveter v. t. (37) 以专利证保护
bronze n. m. (32) 青铜
brûlant, e a. (41) 酷热的
brutal, e a. (54) 突然的,意外的
brutalement adv. (42) 粗暴的
butin n. m. (42) 赃物,掠夺品

C

cabinet n. m. (50) 工作室,办公室
cacher v. t. (37) 藏,隐瞒
cachet n. m. (46) 图章,封印
cadet, te n. (45) 最年幼的子女
cadre n. m. (51) 干部,管理人员
caillou, x n. m. (56) 碎石,小石块
campagne n. f. (43) 运动
cambrioleur n. m. (42) 窃贼
cancre n. m. (44) (俗)又懒又笨的学生
canon n. m. (32) 炮
capable a. (32) 有能力的
capituler v. i. (46) 投降,屈服
caractère n. m. (39) 特点,特征
carnage n. m. (58) 杀戮,屠杀
carnet n. m. (55) 小册子
cas n. m. (37) 情况,场合
catastrophe n. f. (50) 灾祸
catholique a. (39) 天主教的
n. (39) 天主教徒
cause n. f. (53) 原因
causer v. i. (47) 交谈
céder v. t. (55) 屈服,让步
centaine n. f. (33) 近百个,上百的
cependant conj. (36) 可是,然而
cérébral, e a. (44) 大脑的
céréale n. f. (55) 粮食
cérémonie n. f. (39) 仪式
cerise n. f. (56) 樱桃
certain, e pron. (34) 某些人
cesser v. i. (45) 停止,中止
cerveau n. m. (44) 大脑
chance n. f. (45) 运气
chant n. m. (40) 歌曲,歌唱
charbon n. m. (48) 煤
chapeau n. m. (35) 礼帽
chapeau melon n. m. (40) 圆顶礼帽
chaque fois (36) 每次

charge *n. f.* (55) 负担,开支
chargé, e *a.* (38) 负责…的
se charger *v. pr.* (48) 担负,负责
chasser *v. t.* (56) 驱逐,赶走
chat *n. m.* (56) 猫
château *n. m.* (46) 城堡
chaudière *n. f.* (48) 锅炉
chaussure *n. f.* (31) 鞋 (55) 制鞋业
chef de gouvernement *n. m.* (55) 政府首脑
chemin *n. m.* (41) 道路,小路
cheminée *n. f.* (53) 壁炉
chérir *v. t.* (58) 珍爱,依恋
cheval *n. m.* (34) 马力 (56) 马
cheveu, x *n. m.* (42) 头发
chirurgien, ne *n.* (35) 外科医生
choix *n. m.* (37) 选择
chrétien, ne *n.,a.* (39) 基督教徒;基督教的
chute *n. f.* (49) 跌落,下降
ciel *n. m.* (34) 天空
cirque *n. m.* (40) 马戏团
civil, e *a.* (39) 民事的,世俗的
circonstance *n. f.* (45) 环境,情况
citoyen, ne *n.* (46) 公民
clair, e *a.* (50) 清楚的,明确的
clinique *n. f.* (35) 诊所
cloche *n. f.* (41) 钟,钟形罩
coiffer *v. t.* (47) 给…梳妆
coin *n. m.* (33) 角落
collaborateur, trice *n.* (51) 合作者
collectif, ve *a.* (45) 集体的
coller *v. t.* (47) 贴,粘
colonne *n. f.* (32) 圆柱;行,列
combat *n. m.* (52) 战斗
combattre *v. pr.* (58) 与…战斗
comique *n. m.* (40) 滑稽
a. (40) 滑稽的
comité *n. m.* (46) 委员会
commande *n. f.* (55) 订货
commander *v. t.* (32) 订,订购
commerçant, e *n.* (36) 商人
commercial, e *a.* (34) 商业的,贸易的
communion *n. f.* (39) 领圣体
compagnie d'assurance *n. f.* (42) 保险公司
comparaison *n. f.* (36) 比较,对照
compenser *v. t.* (41) 补偿
compétent, e *a.* (57) 有能力的
compétition *n. f.* (43) 比赛,竞争
complaisant, e *a.* (31) 乐于助人的
complexe *a.* (36) 复杂的
comportement *n. m.* (54) 行为,举止
composant *n. m.* (55) 元件
composer *v. t.* (38) 组成,构成

compréhension *n. f.* (40) 理解
compte tenu de (49) 鉴于,考虑到
conception *n. f.* (56) 观念
conception du monde (56) 世界观
concerner *v. t.* (52) 涉及
concession *n. f.* (55) 让步
conclure *v. t.* (56) 从…得出结论
concurrence *n. f.* (36) 竞争
condensation *n. f.* (41) 凝结
condenser *v. t.* (48) 使凝结
condenseur *n. m.* (48) 冷凝器
confier *v. t.* (45) 托付
confusion *n. f.* (32) 羞愧,困窘
congénital, e *a.* (52) 先天性的
congrès *n. m.* (51) 会议
conquête *n. f.* (55) 征服
conscience *n. f.* (57) 意识
conseil *n. m.* (53) 建议,意见
(55) 议会,理事会
conséquence *n. f.* (49) 后果,结果
conserver *v. t.* (41) 保存,保留
considérable *a.* (36) 大量的,重大的
considérer *v. t.* (37) 考虑,看到
se considérer *v. pr.* (37) 把自己看作…
consister *v. i.* (52) 包括,由…组成
consommable *a.* (56) 可消费的
consommation *n. f.* (39) 消费
constant, e *a.* (57) 经常的,不断的
constatation *n. f.* (36) 发现,评价
construction navale *n. f.* (55) 造船业
consulter *v. t.* (35) 求医;咨询
contact *n. m.* (38) 接触,联系
contempler *v. t.* (58) 凝视,沉思
se contenter *v. pr.* (43) 满足于
contenu *n. m.* (43) 内容,内盛物
continent *n. m.* (55) 大陆
contingenter *v. t.* (55) 规定限额
continuel, le *a.* (43) 连续的
contracter *v. t.* (52) 染上,患…病
contradiction *n. f.* (55) 矛盾
contraire *a.* (37) 相反的,不利的
contraste *n. m.* (54) 对照,对比
contrat *n. m.* (55) 合同
convaincant, e *a.* (49) 有说服力的
conversation *n. f.* (37) 谈话,交谈
copropriété *n. f.* (57) 双方共有(权)
coqueluche *n. f.* (52) 百日咳
corse *a.* (44) 科西嘉的
côtelette de mouton *n. f.* (42) 羊排
cou *n. m.* (33) 颈,脖子
couler *v. i.* (58) 流,流动
coup *n. m.* (36) 一下,一击
coup de poing *n. m.* (50) 一拳
coup de tonnerre *n. m.* (46) 雷鸣,

晴天霹雳
couper *v.t.* (35) 切,割
couple *n.m.* (49) 夫妇
courant, e *a.* (58) 流动的
cour de récréation *n.f.* (44) 操场
coureur, se *n.* (43) 赛跑运动员
cousin *n.m.* (50) 堂兄弟,表兄弟
cousine *n.f.* (50) 堂姐妹,表姐妹
couteau *n.m.* (55) 刀子
coûter *v.i.* (34) 值,价格为…
coûteux, se *a.* (36) 昂贵的
couvercle *n.m.* (48) 盖子
couverture *n.f.* (53) 覆盖物,被子
couvrir *v.t.* (34) 完成(路程)
(40) 覆盖,盖满
(45) 补偿,抵消
création *n.f.* (56) 创造
crèche *n.f.* (45) 托儿所
créer *v.t.* (40) 创造
crémier, ère *n.m.* (36) 乳品商
crier *v.i.* (44) 喊叫
croix *n.f.* (44) 十字,十字架
se croiser *v.pr.* (34) 交错而过,相遇
croyance *n.f.* (56) 信仰
cultivé, e *a.* (56) 被栽培的
culture générale *n.f.* (51) 常识,一般知识
curé *n.m.* (53) 神甫
cybernétique *n.f.* (51) 控制论
cylindre *n.m.* (48) 汽缸

D

d'abord (38) 首先
danger *n.m.* (31) 危险
danse *n.f.* (40) 舞蹈
danseur, se *n.* (40) 舞蹈演员
d'après (49) 根据
davantage *adv.* (35) 更多地,更加
se débrouiller *v.pr.* (33) 设法应付
débutant, e *n.* (57) 初学者,新手
décembre *n.m.* (39) 十二月
décès *n.m.* (54) 死亡
de cette façon (48) 这样
déchiffrer *v.t.* (44) 辨认,辨读
décision *n.f.* (37) 决定
décollage *n.m.* (34) 起飞
découvert, e *a.* (41) 无遮盖的
découvrir *v.t.* (42) 发现
décrire *v.t.* (37) 描述
debout *adv.* (34) 站着
défendre *v.t.* (46) 防守,防御
se défendre *v.pr.* (52) 自卫,抵抗
défense *n.f.* (52) 防守,防御
dehors *adv.* (55) 在外边,外部
délivrer *v.t.* (46) 释放,拯救
se délivrer *v.pr.* (54) 被交付
déloyal, e *a.* (55) 不诚实的,不正大光明的

demeurer *v. i.* (52) 延续,依然是
démission *n. f.* (50) 辞职
démolition *n. f.* (46) 拆毁
de nos jours (56) 当今,现代
dépense *n. f.* (35) 开支,费用
déplacement *n. m.* (43) 迁移,旅行
déposer *v. t.* (41) 沉积出
(44) 放置,放下
dernier, ère *n.* (32) 后者
déroulement *n. m.* (58) 展开,伸展
se dérouler *v. pr.* (38) 进行,开展
désaccord *n. m.* (56) 分歧,不协调
désarmement *n. m.* (55) 裁军,解除武装
désespéré, e *a.* (53) 绝望的,失望的
dès lors (48) 从那时候起
désormais *adv.* (50) 从今以后
de temps à autre (44) 不时地
détenu, e *n.* (46) 被拘押者,犯人
détourner *v. t.* (47) 转移,转过去
de toute façon (36) 无论如何
deuil *n. m.* (54) 丧事
devant *prép.* (38) 当着…的面
déviant, e *a.* (54) 偏离的
deviner *v. t.* (53) 猜测
Dieu *n. m.* (44) 上帝
différence *n. f.* (41) 差别
diplôme *n. m.* (38) 文凭
dirigeant *n. m.* (43) 领导人
diriger *v. t.* (44) 领导,指向
discret, e *a.* (58) 审慎的
disgrâce *n. f.* (51) 失宠,不幸
disponible *a.* (51) 可自由使用的
dispositif *n. m.* (55) 设置,机构
dissociation *n. f.* (54) 分裂
se distraire *v. pr.* (58) 消遣,娱乐
divers, e *a.* (40) 不同的
documentation *n. f.* (57) 资料,材料
doigt *n. m.* (35) 手指
dollar *n. m.* (42) 美元
domestique *a.* (45) 家里的,家庭的
dopage *n. m.* (43) 使用兴奋剂
dose *n. f.* (52) 剂量,含量
doter *v. t.* (40) 配备,赋予
douanier, ère *a.* (55) 海关的
doué, e *a.* (44) 有天赋的
dramatique *a.* (51) 严重的,悲惨的
drogue *n. f.* (54) 麻醉品,毒品
se droguer *v. pr.* (43) 服麻醉品
droit *n. m.* (37) 权利
du moins (49) 至少
durant *prép.* (52) 在…期间
durer *v. i.* (46) 持续,延续

E

ébullition *n. f.* (48) 沸腾
écart *n. m.* (56) 差距,差异
échange *n. m.* (55) 交易,贸易

échapper *v.t.* (31) 逃脱
(53) 露出,漏出
s'échapper *v.pr.* (47) 脱口而出
échec *n.m.* (54) 失败
écho *n.m.* (37) 反响,回声
éclater *v.i.* (44) 爆炸
écrasant, e *a.* (54) 过分的,压倒的
s'écrier *v.pr.* (44) 大声说话
effervescence *n.f.* (46) 动荡,骚乱
éculé, e *a.* (40) 鞋底穿坏的
édition *n.f.* (36) 出版,版本
effet *n.m.* (40) 作用,效果
efficace *a.* (43) 有效的
efficacement *adv.* (52) 有效地
effort *n.m.* (43) 努力
effraction *n.f.* (42) 撬门
éjecter *v.t.* (48) 喷射,弹出
électronique *n.f.* (51) 电子学,电子技术
a. (55) 电子的
élément *n.m.* (41) 成分,因素
élever *v.t.* (40) 抚养
s'élever *v.pr.* (49) 上升,提高,竖起
s'éloigner *v.pr.* (40) 远离,离开
embarrassant, e *a.* (32) 令人尴尬的
embrasser *v.t.* (58) 拥抱,一览无余
émeutier, ère *n.* (46) 闹事者
émigration *n.f.* (54) 移居国外
s'émouvoir *v.pr.* (35) 激动
empereur *n.m.* (32) 皇帝
emploi *n.m.* (45) 职业,工作
employeur, se *n.* (42) 雇主
emporter *v.t.* (32) 带出,拿走
s'en aller *v.pr.* (31) 离去
en attendant (51) 在此期间
en cas de (53) 在…情况下
en conséquence (55) 因此,依次
encourager *v.t.* (43) 鼓励,支持
en dehors de (38) 在…之外
énergie *n.f.* (48) 能,能量
en face de (36) 在…对面
enfance *n.f.* (40) 童年
en faveur de (49) 有利于
enfermer *v.t.* (46) 关闭
s'enflammer *v.pr.* (50) 激动,发怒
enflure *n.f.* (52) 肿胀
s'enfoncer *v.pr.* (47) 进入深处,消失
en fonction de (38) 根据
en force (46) 大批地,大举地
s'engager *v.pr.* (55) 保证
en l'air (34) 朝天
enlever *v.t.* (47) 脱掉
en masse (46) 大量地,大批的
ennemi, e *n.* (32) 敌人
s'ennuyer *v.pr.* (57) 感到厌倦

s'enorgueillir *v. pr.* (57) 为…自豪

en outre (54) 而且,还

en principe (34) 原则上,基本上

en provenance de (55) 来自

enquête *n. f.* (45) 调查

en réalité (56) 事实上

enregistrer *v. t.* (49) 登记,记载

en revanche (54) 相反地

en secret (53) 悄悄地,秘密地

enrichissement *n. m.* (38) 富足,充实

ensuite *adv.* (35) 然后,随后

enterrement *n. m.* (39) 安葬,葬礼

enterrer *v. t.* (50) 埋葬

en-tête *n. m.* (35) 笺头

en totalité (48) 全部地,完全地

entourage *n. m.* (43) 接近的人们,亲友

entrain *n. m.* (41) 活力,劲头

entraîner *v. t.* (52) 引起

entraîîneur *n. m.* (43) 教练

entreprise *n. f.* (38) 企业

en vertu de (46) 根据,按照

environ *n. m.* (45) 周围,附近

épicerie *n. f.* (36) 食品杂货

épidémiologiste *n.* (54) 流行病学者

épisode *n. m.* (40) 情节

épreuve *n. f.* (43) 比赛,考核

éprouver *v. t.* (41) 感觉到

équipement *n. m.* (49) 设施,配备

équiper *v. t.* (57) 装备,配备

s'équiper *v. pr.* (57) 被装备

équitation *n. f.* (57) 骑马,骑术

erreur *n. f.* (34) 错误,失误

escalade *n. f.* (57) 攀登

escale *n. f.* (34) 中途着陆

espérance *n. f.* (58) 希望,愿望

esprit *n. m.* (37) 精神
(44) 智力,头脑

essai *n. m.* (48) 试验

essayer *v. t.* (31) 试图

estimer *v. t.* (39) 评价,认为

établissement *n. m.* (38) 机构,企业

étape *n. f.* (39) 阶段,期

éternel, le *a.* (58) 永恒的

étonnamment *adv.* (54) 令人惊讶地

étonnement *n. m.* (47) 吃惊,惊讶

étouffer *v. t.* (47) 使呼吸困难

étroitement *adv.* (38) 紧密地

européen, ne *a.* (55) 欧洲的

événement *n. m.* (39) 事件

évidemment *adv.* (54) 明显地,肯定地

évidence *n. f.* (40) 明显

évolué, e *a.* (56) 进化的,发达的

exception *n. f.* (52) 例外

exceptionnel, le *a.* (57) 例外的，特殊的

excessif, ve *a.* (48) 过度的，过多的

s'excuser *v. pr.* (35) 自行辩解

exemple *n. m.* (38) 典范

exercer *v. t.* (36) 发挥，实施

exiger *v. t.* (32) 要求，苛求

existence *n. f.* (40) 存在，生活

expansible *a.* (48) 膨胀的

expansion *n. f.* (57) 扩展，发展

expéditionnaire *n.* (50) 办事员，制副本者

expérience *n. f.* (41) 经验

explication *n. f.* (32) 解释

expliquer *v. t.* (31) 解释

exploit *n. m.* (43) 战绩，成绩

explosion *n. f.* (44) 爆炸

expression *n. f.* (53) 表情

extrêmement *adv.* (35) 极端的

F

fabrication *n. f.* (37) 制造，提炼

face à face (58) 面对面

facteur *n. m.* (49) 因素，要素

faculté *n. f.* (33) (大学的)学院

faible *n. m.* (40) 弱者
　a. (55) 弱的，微小的

faire partie de (38) 属于

fameux, se *a.* (46) 著名的，出色的

familial, e *a.* (39) 家庭的

fatigue *n. f.* (40) 疲劳

faune *n. f.* (57) 地方动物

faussaire *n.* (46) 造假钞票的人

faute de (57) 由于没有，缺乏

fauteuil *n. m.* (50) 扶手椅

favorable *a.* (55) 有利的，有好感的

fécondité *n. f.* (49) 生殖力，繁殖

femme de ménage *n. f.* (42) 女佣人

féminin, e *a.* (45) 妇女的

fer *n. m.* (53) 铁

férié, e *a.* (39) 放假的

fermer *v. t.* (36) 关，关闭

fermier, ère *n.* (53) 佃农

fête *n. f.* (39) 节日

feu *n. m.* (47) 火

feuille *n. f.* (41) 叶子

fiancé, e *n.* (47) 未婚夫(妻)
　a. (47) 已订婚的

fierté *n. f.* (44) 自豪，骄傲

fièvre *n. f.* (52) 发烧

figure *n. f.* (47) 脸，气色

fin, e *a.* (35) 敏感的，细腻的

finalement *adv.* (36) 最后，终于

financier, ère *a.* (57) 财政的，金钱的

financièrement *adv.* (34) 从财政角度看

firme *n. f.* (51) 企业,公司
fiscal, e *a.* (55) 税收的
flétri, e *a.* (41) 枯萎的
se flétrir *v. pr.* (41) 枯萎
flore *n. f.* (57) 地方植物
fonction *n. f.* (38) 职责,职能
fonctionner *v. i.* (38) 运转,运行
fond *n. m.* (58) 底,水的深度
se fonder *v. pr.* (46) 成立,创立
forcé, e *a.* (53) 被迫的
forfait *n. m.* (45) 放弃
forger *v. t.* (32) 锻造
formation *n. f.* (38) 培养,教育
forme *n. f.* (38) 形式,形状
formel, le *a.* (55) 明确的,确切的
former *v. t.* (46) 组成,构成
formule *n. f.* (38) 方式,类型
forteresse *n. f.* (46) 要塞,堡垒
fortune *n. f.* (53) 财富
fou, folle *n.* (46) 疯子
foudres *n. f. pl.* (54) 怒斥,严惩
fouille *n. f.* (42) 搜寻
foulard *n. m.* (42) 方围巾,头巾
foule *n. f.* (39) 人群
foyer *n. m.* (40) 家,户
fraîcheur *n. f.* (41) 凉爽
frais, fraîche *a.* (41) 凉爽的,新鲜的
franchir *v. t.* (46) 越过,跨过
frappant, e *a.* (36) 打动人的,惊人的
frapper *v. t.* (42) 打,击,拍
fréquence *n. f.* (54) 频繁,经常性
fréquent, e *a.* (39) 频繁,经常
front *n. m.* (44) 前额
fruitier, ère *a.* (56) 结果实的
fugue *n. f.* (54) 离家出走
fuite *n. f.* (54) 逃跑,逃避
fureur *n. f.* (46) 疯狂,狂怒
furieux, se *a.* (50) 疯狂的,狂怒的
fusil *n. m.* (46) 步枪
fusion *n. f.* (51) 合并,联合

G

gagner *v. t.* (45) 挣(钱)
gain *n. m.* (37) 收入,收益
gamin, e *n.* (40) 儿童,少年
garde *n. f.* (32) 卫队,禁卫军
Garde nationale *n. f.* (46) 国民自卫军
garder *v. t.* (45) 照看;保持
garderie *n. f.* (49) 幼儿园
gaspillage *n. m.* (48) 浪费
gaz *n. m.* (48) 气,气体
gémissement *n. m.* (40) 呜咽声
gendarme *n. m.* (31) 治安警察
généralement *adv.* (42) 一般地
génération *n. f.* (49) 世代,一代
genou, x *n. m.* (53) 膝,膝盖
germe *n. m.* (52) 病原体,疫苗

geste *n.m.* (37) 手势,动作
gilet *n.m.* (53) 背心,坎肩
glace *n.f.* (47) 镜子
glacier *n.m.* (57) 冰川
globe terrestre *n.m.* (56) 地球
gosse *n.* (40) 小孩子
gouffre *n.m.* (58) 深渊
goût *n.m.* (43) 爱好,兴趣
goutte *n.f.* (41) 滴,水滴
gouverneur *n.m.* (46) 监狱长;总督
grâce à (36) 幸亏
gracieux, se *a.* (35) 优美的
graminée *n.f.* (56) 禾本科植物
gramme *n.m.* (41) 克
gratuit, e *a.* (57) 免费的
gratuitement *adv.* (56) 免费地,无偿地
gravité *n.f.* (54) 严重性
grondement *n.m.* (34) 隆隆声
gros, se *a.* (31) 粗的;粗大的
guérilla *n.f.* (55) 游击战

H

habiller *v.t.* (47) 给…穿衣
s'habiller *v.pr.* (31) 穿衣
habit *n.m.* (31) 衣服,服装
habitude *n.f.* (36) 习惯
hasard *n.m.* (37) 偶然,巧合
hauteur *n.f.* (34) 高度
hebdomadaire *n.m.* (45) 周刊
herbe *n.f.* (56) 草,草本植物
herbe folle *n.f.* (56) 野草
hère *n.m.* (40) 穷人,可怜的人
s'hérisser *v.pr.* (55) 竖起,林立
hiérarchie *n.f.* (56) 等级
histoire du monde *n.f.* (51) 世界史
homme moyen *n.m.* (56) 一般人
homme politique *n.m.* (49) 政治家
honnête *a.* (53) 诚实的
horrible *a.* (53) 可怕的
hostile *a.* (49) 敌意的,对立的
Hôtel de Ville *n.m.* (46) 市政厅
humainement *adv.* (51) 对人而言
humanités *n.f.pl.* (51) 人文科学
humblement *adv.* (47) 谦恭地
humeur *n.f.* (41) 心情,情绪
humidifier *v.t.* (41) 使潮湿
humidité *n.f.* (41) 湿,潮湿

I

ici et là (51) 这儿和那儿
idéal, e *a.* (49) 理想的
s'illuminer *v.pr.* (40) 变亮,发光
imaginer *v.t.* (36) 想象,设想
immense *a.* (56) 无限的
immensité *n.f.* (57) 无边,广大
immobilier *n.m.* (57) 不动产

immobilier, ère a. (57) 不动产的
immobilisé, e a. (34) 固定的,静止的
immuniser v.t. (52) 使免疫
immunité n.f. (52) 免疫性
implacable a. (58) 不可缓和的,无情的
importation n.f. (55) 进口
impossible a. (37) 不可能的
impression n.f. (41) 印象,感觉
inattentif, ve a. (44) 不专心的
incision n.f. (52) 切开,切口
inciter v.t. (39) 鼓动,唆使
inclure v.t. (51) 插入,包括
incognito adv. (32) 隐姓埋名地
incomparable a. (40) 无可比拟的
incontestable a. (57) 无可争辩的
incontestablement adv. (38) 无可争辩地
index n.m. (35) 食指
indifférent, e a. (49) 冷漠的
indispensable a. (41) 不可缺少的
individu n.m. (56) 个人,个体
individuel, le a. (49) 个人的,个体的
indomptable a. (58) 不可驯服的
infectieux, se a. (52) 传染性的
infection n.f. (52) 感染,传染
inférieur, e a. (36) 低于…的
infini, e a. (58) 无限的,无穷尽的
inhumain, e a. (43) 不人道的,无情的
initiation n.f. (57) 传授基础知识
innombrable a. (58) 无数的
inquiet, inquiète a. (33) 担心的
inquiétude n.f. (53) 担心
insertion n.f. (54) 插入,进入
insister v.i. (37) 强调,坚持
insoupçonné, e a. (54) 意想不到的
installation n.f. (46) 设施
instant n.m. (35) 瞬间,一会儿
instrument n.m. (52) 工具,手段
insurgé, e n. (46) 起义者,暴动者
intégralement adv. (37) 全部地
intelligence n.f. (51) 才智
intense a. (41) 强烈的,极度的
interdire v.t. (57) 禁止
intérêt n.m. (37) 利益,好处
intermède n.m. (45) 间断期
interne a. (41) 内部的,内侧的
intervenir v.i. (41) 介入,干涉
intitulé, e a. (40) 题名为…
s'introduire v.pr. (42) 进入
intuition n.f. (52) 直觉,预感
inutile a. (51) 无用的
invalide n. (46) 残废军人
inventer v.t. (51) 发明,创造
inventeur, trice n. (37) 发明者
inversement adv. (45) 相反地

investissement n. m. (57) 投资
irrégulier, ère a. (48) 无规律的
irréversible a. (49) 不可逆转的
ivre a. (46) 狂热的
ivrogne n. m. (40) 酗酒的

J

jadis adv. (46) 过去,往昔
jaloux, se a. (58) 嫉妒的,渴望的
jambe n. f. (47) 腿
jardin n. m. (46) 花园
jaune a. (47) 黄色的
jeter v. t. (36) 投,扔
jeune femme n. f. (42) 少妇
joie n. f. (35) 快乐
juger v. t. (56) 判断,认为
jury n. m. (38) 评审委员会
justement adv. (35) 正好,公正地
justice n. f. (54) 司法部门;公正

L

là-haut (34) 在天上
se laisser v. pr. (51) 被,任凭
lamentablement adv. (40) 悲痛地
large n. m. (34) 宽度
lame n. f. (58) 海浪
larme n. f. (53) 眼泪
las, se a. (58) 疲倦的
latin, e a. (52) 拉丁的
lecture n. f. (36) 阅读
légal, e a. (39) 合法的,法定的
léger, ère a. (52) 轻微的
lent, e a. (55) 缓慢的
lentement adv. (34) 缓慢地
lettre n. f. (44) 字母
lettre d'affaire n. f. (50) 公文
lever v. t. (35) 举起,提起
levier n. m. (48) 操纵杆
lèvre n. f. (47) 嘴唇
se libérer v. pr. (41) 摆脱,解放自己
liberté n. f. (45) 自由
libraire n. (36) 书商
libre-échange n. m. (55) 自由贸易
licencier v. t. (51) 解雇,辞退
licite a. (54) 法律许可的
lier v. t. (38) 连接
ligoter v. t. (42) 捆绑
limite n. f. (43) 限度,极限
liquéfier v. t. (48) 使成液体
liquide n. m. (41) 液体
lit n. m. (42) 床
litre n. m. (41) 升
livre de poche n. m. (36) (简装)袖珍书
livrer v. t. (33) 托付,交给
se livrer v. pr. (55) 致力,从事
locomotive n. f. (55) 机车
loi n. f. (43) 法律
loisir n. m. (49) 娱乐

long *n. m.* (34) 长度
lorsque *conj.* (34) 当…时
lourd, e *a.* (47) 沉重的
lutte *n. f.* (43) 斗争,对抗
lutteur, se *n.* (58) 战斗者,好斗者
luxe *n. m.* (45) 豪华,过多

M

Mach (34) 马赫数
machine à vapeur *n. f.* (48) 蒸汽机
magnifiquement *adv.* (44) 出色地
main *n. f.* (35) 手
maintenir *v. t.* (40) 维持,保持
mairie *n. f.* (39) 市、镇政府
maîtresse *n. f.* (33) 女教师;主妇
Majesté *n. f.* (32) 陛下
majorité *n. f.* (54) 大多数,大部分
malaise *n. m.* (54) 不适,苦恼
malgré *prép.* (45) 不顾,尽管
malheureusement *adv.* (31) 不幸地,可惜
malheureux, se *a.* (51) 不幸的
mammifère *n. m.* (56) 哺乳动物
manifestant, e *n.* (46) 示威游行者
manivelle *n. f.* (48) 曲柄,(摇)手柄
manquer *v. t.* (40) 缺乏
mansarde *n. f.* (40) 屋顶室,阁楼
marâtre *n. f.* (56) 后母,虐待子女的母亲
marchand, e *n.* (36) 商人,买卖人
marchand de vin *n. m.* (36) 酒商
marché *n. m.* (44) 市场
Marché commun *n. m.* (51) (欧洲)共同市场
maréchal *n. m.* (32) 元帅
mariage *n. m.* (39) 结婚,婚姻
marquer *v. t.* (39) 标志,留痕迹
masque *n. m.* (40) 假面具,面部表情
massacre *n. m.* (50) 大屠杀,残杀
massacrer *v. t.* (46) 残杀,杀害
matériel, le *a.* (37) 物质的
matière *n. f.* (41) 物质
maturité *n. f.* (44) 成熟
mécanique *a.* (57) 机械的
mécanisme *n. m.* (48) 机械结构
mèche *n. f.* (47) 一绺头发
médical, e *a.* (52) 医学的,医药的
médicament *n. m.* (43) 药品
se méfier *v. pr.* (38) 不信任,怀疑
mélancolie *n. f.* (53) 忧郁,伤感
mélancoliquement *adv.* (35) 忧郁地,伤感地
membre *n. m.* (38) 成员
même *adv.* (32) 甚至,即使
mémoire *n. f.* (44) 记忆力
menacer *v. t.* (37) 威胁,预示危险
mental, e *a.* (50) 心理的,精神的

mère au foyer *n. f.* (45) 家庭妇女

merise *n. f.* (56) 野樱桃

mériter *v. t.* (47) 值得,应得

merveilleux, se *a.* (52) 卓绝的,神奇的

mesure *n. f.* (49) 措施

mesurer *v. t.* (34) 尺寸为
(41) 测量

méthodique *a.* (42) 有条理的

méthode *n. f.* (41) 方法

mètre *n. m.* (34) 米

mettre en œuvre (52) 动用,发挥

mévente *n. f.* (36) 生意萧条

milice *n. f.* (46) 自卫队,民兵

milieu *n. m.* (38) 界,生活环境

militaire *a.* (46) 军事的

millier *n. m.* (33) 千,上千

million *n. m.* (42) 百万

minéral, e *a.* (41) 矿物的

ministère *n. m.* (50) 内阁,部

ministre *n. m.* (50) 部长

ministre des finances *n. m.* (55) 财政部长

minuscule *a.* (52) 极小的

miroir *n. m.* (58) 镜子

mise en marche *n. f.* (48) 起动

mise en place *n. f.* (55) 建立

modèle *n. m.* (35) 样品,式样

modestie *n. f.* (57) 谦虚

moindre *a.* (37) 更小的,最小的

moitié *n. f.* (51) 半,一半

mortalité *n. f.* (54) 死亡率,死亡

moteur *n. m.* (34) 发动机

moteur à réaction *n. m.* (34) 喷气式发动机

motocyclette *n. f.* (55) 摩托车

mourir *v. i.* (32) 死亡

mouton *n. m.* (32) 羊,羊肉

mouvement *n. m.* (53) 活动,动作;运动

multipropriété *n. f.* (57) 多方共有权

munition *n. f.* (46) 弹药

murmurer *v. i.*, *v. t.* (37) 低语

musculation *n. f.* (43) 肌肉锻炼

mystérieux, se *a.* (42) 神秘的

mythe *n. m.* (45) 神话,空想

N

naguère *adv.* (33) 不久以前

naissance *n. f.* (45) 出生

natalité *n. f.* (59) 出生率

nationalisme *n. m.* (55) 民族主义

naturellement *adv.* (35) 自然地

néanmoins *adv.* (54) 然而,仍然

nécessaire *a.* (39) 必要的

nécessité *n. f.* (45) 必要性,需要

ne ... ni ... ni (40) 既无…也无…

neutraliser *v. t.* (52) 中和,抵消

neveu *n. m.* (50) 侄子,外甥

nez *n.m.* (34) 鼻子

n'importe quel, le ... (48) 不管什么样的…

nommer *v.t.* (51) 命名,称为…

notaire *n.m.* (53) 公证人

noter *v.t.* (54) 注意到

nourrice *n.f.* (45) 奶妈,保姆

se nourrir *v.pr.* (41) 吸收养料

nourrisson *n.m.* (52) 乳儿,婴儿

nourriture *n.f.* (56) 食品

nouveau-né *n.m.* (52) 新生儿

nouveauté *n.f.* (48) 新事物

novembre *n.m.* (39) 十一月

nu, e *a.* (40) 赤裸的

nuit *n.f.* (40) 夜,夜晚

nul *pron. indéf.* (58) 无一人

O

ô *interj.* (58) 啊

objet *n.m.* (56) 物,物体

obligation *n.f.* (43) 义务,职责

obliger *v.t.* (42) 强迫

obscur, e *a.* (40) 黑暗的

observer *v.t.* (48) 观察

obstacle *n.m.* (55) 障碍

obtenir *v.t.* (38) 获得

œil, yeux *n.m.* (36) 眼睛

œuvre *n.f.* (52) 使命,任务

ombre *n.f.* (41) 阴影,阴凉处

omelette *n.f.* (32) 炒蛋

onde *n.f.* (58) 波浪,波纹

opération *n.f.* (35) 手术

opérer *v.t.* (35) 动手术

opérette *n.f.* (50) 喜歌剧

or *n.m.* (53) 黄金

orateur, trice *n.* (46) 演说家

ordinateur *n.m.* (51) 电子计算机

ordre *n.m.* (46) 命令,秩序

organique *a.* (52) 有机体的,器官的

organisme *n.m.* (41) 机体,人体

origine *n.f.* (39) 起源

oser *v.t.* (36) 敢于

ôter *v.t.* (48) 取下,拿掉

outre *prép.* (40) 在…之外

ouverture *n.f.* (33) 开启,开门

s'ouvrir *v.pr.* (42) 被打开

P

paisible *a.* (37) 温和的,平静的

paix *n.f.* (52) 和平

pâle *a.* (47) 苍白的

pâlir *v.i.* (44) 变苍白

paradis *n.m.* (56) 天堂

paraître *v.impers.* (37) 似乎,觉得

par crainte de (44) 担心

pardonner *v.t.*, *v.i.* (47) 原谅

pareil, le *a.* (50) 相同的

parent éloigné *n.m.* (50) 远亲

parental, e *a.* (54) 父母亲的

parfaitement *adv*.（52）完美地，完全地

par l'intermédiaire de（40）通过

paroi *n. f*.（41）内壁

parole *n. f*.（44）话，话语

parquet *n. m*.（50）地板，镶木地板

par suite de（36）由于

part *n. f*.（35）方面，部分

se passer *v. pr*.（31）发生

se passer（de） *v. pr*.（40）省去…

passionné，e *a*.（46）狂热的，感人的

n.（57）入迷者

paternel，le *a*.（44）父亲的

pâtissier，ère *n*.（47）糕点商

patronal，e *a*.（55）雇主的

patronat *n. m*.（38）雇主

pauvre *n*.（40）穷人

a.（40）贫穷的，可怜的

payer *v. i*. ou *v. t*.（32）付钱，支付

peau *n. f*.（52）皮肤，表皮

pédagogique *a*.（38）教学的

peine *n. f*.（58）痛苦，磨难

se pencher *v. pr*.（47）欠身，俯身

pénétrer *v. i*.（41）进入，走进

pénible *a*.（56）辛苦的，艰难的

perdre *v. t*.（39）丢失

perfectionnement *n. m*.（57）提高（水平）

péril *n. m*.（55）危险，危难

périmé，e *a*.（51）过时的

période *n. f*.（38）时期

permanent，e *a*.（46）常设的

perroquet *n. m*.（44）鹦鹉

personnage *n. m*.（40）人物

personnel，le *a*.（52）个人的

perte *n. f*.（41）损失

peser *v. i*.（34）称，重量是…

peu après（31）不一会儿

peur *n. f*.（31）害怕

peut-être *adv*.（31）可能，也许

pharmaceutique *a*.（43）制药的

phénomène *n. m*.（33）现象

phrase *n. f*.（37）句子

physicien，ne *n*.（37）物理学家

pièce de monnaie *n. f*.（47）硬币

pièce d'or *n. f*.（32）金币

pieds nus（40）赤脚

pilotage *n. m*.（34）驾驶

pipe *n. f*.（56）烟斗

pique *n. f*.（46）矛，梭

piqûre *n. f*.（52）注射

piston *n. m*.（48）活塞

pitié *n. f*.（47）怜悯

placement *n. m*.（57）投资

placer *v. t*.（50）插入，放上

se plaindre *v. pr*.（52）抱怨，叫痛

plainte *n. f*.（58）抱怨，呻吟

se plaire *v. pr*.（58）喜爱，喜欢

plaisanterie *n. f.* (50) 笑话,开玩笑

plan *n. m.* (45) 计划,安排

plante *n. f.* (41) 植物

plateau *n. m.* (41) 天平盘

pleurer *v. i.* (40) 哭泣

plonger *v. i.* (48) 跳水,陷入

poésie *n. f.* (58) 诗歌

poids *n. m.* (41) 重量

poing *n. m.* (50) 拳头

point *n. m.* (38) 程度;点

point de départ *n. m.* (48) 始点

point final *n. m.* (44) 句号

pointe *n. f.* (44) 端部

poison *n. m.* (52) 毒素,毒物

pommade *n. f.* (35) 药膏

pompe *n. f.* (48) 泵

pont-levis *n. m.* (46) 吊桥

populaire *a.* (31) 人民的,大众的
(46) 得人心的

portefeuille *n. m.* (32) 皮夹

se porter *v. pr.* (46) 走向,涌向

posément *adv.* (37) 庄重地,严肃地

positif, ve *a.* (36) 积极的

possibilité *n. f.* (40) 可能性

poste de radio *n. m.* (56) 收音机

poste de pilotage *n. m.* (34) 驾驶舱

poste de télévision *n. m.* (33) 电视机

pour ainsi dire (53) 可以说

pour que (38) 为了,以便

poursuite *n. f.* (49) 继续

pourvu, e *a.* (46) 备有…的

pousser *v. t.* (36) 推动,促进

pouvoirs publics *n. m. pl.* (38) 当局

pratiquer *v. t.* (39) 从事;进行

précaution *n. f.* (42) 谨慎

précéder *v. t.* (39) 在…之前

précieux, se *a.* (53) 珍贵的

précipitamment *adv.* (42) 匆忙地

précis, e *a.* (52) 精确的

préhistoire *n. f.* (56) 史前,史前史

préparation *n. f.* (37) 提炼,准备

préparer *v.t.* (35) 准备

présence *n. f.* (41) 在场,存在

présenter *v. t.* (31) 有,显出

se présenter *v. pr.* (32) 来到,来临

préserver *v. t.* (55) 保护

président *n. m.* (42) 总统,主席

presque *adv.* (31) 几乎,差不多

pression *n. f.* (48) 压力,压强

prêtre *n. m.* (53) 教士

prise *n. f.* (46) 夺取

prison *n. f.* (46) 监狱

privilégié, e *n.* (51) 享有特权的人
a. (57) 占特殊地位的

privilégier *v. t.* (49) 给以优惠

procédé *n. m.* (37) 方法,工艺
processus *n. m.* (55) 过程,进程
se procurer *v. pr.* (56) 谋得,弄到
prodigieux, se *a.* (43) 惊人的,出奇的
produire *v. t.* (41) 生产,制作
professionnel, le *a.* (38) 职业的
profond, e *a.* (53) 深的,极度的
prolonger *v. t.* (39) 延长
promesse *n. f.* (55) 诺言,许诺
promettre *v. t.* (55) 答应,保证
promulguer *v. t.* (55) 颁布
se propager *v. pr.* (48) 传播,蔓延
proportion *n. f.* (55) 比例,规模
proposer *v. t.* (32) 建议
propre *a.* (40) 自己的,个人的
proprement dit, e (52) 就本义而言
propriétaire *n.* (37) 主人
protectionnisme *n. m.* (55) 贸易保护主义
protectionniste *a.* (55) 贸易保护主义的
protéger *v. t.* (40) 保护
protester *v. i.* (47) 抗议,提出异议
prototype *n. m.* (34) 样机
prouver *v. t.* (57) 证明,验证
provenir *v. i.* (45) 来自,来源于
provoquer *v. t.* (52) 引起,诱发
psychotrope *a.* (54) 作用于精神的
public *n. m.* (40) 公众
publicité *n. f.* (39) 广告
publier *v. t.* (37) 出版,发表
punir *v. t.* (44) 惩罚
pur, e *a.* (37) 纯的
purification *n. f.* (37) 净化
pyjama *n. m.* (33) 睡衣

Q

quadragénaire *a.* (51) 四十多岁的
qualité *n. f.* (57) 质量
quant à (32) 至于
quantité *n. f.* (41) 数量
quel, le que (38) 无论什么样的
quelconque *a.* (41) 任何一个
quoique *conj.* (38) 尽管,虽然
quoi que (38) 无论是什么

R

raccorder *v. t.* (48) 接合,连接
racine *n. f.* (41) (树,木)根
raccrocher *v. i.* (42) 挂断(电话)
radiochimie *n. f.* (51) 放射化学
radium *n. m.* (37) 镭
rafraîchir *v. t.* (41) 使凉爽
rageusement *adv.* (40) 狂怒地
raillerie *n. f.* (50) 嘲笑,戏言
raison *n. f.* (35) 道理;原因
raisonnable *a.* (49) 有理性的,合理的

rang *n.m.* (44) 一排,一行
rappeler *v.t.* (42) 再打(电话)
(52) 使想起,提醒
rapport *n.m.* (38) 汇报,报告
rapprocher *v.t.* (47) 使更靠近
rare *a.* (39) 罕见的
rassasier *v.t.* (56) 使吃饱
rassurer *v.t.* (44) 使安心,使放心
rattraper *v.t.* (47) 重新抓住
réaction *n.f.* (34) 反作用
(52) 反应
réagir *v.i.* (52) 起反应,起作用
réalisation *n.f.* (34) 实现,成就
réaliser *v.t.* (36) 实现,完成
récent, e *a.* (48) 新近的
récession *n.f.* (51) (经济)衰退
réchauffer *v.t.* (53) 使暖和
rechercher *v.t.* (38) 寻找
recherches *n.f.pl.* (37) (科学)研究
récidive *n.f.* (54) 复发,重犯
récipient *n.m.* (48) 容器
réclamer *v.t.* (55) 要求,请求
recoin *n.m.* (40) 隐蔽的角落
récompense *n.f.* (37) 奖赏,报酬
reconnaître *v.t.* (31) 认出
record *n.m.* (31) 最高记录,最好成绩
recourir *v.t.* (54) 求助于
recours *n.m.* (54) 求助,运用
recouvrir *v.t.* (41) 覆盖
se recouvrir *v.pr.* (41) 盖满
reçu *n.m.* (53) 收据,收条
recueillir *v.t.* (40) 收养
recul *n.m.* (49) 后退,衰退
récupérer *v.t.* (48) 收回,复得
redescendre *v.i.* (48) 再落下
redouter *v.t.* (53) 惧怕,担心
réduction *n.f.* (49) 缩减,减少
refermer *v.t.* (44) 再关闭
réfléchir *v.i.* (35) 思考
régiment *n.m.* (46) (军)团
règle *n.f.* (55) 准则,标准
rejeter *v.t.* (37) 抛弃,丢弃
(41) 排出
se réjouir *v.pr.* (36) 喜悦,高兴
relation *n.f.* (49) 关系,交往
se relever *v.pr.* (34) 抬起,升高
relier *v.t.* (48) 连接,连通
religieux, se *n.* (31) 教士,修女
a. (39) 宗教的
religion *n.f.* (39) 宗教
remarquer *v.t.* (31) 注意到,觉察
remédier *v.t.* (38) 补救,纠正
remercier *v.t.* (31) 致谢
remettre *v.t.* (32) 送回,交给
remontée *n.f.* (57) 揽车
remonter *v.i.* (41) 重新上升,升高
remords *n.m.* (58) 悔恨
se remplir *v.pr.* (34) 被充满

remuer *v.i.* (53) 抖动
rémunéré, e *a.* (45) 有报酬的
se rendre *v.pr.* (33) 到…去
se rendre compte (32) 意识到
renfermer *v.t.* (41) 含有
renouvellement *n.m.* (49) 更新，增长
renseignement *n.m.* (36) 情况，消息
renseigner *v.t.* (34) 告诉
renvoyer *v.t.* (44) 送回，打发
réorganisation *n.f.* (51) 改组
répandu, e *a.* (38) 推广的
répéter *v.t.* (37) 重复
reporter *v.t.* (33) 转移
repos *n.m.* (51) 休息，安宁
reposer *v.t.* (51) 放回，安放
v.i. (53) 建立于，基于
se reposer *v.pr.* (42) 休息
reprendre *v.t.* (45) 恢复(工作)
représenter *v.t.* (37) 象征，体现
se représenter *v.pr.* (50) 想象
reprise économique *n.f.* (55) 经济振兴，经济复苏
reproche *n.m.* (47) 责备
réseau *n.m.* (57) 网，网状系统
résider *v.i.* (42) 居住
(52) 在于…
responsable *n.* (38) 负责人
restreint, e *a.* (57) 有限的
retarder *v.t.* (49) 推迟
retenir *v.t.* (41) 保留，留住
retentir *v.i.* (46) 产生回响，回荡
réticence *n.f.* (35) 隐瞒，迟疑
se retourner *v.pr.* (44) 转身
retraité, e *n.* (42) 退休人员
a. (42) 退休的
retrouver *v.t.* (42) 重新找到
réussite *n.f.* (34) 成功
rêve *n.m.* (53) 梦
se réveiller *v.pr.* (51) 睡醒
revenir *v.i.* (35) 返回
révolution *n.f.* (46) 革命
révolutionnaire *a.* (56) 革命的，变革的
ridicule *a.* (44) 荒谬的
riche *a.* (32) 富有的
richesse *n.f.* (37) 财富
risquer *v.t.* (49) 冒…危险
rive *n.f.* (55) 岸，海岸
roi *n.m.* (46) 国王
rompre *v.i.* (47) 绝交
ronronner *v.i.* (33) 发出轰鸣声
rougeole *n.f.* (52) 麻疹
rougir *v.i.* (47) 变红
rouler *v.i.* ou *v.t.* (53) 推动，转动
route *n.f.* (31) 道路
royaume *n.m.* (57) 王国
rude *a.* (56) 艰辛的

ruiné, e a.(47) 破产的
rumeur n.f.(58) 浪涛声,嘈杂声
rythme n.m.(51) 节奏

S

sage a.(44) 乖的,听话的
sain, e a.(52) 健康的,完好的
saisir v.t.(53) 抓住
salaire n.m.(45) 工资
salle à manger n.f.(33) 餐厅
salle d'opération n.f.(35) 手术室
sanglot n.m.(47) 呜咽,哭泣
sans arrêt (41) 不停地
sans cesse (36) 不断地
sans doute (34) 可能,也许
satire n.f.(50) 讽刺,讽刺作品
se satisfaire v.pr.(56) 对…满意,满足
sauvage a.(55) 野蛮的
sauvegarde n.f.(55) 保护,维护
scarlatine n.f.(52) 猩红热
scientifique n.(51) 科学家
scolarité n.f.(38) 学习期间
sécher v.t.(33) 使干燥
sécher l'école (33) 旷课
scrupule n.m.(35) 顾虑
secret n.m.(37) 秘密
secteur n.m.(55) 部门,领域
sécurité n.f.(57) 安全
sélection n.f.(56) 选择,淘汰
semblable a.(48) 相似的
sembler v.i.(31) 似乎
sens n.m.(48) 方向
sensation n.f.(41) 感觉
sensé, e a.(35) 明智的
sensible a.(35) 敏感的
sentiment n.m.(40) 感情
se séparer v.pr.(33) 分开,脱离
serment n.m.(55) 誓言,宣誓
serrer v.t.(53) 紧握,抓紧
sérum n.m.(52) 血清
service n.m.(32) 服务
servir v.t.ind.(37) 用于…,服务于…
se servir v.pr.(35) 使用
siéger v.i.(46) 设在…,位于
signer v.t.(53) 签署
silence n.m.(37) 安静,宁静
silencieusement adv.(53) 默默地
simple a.(36) 简单的
simplement adv.(33) 仅仅,只是
site n.m.(57) 风景,风景区
situation n.f.(32) 情况,局势
situer v.t.(49) 确定位置,置于
skiable a.(57) 可供滑雪的
skier v.i.(57) 滑雪
skieur, se n.(57) 滑雪者
social, e a.(39) 社会的
société n.f.(42) 公司,协会

soin *n. m.* (53) 护理
soit *conj.* (42) 即，等于说
solennité *n. f.* (39) 隆重，盛大节日
solitude *n. f.* (40) 孤独
solution *n. f.* (37) 解决方法
somme *n. f.* (45) 金额，总数
sommet *n. m.* (55) 顶峰，首脑会议
son *n. m.* (34) 声音
sondage *n. m.* (49) 调查，民意测验
sonder *v. t.* (58) 测探，摸底
sonner *v. i.* (47) 响，鸣
sortie *n. f.* (31) 出口，离开
soudain, e *a.* (50) 突然的
souffler *v. i.* (40) 刮(风)
souffrir *v. i.* (40) 受…痛苦
soulagé, e *a.* (37) 如释重负的
soulagement *n. m.* (41) 轻松，缓和
soulever *v. t.* (48) 提起
soulier *n. m.* (47) 鞋，皮鞋
souligner *v. t.* (54) 强调指出
soupape *n. f.* (48) 阀门，气门
soupçonner *v. t.* (38) 怀疑
source *n. f.* (38) 源泉，来源
sourire *v. i.* (35) 微笑
sous-estimer *v. t.* (54) 低估
sous l'effet de (55) 在…影响下
soutenir *v. t.* (38) 支持；(论文)答辩
se souvenir *v. pr.* (41) 回想
souvenir *v. impers.* (58) 回想，忆及
spécialiste *n.* (54) 专家
spécifique *a.* (52) 特有的，特定的
spectateur, trice *n.* (43) 观众
sportif, ve *n.* (43) 体育运动员
stage *n. m.* (38) 实习
stagiaire *n.* (38) 实习生
station *n. f.* (57) 站；滑雪场
statut *n. m.* (54) 身份，地位
steak-frites *n. m.* (34) 牛排炸土豆条
stocker *v. t.* (46) 贮存，囤积
stopper *v. t.* (31) 拦住，停
stratégie *n. f.* (52) 战略
stupéfait, e *a.* (44) 惊呆的
subsister *v. i.* (56) 生存，维持生活
subtropical, e *a.* (56) 副热带的
suffire *v. impers.* (35) 只需
suffisamment *adv.* (49) 足够地，充分地
suicide *n. m.* (54) 自杀
suite *n. f.* (54) 后果，结果
supersonique *a.* (34) 超音速的
superstition *n. f.* (44) 迷信
supprimer *v. t.* (52) 取消
surface *n. f.* (41) 表面，面积
sur-le-champ (46) 立即，马上
sur le point de (43) 正要，即将
surprenant, e *a.* (44) 惊人的

survenir *v. i.* (44) 突然来到
survoler *v. t.* (34) 飞越
susciter *v. t.* (54) 引起,激起
symbole *n. m.* (46) 象征
syndicat *n. m.* (55) 工会

T

tâche *n. f.* (56) 任务
se taire *v. pr.* (47) 沉默
talent *n. m.* (40) 才华
tant *adv.* (58) 如此,那么
tant de (35) 如此多的,很多的
tapis *n. m.* (50) 地毯
tarder *v. i.* (35) 推迟
tasse *n. f.* (47) 茶杯
taux *n. m.* (49) 比率,率
technique *n. f.* (33) 技术
techniquement *adv.* (34) 从技术角度看
technologie *n. f.* (38) 技术,工艺学
tel, le *a.* (51) 这样的,如此
téléviseur *n. m.* (55) 电视机
tellement *adv.* (33) 如此地
température *n. f.* (41) 温度,气温
tendre *v. i.* (48) 倾向于,趋向
tendresse *n. f.* (40) 温情
ténébreux, se *a.* (58) 阴郁的,不可思议的
se tenir *v. pr.* (53) 站在,位于
tennis *n. m.* (57) 网球
tentation *n. f.* (55) 欲望,诱惑
tentative *v. t.* (54) 试图,企图
tenter *v. t.* (48) 尝试
se terminer *v. pr.* (38) 以…结束
terrain *n. m.* (41) 地,场所
terrestre *a.* (56) 陆上的,人间的
terrible *a.* (36) 可怕的,强烈的
terriblement *adv.* (35) 非常地,可怕地
tiers *n. m.* (33) 三分之一
tiers, ce *a.* (55) 第三的
tige *n. f.* (41) 茎,秆
(48) 杆,柄
tir à l'arc *n. m.* (57) 射箭
tirer *v. t.* (46) 开枪,射击
toit *n. m.* (40) 屋顶
tomber *v. i.* (49) 适逢;跌落
ton *n. m.* (37) 声调
tonne *n. f.* (34) 吨
tonnerre *n. f.* (46) 雷
tort *n. m.* (52) 过错
total, e *a.* (56) 完全的
totalement *adv.* (48) 完全地
tour à tour (53) 轮流地,依次
tournant *n. m.* (46) 转折点
se tourner *v. pr.* (52) 转向
tout à coup (50) 突然
toute-puissance *n. f.* (44) 万能,至高无上的权力
toxine *n. f.* (52) 毒素

trace *n. m.* (42) 痕迹

tradition *n. f.* (39) 传统

traditionnel, le *a.* (57) 传统的

traîner *v. t.* (46) 拖,拉

trancher *v. i.* (45) 切断,解决

transformer *v. t.* (48) 使转变成

transgresser *v. t.* (55) 违犯

transmettre *v. t.* (52) 传递

transpiration *n. f.* (41) 蒸腾作用

transpirer *v. i.* (41) 蒸腾,渗出

traverser *v. t.* (43) 横穿过,通过

trembler *v. i.* (35) 颤抖

trempé, e *a.* (47) 被淋湿的

tricher *v. i.* (43) 作弊

trimestre *n. m.* (44) 季度,学期

se tromper *v. pr.* (50) 搞错

tronc *n. m.* (41) 树干

trottoir *n. m.* (40) 人行道

trouble *n. m* (52) 紊乱,不适

troué, e *a.* (47) 穿洞的

troupe *n. f.* (40) 剧团,队

tuberculose *n. f.* (56) 结核病

tuer *v. t.* (52) 杀死

tuyau, x *n. m.* (48) 管道,导管

tyrannie *n. f.* (46) 专制,暴政

U

unique *a.* (57) 独一无二的

universitaire *a.* (38) 大学的

urgent, e *a.* (49) 紧急的

usage *n. m.* (38) 习俗,做法

utile *a.* (35) 有用的

utilité *n. f.* (52) 用处,效用

V

vaccin *n. m.* (52) 疫苗

vaccination *n. f.* (52) 疫苗接种

vacciner *v. t.* (52) 疫苗接种

vache *n. f.* (56) 奶牛

vaciller *v. i.* (40) 摇晃

vagabond *n. m.* (40) 流浪汉

vaincre *v. t.* (36) 战胜,击败

valet *n. m.* (32) 侍从

valet de chambre *n. m.* (32) 贴身侍从

valoir *v. i.* (35) 价值,有益处

valorisation *n. f.* (57) 增值

valoriser *v. t.* (57) 使增值

vapeur *n. f.* (41) 蒸汽

varicelle *n. f.* (52) 水痘

végétal, végétaux *n. m.* (41) 植物

végétatif, ve *a.* (56) 植物性的

veiller *v. t. ind.* (53) 注意,务必使

vendre *v. t.* (33) 卖,出售

vente *n. f.* (36) 出售

vérifier *v. t.* (41) 检查,证实

véritable *a.* (40) 真正的

verre *n. m.* (41) 玻璃

vertu *n. f.* (56) 美德

vicié, e *a.* (56) 污浊的

victime *n. f.* (46) 牺牲品,受害者
vide *a.* (33) 空的,无人的
vif, ve *a.* (37) 强烈的,热情的
vigneron, ne *n.* (53) 葡萄种植者
violent, e *a.* (58) 剧烈的,强暴的
visage *n. m.* (40) 脸,面孔
viser *v. t.* (52) 针对,瞄准
visière *n. f.* (34) 遮阳板
visite *n. f.* (32) 参观
vitesse *n. f.* (34) 速度
vivifiant, e *a.* (41) 爽人的
vivre *v. i.* (33) 生活,生存
vogue *n. f.* (36) 流行
voisiner *v. i.* (54) 与…靠近,接近
voix *n. f.* (31) 声音,嗓音
voler *v. t.* (53) 偷
vue *n. f.* (34) 视野,视觉
vulnérable *a.* (55) 脆弱的

Y

y compris (37) 包括